KB217250

인지 기능의
향상과
뇌 가소성

인지 기능의 향상과 뇌 가소성

Enhancing Cognitive Functioning and Brain Plasticity

보이테크 호츠코―자이코 · 아서 F. 크레이머 · 레너드 W. 푼 엮음

남기춘 · 박향숙 옮김

KU PRESS
고려대학교
출판문화원

Enhancing Cognitive Functioning and Brain Plasticity
by Wojtek Chodzko-Zajko, Arthur F. Kramer, Leonard W. Poon

Copyright © 2009 by Wojtek Chodzko-Zajko, Arthur F. Kramer, Leonard W. Poon
Korean Translation Copyright © 2024 by Korea University Press
All rights reserved.

Korean edition is published by arrangement with Humin Kinetics
through Duran Kim Agency, Seoul.
이 책의 한국어판 저작권은 듀란킴 에이전시를 통한 Humin Kinetics와의 독점계약
으로 고려대학교출판문화원에 있습니다.
저작권법에 의하여 한국 내에서 보호를 받는 저작물이므로
무단전재와 무단복제를 금합니다.

서문

이 책은 노화에 따른 인지 기능의 변화와 운동과 같은 신체 활동이 상호작용하는 방법을 여러 관점에서 논의한 전 3권으로 구성된 시리즈의 제3권이다. 이 시리즈의 제1권에서는 운동과 인지에 대한 일반적인 이슈와 함께 노인들이 겪는 인지 변화에 내재하는 생리학적 작동 원리가 무엇인지에 대해 소개하였다(Poon, Chbdzko-Zajko, & Tomporowski, 2006). 제2권에서는 운동이 인지에 미치는 영향이 왜 사람마다 차이가 있는지를 설명하였다(Spirduso, Poon, & Chodzko-Zajko, 2007). 시리즈 중 제3권인 이 책에서는 노인과 동물 연구에서 인지와 뇌 가소성에 효과가 있는 것으로 알려진 운동을 포함한 개입법에 대해 설명한다. 시리즈 3권 모두 여러 분야의 전문가들(즉 운동 전문가, 인지 심리학자, 노인학 전문가, 신경학 혹은 생물학 전문가)이 모여 각 장의 구성에 대해 논의하고 집필하였다. 모든 분야에 능한 전문가는 매우 적기에 이와 같은 협동 집필은 노화, 인지, 운동과 같은 개입 활동, 노화의 뇌 신경 원리 등에 대한 융합적이고 수렴적인 이해에 도달할 수 있다는 점에서 주목할 만하다.

이 책 1장에서는 파비아니와 그라톤(Fabiani and Gratton)은 행동 연구 결과를 기반으로 인지 노화에 대한 세 종류의 이론을 간략히 설명한다. 이후의 연구자들은 사건 관련 뇌 전위(event-related brain potential), 양전자 방출 단층 촬영(positron emission tomography), 기능적 자기공명영상(functional magnetic resonance imaging), 그리고 사건 관련 광학 영상(event-related optical imaging)을 포함한 다양한 보완적인 신경 영상 측정법이 인지 노화에 대한 이론을 검증하고 확장하는 데 어떻게 사용되었는지를 기술한다. 그들은 또한 뇌영상 기법이 노화와 관련된 인지와 뇌 기능의 개인 차 연구에 어떻게 적용되었는지에 대해 논의한다. 그리고 마지막으로 심리학적 관점과 신경과학 관점을 기반으로 인지 노화의 후속 연구에 대한 처방으로 마무리한다.

이어지는 세 개의 장에서는 인지 훈련, 인지적으로 복잡한 일에 열중하거나 혹은 여가 등에 몰입하는 지적 활동, 그리고 운동 등이 중년 이후의 인지 어떤 부분을 유지하거나 증진시키는 데에 어떤 효과를 보이는지에 대해 논의한다. 2장에서 카르미 스쿨러(Carmi Schooler)는 유급 노동과 여가 시간 활동 및 성인들의 지적 기능 간의 잠재적 상호 연관에 대해 조사하였다. 해당 장은 유급 노동 및 여가 활동을 수행하는 중년 및 노년기에 지적으로 까다로운 활동을 지속적으로 수행하는 것이 인지적으로 또 심리사회적으로 긍정적인 결과와 연관이 있는지에 대해 다룬다. 흥미롭게도 지적 기능 정도는 인지적으로 복잡한 일이나 여가 활동을 선택하는 데 영향을 준다. 스쿨러는 직업 혹은 여가 활동과 지적 기능이 상호영향을 주고 받는 것을 연구함으로써 환경이 노인의 지적 기능 변화에 영향을 주는 정도를 밝힐 수 있다고 제안한다.

이어 3장에서 미드와 박(Meade and Park)은 운동 외의 다른 개입이 노인의 인지 기능에 주는 영향에 대해 소개한다. 특히 해당 장에서는 특정 인지 기능을 강화하기 위해 고도로 통제된 실험실에서의 개입의 결과와 노인의 인지 기능을 보존한다고 알려진 실생활에서의 개입 효과를 비교한다. 이 연구를 통해 미드와 박은 노인들의 부족한 인지 처리를 개선하기 위해 고안된 인지 훈련 연구의 효과는 뇌의 보상 활동(complementary strategy)에 의한 것이며 이러한 뇌의 보상처리는 나이에 따라 변화하지 않는 것이라 주장한다(예, 비교적 자동적으로 수행됨). 이러한 주장을 뒷받침하는 설득력 있는 증거들은 의료 관찰(medical monitoring) 과정 중에 수집되었다. 또한 사회적 상호작용과 같은 일상 생활과 관련된 요인들이 성인들의 인지 기능 유지에 어떠한 영향을 주는지에 대해 논의한다.

4장에서 모로(Morrow)는 전문성과 노화의 관련성을 연구한 문헌을 조사하였다. 보다 구체적으로 그는 특정 분야나 운동, 여가와 같은 맥락에서의 전문성의 쇠퇴가 노화에 따라 어떻게 또 어느 정도로 나타나는지에 대해 맥락적인 능력과 보다 넓은 인지적 처리와 능력의 관점에서 다루었다. 모로는 나이가 들더라도 전문성을 유지하기 위해서는 정교하고 지속적인 연습이 필요하고 해당 영역의 지식에 근거한 전략을 발전시키는 것이 필요하다고 결론 짓는다. 또한 전문성을 유지하는 정도는 그 전문가의 개인적인 특성, 요구되는 과제, 평가 방법 등에 따라 상당한 변화가 있다는 것을 제시한다. 마지막으로 모로는 나이 든 전문가의 인지 기능은 본인의 전문 영역에서 필요한 영역이나 특수적 인지 기능은 유지되지만, 이러한 인지 기능이 일반 인지 기능까지 확대 적용되어 일반 노인보다 월등한 인지 기능을 유지하진 않는다고 결론 내린다.

5장에서 8장까지는 특별한 중재 프로그램이 인간과 동물의 과제 수행, 인지 기능, 뇌의 기능 등에 미치는 영향을 다룬다. 5장에서 앤더슨, 맥클로스키, 미첼, 그리고 타타(Anderson, McCloskey, Mitchell, & Tata)는 운동이 해마, 소뇌, 운동 영역, 시각 영역 등에 어떤 영향을 주는지를 다룬 동물 연구들을 리뷰한다. 저자들은 과제 수행, 학습과 기억에 미치는 운동 효과가 특정 관련 뇌 조직의 직접적인 활동 때문인지 아니면 운동이 호르몬 혹은 심혈관계에 영향을 주는 간접적인 효과 때문인지에 대해 논의한다. 그들은 운동이 특정 뇌 영역의 기능을 활성화시키고, 이런 뇌 기능의 강화가 인지 기능의 향상으로 이어진다고 제안한다. 6장에서 힐먼, 벅, 그리고 테만슨(Hillman, Buck, & Themanson)은 일생에 걸친 운동과 육체적인 활동이 뇌 인지 기능 유지 및 향상에 미치는 영향을 다룬 연구들을 고찰한다. 연구자들은 문헌 고찰을 통해 생활 습관과 인지 노화의 직접적인 관련성을 보고한다. 또한 그들은 노화가 집행주의 통제 처리의 불균형적인 기능 저하와 연관되는데, 운동은 이러한 작업기억의 집행 조절 능력의 감소를 지연시킨다는 사실을 제시한다. 특히 운동과 육체적 활동이 인지 노화 쇠퇴에 미치는 효과를 사건 관련 뇌 전위(ERP)를 통해 조사한 연구의 결과를 요약한다.

7장에서 케이타 카미조(Keita Kamijo)는 육체적 활동이 신경전기적 기능에 일시적으로 미치는 영향을 측정하고 평가하는 방법에 대해 논의한다. 케이타 카미조는 일시적 운동(acute exercise)과 ERP 요소 간의 관련성을 개관한다. 해당 장에서는 운동 연구에서 흔히 사용되는 ERP 요인들, 예를 들어 P3, N1, P2, N2, CNV(contingent negative variation), ERN(error-related negativity) 등을 설명한다. 그리고 노인들의 일시적 운동이 인지 기능에 영향을 주는 정도를 ERP 요소들과 연관지어 설명하는 것으로 마무리 된다. 8장에서 에릭슨과 코롤(Erickson & Korol)은 운동 중재 프로그램이 아닌 호르몬 대체 요법(hormone replacement therapy, HRT)이 여성 노인의 인지 기능에 미치는 효과를 소개한다. 특히 그들은 HRT가 폐경기 여성의 인지 기능에 영향을 주는 정도를 다룬 뇌 영상 연구를 고찰하고 통합한다. 임상 이전과 임상 연구들을 기반으로 그들은 HRT가 뇌의 제한된 영역에만 영향을 주고 이러한 영향의 결과가 매우 복잡한 형태로 폐경기 여성의 뇌에 나타난다고 지적한다. 이들은 향후 연구를 통해 HRT가 인지 기능과 뇌 건강에 미치는 효과를 뇌 영상 기법을 통해 밝힐 필요가 있다고 지적하며 8장을 마무리한다.

마지막 장인 9장에서는 노화, 운동, 인지에 대한 연구 결과가 공중위생(public health)과 공중위생 정책에 사용될 수 있는지에 대해 논의한다. 제니퍼 에트니어(Jenifer Etnier)는 운동과 육체적 활동이 인지 기능에 영향을 준다고 보고한 연구 결과들이 공중위생을 실현하기 위한 구체적인 방법을 제안할 수 있는지를 다룬다. 에트니어는 현재의 연구 결과를 근거로 인지 수행 개선 혹은 보호를 위해 육체적 활동을 처방할 수 있다고 결론짓는다. 그러나 그녀는 적절한 운동을 고려하여 정밀하게 처방을 내릴 정도로 연구가 구체화되지 못했다는 점을 지적한다. 노인의 인지기능 향상을 위해서 어떤 운동이 필요한지, 어느 정도의 강도로 해야 하는지, 얼마나 자주 해야 하는지 등에 대해서는 추가적인 연구가 요구된다.

끝으로 운동, 인지, 그리고 노화에 대한 3번째 워크숍을 후원해 준 일리노이 대학의 노화혁신연구단, 응용보건과학대학과 건강한 마음을 위한 NIH 센터, 벡맨 연구소 그리고 일리노이 대학 어바나-샴페인의 국립 청사진 사무소에 감사의 말씀을 드린다. 워크숍은 2004년10월 19일부터 20일까지 어바나 일리노이의 리바이스 교직원 센터에서 열렸다. 또한 회담과 이 책의 출간을 위해 애써 주신 리사 셰퍼드(Lisa Sheppard), 뎁 실츠(Deb Shilts), 그리고 박채희에게도 감사의 말씀을 드린다.

차례

1

노화의 인지적, 생리적 효과에 대한 뇌영상 연구

모니카 파비아니Monica Fabiani | 일리노이대학교 어바나–샴페인 베크만 연구소 및 심리학부
가브리엘레 그래튼Gabriele Gratton | 일리노이대학교 어바나–샴페인 베크만 연구소 및 심리학부

인지 노화(cognitive aging)는 직간접적으로 미국 인구 대다수에게 영향을 미치기 때문에 실질적인 관심사이자 건강과 직결된 문제이다. 따라서 놀랄 것 없이, 인지 노화는 기초과학에서부터 노인학(gerontology)과 노인병학(geriatric)과 같은 응용 분야에 이르기까지 다양한 영역에서 연구 대상이 되었다. 이 장에서는 정신생리학과 뇌영상에 관한 자료만 선별적으로 검토하고자 한다. 행동 데이터를 바탕으로 하여, 현존하는 노화에 관한 심리학적 이론들의 맥락에서 인지 노화의 기반이 되는 발생 가능한 메커니즘을 강조하고자 한다. 또한 연령에 따른 인지 노화의 개인 차를 논할 것이다.

인지 노화 이론—행동, 정신생리학, 및 신경영상으로 측정된 증거

정상적인 인지 노화는 주로 기억과 주의집중에서 문제를 야기하며, 쉽게 피로감을 느끼게 한다. 반면에 언어 능력에 있어서는 비교적 영향을 주지 않는 특징을 보인다(Park et al., 1996). 심리학자들은 인지 노화의 영향을 설명하는 세 가지 주요 이론을 제안했다. 이 세 가지 이론은 ① 인지정보처리의 속

도 둔화(Salthouse, 1996; Birren & Fisher, 1995 참조), ② 억제 기능의 약화(Hasher & Zacks, 1988), 그리고 ③ 작업기억(Working Memory) 기능의 결손(Craik & Byrd, 1982)이다. 이 이론들은 나이가 적은 사람들과 많은 사람들의 상대적인 인지 활동을 비교하여 얻은 결과에 그 바탕을 두고 있으며, 이 장의 후반에서 살펴보고자 한다. 지난 15년 동안, 비침습적 뇌영상 도구로 인해 인지 노화의 생리학적·해부학적 기저에 관한 연구를 시작할 수 있게 되었다. 이 지식들은 예방 활동(preventive action)이나 교정(remediation)과 같은 개입(intervention)이 가능한 대상 영역을 찾아내는 데 매우 유용하다.

인지정보처리의 속도 둔화

인지 노화의 둔화는 일반적으로 반응시간 또는 빠른 속도를 요구하는 과제에서 전형적으로 관찰된다(Salthouse, 1996). 비렌과 피셔(Birren & Fisher, 1995)는 속도를 요하는 반응 시간 측정 연구들을 대규모로 검토한 결과, 과제 수행 속도는 노화에 의해 저하된다는 사실을 발견하였다. 행동 반응에서의 속도 저하와 일맥상통하는 결과가 뇌파 연구에서도 보고되었다. 알파파 혹은 베타파와 같은 뇌전도(EEG, electroencephalograph)에서도 속도 지체가 나타났다(Woodruff-Park 1997 참조). 비슷하게, 심리생리학자들은 뇌 반응(예를 들어, 사건-관련 뇌 전위에서 P300 성분의 지체)이 노화에 따라 명확하게 지연된다는 사실을 발견했다(Polich et al., 1985).

억제 기능의 약화

해셔와 잭스(Hasher & Zacks, 1988)는 노인들이 적절하지 않지만 우세한 반응(prepotent responses)을 억제하는 과정에서 젊은 성인들보다 더 어려움을 느낀다는 것을 보고하였다. 더 나아가 그들은 반응 갈등(response conflict) 상황에서 노인들이 갈등을 해결하고 적절한 반응을 선택하는 과정에서 어려움을 겪는다는 사실을 관찰했다. 끝으로, 또 다른 연구 결과에 따르면 노인들이 젊은 성인들에 비해 관련성이 없는 방해 자극에 의해서 더 쉽게 방해를 받았다 (Kausler & Hakami, 1982; Rabbit, 1965 참조). 종합하면, 과제와 직접적으로 관련 이 없는 반응을 억제할 때 노인들은 젊은 성인들에 비해 억제 처리나 반응 억제를 하는 능력이 감소했다. 이런 행동 실험 결과와 일치하는 정신생리학 적 결과와 신경 영상 연구 증거를 이 섹션의 후반부에서 다룰 것이다.

작업기억 기능의 결손

몇몇 연구자들은 노화가 작업기억의 집행 기능(executive function) 쇠퇴와 관 련이 있다는 것을 보고하였다(West, 1996; Moscovitch & Winocur, 1992). 몇몇 경 우에서 작업기억 결손은 과제 수행 중 집중을 방해하는 방해자극(distractor) 이 제시되었을 때 가장 눈에 띄게 나타났다. 이런 결과는 작업기억의 결손 이 주의 통제 억제 기능의 약화와 밀접한 관련이 있음을 시사하고 있다(예, Kane & Eagle, 2000). 이러한 맥락에서, 조금 전 언급한 억제 감소에 대한 설명 은 나이 든 성인들에게서 자주 보이는 작업기억 결손을 설명할 수 있다(간섭 효과에 관한 설명, 예, Bowles & Salthouse, 2003). 사실 억제 기능 약화 설명은 노화 로 인한 인지정보처리의 속도 둔화에도 적용 가능하다. 인지정보처리 속도 의 둔화는 인지정보처리의 여러 단계에 다양한 형태로 개입하는 소음 정보, 즉 방해 자극을 적절하게 억제하지 못한 것에서 기인한 것일 수도 있기 때 문이다.

정신생리학적 증거

사건-관련 전위(event-related potential, ERP)에 기반한 인지 노화에 관한 연구 는 정보처리 속도의 저하와 억제 감소를 뒷받침하는 많은 증거를 제시하고 있다. 첫 번째 현상은 주로 노화의 영향으로 나타나는 다양한 ERP 성분들 의 지속시간(latency of ERP components) 증가이다(Polich et al., 1985). 예를 들어, P300의 지속시간은 28-80세 사이에 평균적으로 매해 1 또는 2밀리초(ms)

가량 증가한다(Polich et al., 1985). 노화와 관련된 P300의 지속시간 증가는 그에 상응하는 반응 시간의 증가와는 구분된다(Smulders et al., 1999).

P300의 지속시간은 자극 평가(stimulus evaluation) 시간에 민감하고 반응 처리(response processes)에는 상대적으로 영향을 덜 받는다고 간주되기 때문에 (Fabiani et al., 2007 참조) 이러한 데이터는 자극 평가와 반응 처리 둘 다 노화에 의해 지연된다는 사실을 시사하며 이는 일반적인 인지정보처리의 속도 둔화 가설과 일치한다. 그러나 노화가 ERP 지속시간에 미치는 영향은 특정한 기간에 보다 구체적으로 나타나고 특정 처리 지연에 기인하는 경우도 있다 (Smulders et al., 1999 참고).

ERP 성분의 지속시간 차이 외에도 인지 노화와 관련된 또 다른 두 가지 중요한 ERP 연구 결과가 있다. ① 젊은 성인들은 과제와 무관한 자극에 대한 반응을 성공적으로 억제하는 데 비해서 노인들은 이런 반응 억제를 잘 수행하지 못한다는 것이다(예, Yamaguchi & Knight 1991; Fabiani & Friedman 1995; Fabiani et al. 2006). 그리고 ② 특히 P300에서 가장 두드러지게 나타나는 현상으로, 젊은 성인이 특정 뇌파 파형을 보이는 두피의 위치와 노인의 두피 위치가 다르다는 것이다(예, Yamaguchi & Knight, 1991; Fabiani & Friedman, 1995). 첫 번째 결과는 억제 처리의 장애로 노화 과정에서 자주 보고되고 있는 주의산만의 증가와 부합한다. 두 번째 결과는 노화로 아마도 뇌 구조의 상대적인 균형의 변화 때문으로 추측된다.

신경 영상에 나타난 증거

ERP 요소의 두피 분포의 변화와 반복되었거나 혹은 무시해야 되는 자극에 대한 일부 ERP 반응들의 억제 감소 현상은 양전자 방출 단층촬영(positron emission tomography, PET)과 기능적 자기공명영상(functional magnetic resonance imaging, fMRI)에 기반한 뇌신경 영상 연구 결과와도 부합된다. 뇌신경 영상 연구는 노화가 특정 뇌 부위의 활동 감소뿐만 아니라 어떤 경우에는 뇌의 다른 부위의 활동 증가와도 관련이 있다는 것을 지적하고 있다. 이런 유형에 관한 초창기의 결과들은 젊은 성인들은 한쪽 반구(unilateral)만 사용하는 것에 반해 노인들은 양반구를 사용한다는 결과를 보고하였다(Cabeza et al., 1997; Reuter-Lorenz et al., 2000). 후속 연구 결과들은 이러한 현상들이 보다 보편적이라는 것을 제시하였다. 아마도 이러한 현상은 신호 처리와 보다 직접적으로 관련된 뇌 구조와 정교화 과정과 관련된 뇌 구조 간의 균형 변화(balance shift of brain structures)에 의한 것으로 추측된다(Cabeza, 2002 참조). 어떤 연구자들(예, Cabeza, 2002)은 뇌에서 일어나는 이러한 변화들이 전략적이며, 이것이 인지능력 결손 해결을 위해 노인들이 취하는 보상(compensation) 노력을 반영하는 것이라고 제안한다.

이러한 해석은 여전히 논란의 여지가 있다. 이 장의 나머지 부분은 인지 노화와 관련이 있는 뇌의 기능적 변화를 다룬 우리의 연구에 대해 설명하고자 한다. 이 연구들은 대부분 가설을 세우는 데에 목적이 있지 않고 이러한 변화들의 기저가 되는 메커니즘 설명에 초점을 맞춘다. 우리의 연구는 뇌 기능을 측정하는 몇 가지 다른 척도들을 결합하기 때문에 이 척도들의 장점과 한계에 대해서 먼저 검토하고자 한다.

인지 노화 연구에 사용되는 뇌 영상법

뇌 영상법으로 인지 노화 모형을 연구하는 데 있어 우리 연구팀은 인지 정보 처리가 감각 정보의 입력, 연합령으로 입력된 정보를 전이하고 그 정보를 이용하여 계산하는 과정, 정보처리된 결과를 반응으로 산출하기 위해 운동 영역으로 이동하는 것에 이르기까지 일련의 연속된 정보처리의 흐름을 가정하고 있다. 이 정보처리의 흐름은 특정 부위의 활성화와 다른 부위의 억제를 수반할 수도 있다. 특히 익숙하고 지속되는 과제는 하향 정보처리(top-down processing) 위주로 처리될 수 있고, 익숙하지 않은 것은 상향 정보처리(bottom-up processing) 위주로 이루어질 수도 있다. 우리는 노화가 진행됨에 따라 다양하고 어느 정도는 콕 집어 말할 수 없는 원인으로 인해, 이러한 정상적인 흐름이 때때로 방해를 받을 수 있고, 아마도 반응 지연 시간의 증가와 과정을 완성하는 데 발생하는 가변성 때문에, 어떤 특정 부위의 흥분성 또는 억제성 효과가 감소될 수도 있다고 가정한다. 전략적 선택에 의한 것이든 아니면 자동적이고 비자발적 변화에 의한 것이든 상관없이, 이런 변화는 젊은 성인들이 사용하는 것과 다른 종류의 정보처리를 유도한다. 이미 논의한 모든 이론들은 이러한 관점에 포함된다. 그래서 우리의 측정 접근법은 다양한 입장을 평가해 볼 수 있고, 또한 인지 노화의 원인을 보다 깊이 이해할 수 있다.

정보의 흐름에 관한 설명은 시공간 주기 해상도를 결합하는 뇌 영상법에 유익하다. 이 방법은 우리에게 기능 저하의 위치를 알아내고, 정보처리 흐름의 변화를 감지하는 데 유용하다. 그리하여 서로 다른 이론들에 의해 예측된 현상들의 직접적인 시각화 구현이 가능하게 된다.

근래에 인지 과제를 수행하는 동안에 발생하는 뇌 활동을 확인하기 위해서 비침습성 기술에 사용되는 접근법에는 세 가지가 있다. 첫 번째 그룹은 ERP와 뇌자도(MEG: magnetoencephalography)와 같은 전기생리학적 방식(electrophysiological methods)이다. 이러한 방법은 동시에 활성화되는 엄청난 수의 신경세포의 전기적 활동을 시각화한다. 그러므로 시간 해상도(밀리초 수준)가 아주 높다. 그러나 머리 조직의 전도성으로 인해 전기 신호가 손상되기 때문에 공간 해상도(몇 센티미터 정도)에는 한계가 있다. 두 번째 기술은 fMRI, O^{15}-PET 그리고 광학적 신호와 같은 느린 혈류역학적 신호(근적외분광분석법, NIRS; Villringer & Chance 1997)에 기반한 혈류역학 영상법(hemodynamic imaging methods)이다. 이러한 방법들은 공간 해상도(방법에 따라 밀리센티부터 밀리미터까지)가 높지만 시간 해상도가 떨어진다(일반적으로 몇 초 혹은 기껏해야 수백 밀리초). 그 이유는 이 방법은 활성화된 뇌 부위에서 일어나는 혈관 확장과 관련된 본질적으로 느린 혈류 신호에 기반하고 있기 때문이다. 최근에 도입된 세 번째 기술은 '사건관련 광신호기반 시각영상화' 방법이다(예, event-related optical signal, EROS; Gratton et al. 1995; Gratton & Fabiani, 2001). 신경세포의 활성화와 동시에 일어나는 뇌 조직의 시간 속성 변화를 측정한다. 센티미터 수준의 공간 해상도와 밀리초 수준의 시간 해상도를 제공한다(Gratton & Fabiani, 2003). 이러한 이유로, EROS는 인지 노화 연구에 특히 유망한 기술이다. 이 방법의 주된 한계는 침투력이 약해서 뇌 깊숙이 자리잡고 있는 구조는 영상화할 수 없으며, 비교적 약한 신호의 강도와 잡음의 강도와의 대비가 크지 않아서 뇌로부터의 실제 신호를 찾아내는 데 다소 어려움이 있다는 것이다(특히 혈류영상법과 비교했을 경우).

나이와 관련된 뇌 변화는 노화로 인해서 자주 발생하는 혈관계와 심폐 기능에 영향을 미치는 다른 생리학적인 변화와 적어도 부분적으로 관련이 있을 수 있다는 점을 고려하는 것이 중요하다. 이러한 요인들의 중요성은, 심폐 장애로 인한 뇌졸중이나 혈관성 치매를 고려해 보면, 더 분명해진다. 그러나 비병리학적인 조건에서도, 이 책의 5장에서 설명하고 있는 사람과 동물을 대상으로 한 실험에서 보여 주는 바와 같이, 이러한 요인들이 중요한 역할을 한다. 혈류 역학 영상법이 사용될 때, 관찰된 생리학적인 변화들이 특히 중요하다. 그 이유는 관찰된 뇌활동 변화의 원인이 ① 뇌 기능의 실질적인 변화, ② 뇌 기능의 실질적 변화 때문이 아닌 다른 이유로 인한 관찰된 신호의 변화(흔히 심폐 기능 장애로 인한 것과 관련됨), 혹은 ③ 이 두 현상에서 모두 발생하는 변화이기 때문이다. 젊은이들에 비교하여 노인들은 신경 효과와 혈류 역학 효과 간의 관계에서 변화가 일어난다. 노인들은 젊은이들과 비교해 심혈관과 심폐기능에 차이가 있다. 연구 결과를 평가할 때, 인지 노화가 신경계 활성화와 얼마나 관련이 있는지 또는 혈류 역학 반응과 관련되는지 등을 고려하는 것이 매우 중요하다. 따라서 나이가 들면서 신경계와 혈류 역학 활동 사이의 관계(the neurovascular coupling; Villringer & Dirnagl, 1995)가 어떻게 변화하는지를 연구하는 것이 필수적이다.

노화 연구를 위한 도구로서의 개인 차

다수의 ERP 연구들은 젊은 성인들은 억제할 수 있지만 노인들은 억제하지 못하는, 그리고 반복되거나 무시해야 되는 자극에 대한 특정 뇌 반응들이 있다는 사실을 강조했다. 이러한 결과들은 주의산만, 억제 처리 부족(reduced inhibitory processes), 주의 통제(attention control)의 감소를 강조하는 인지 노화의 관점과 일치한다. 결과적으로 이러한 영향은 배외측 전전두피질(dorsolateral prefrontal cortex)과 같은 주의 통제 영역에 있는 하향 억제 피드백(top-down inhibitory feedback)의 감소에서 기인한 것으로 볼 수 있다. 이러한 영역들은 노화로 조직이 수축(tissue shrinkage)되며 그 결과로 인지 노화가 나타나는 것으로 설명할 수 있다(West 1996 참조). 아래 이어지는 절에서 이런 연구 결과들을 간략하게 소개하고자 한다.

초기 감각 입력에 따른 뇌 반응

인지 노화의 가장 보편적인 현상은 주의산만이 증가한다는 것이다(Rabbitt, 1965). 노인들의 과제 수행은 관련성이 없는 방해물의 출현에 의해 손상된다. 이러한 행동 현상은 상관이 없는 청각 자극에 의해 유도되는 뇌 활동에서 나타나는 뚜렷한 생리적인 대응물이 있다. 상관이 없는 방해 자극이 반복해서 제시되면, 젊은 사람들은 이러한 자극들에 대한 피질 반응(cortical response)을 재빨리 억제한다(Sable et al., 2004). 이러한 과정은 대체로 활발한 억제(약 400ms에서 발생해야 함)의 결과이며, 이러한 억제는 전두엽 병변을 가진 피험자들에게서 약해진다(Knight et al., 1980; Knight & Grabowecky, 1995).

　　최근 연구들은(Alain & Woods, 1999; Fabiani et al., 2006; Golob et al., 2001) 노인

들의 억제 처리가 손상되었다고 보고 있다. 예를 들면, 파비아니와 그의 동료들(Fabiani et al., 2006)은 젊은이들과 65세가 넘는 성인들에게 그들이 선택한 책을 읽는 동안, 관련이 없는 청각 자극과 시각 자극을 보여주고 그 청각 자극을 무시하라고 지시했다. 젊은이들은 청각 자극에 의해 유도되는 뇌 반응을 빨리 억제하여 청각과 관련된 ERP의 N1 성분이 급격하게 감소하였다. 이와는 반대로 노인들은 청각 방해 자극이 제시될 때마다 큰 N1 반응을 보여 방해 자극을 효과적으로 억제하고 있지 못함을 보였다. 이러한 결과는 관련이 없는 방해 자극을 억제하지 못한다는 것을 나타내며 해셔와 잭스(Hasher & Zacks, 1988)에 의해 제안된 인지 노화로 인한 억제 감소 가설을 뒷받침하고 있다. 결과적으로, 연관성이 있는 정보의 정상적인 처리를 방해할 수 있다. 아주 최근에 얻은 예비 데이터(Kazmerski et al., 2005)는 주의 통제에 개인 차가 있음을 제시한다. 초기 주의 통제 관련 N1 ERP 크기와 과제 무관련 반응을 억제하는 정도, 즉 주의 통제와 상관이 있다. 노인들의 과제 수행 정도는 이런 주의 통제 능력 차이에 따라 다르다. 우리의 연구(Fabiani et al., 2006)는 사건 관련 광신호기반 시각영상화 방법을 사용하여 청각 자극에 대한 억제 반응이 2차 청각 피질(BA 41)에서 N1과 유사한 형태로 나타나는 것을 보고하였다.

자극 특징에 따른 전주의 정보처리의 변화

앞부분에서 요약한 데이터는 인지 노화가 주의-여과 메커니즘(attention-filtering mechanisms)의 기능 저하와 관련이 있다고 말하고 있다. 전주의 정보 처리 또한 노화에 의해 영향을 받을 수 있다. 광범위하게 연구되고 있는 이러한 유형의 정보처리와 관련 있는 ERP 성분(component)은 MMN(mismatch negativity; Ritter et al., 1995)이다. MMN은 예상되는 양상에서 벗어난 청각적 자극에 대한 뇌 반응이며, 이것은 반복된 기본 음에 대한 반응과 드물게 발생하는 변이음에 대한 반응 간의 차이이다. 이 자극들에 주의를 기울일 필요가 없다. 그리고 사실 대부분의 MMN 연구에서 피험자들은 이 자극들을 무시하고 자극과 관련이 없는 별도의 과제를 수행하라는 지시를 받는다. 이러한 이유로 인해, MMN은 전주의 불일치-감지 정보처리(preattentive mismatch – detection processes)에 관한 정보와 감각기억의 지표(index of sensory memory)를 제공한다고 본다.

문헌에서는 노화가 MMN에 변화를 가져오는지에 대해서는 서로 상충되는 견해를 보고하고 있다. 어떤 연구자들(Czigler et al. 1992; Gaeta et al., 1998; Kazmerski et al., 1997; Woods, 1992)은 진폭이 줄어든다고 보고하는 반면, 다른 연구자들(Pekkonen et al., 1996)은 적어도 짧은 자극 간의 간격에서는 노화로 인한 유의미한 차이가 나지 않는다고 보고하고 있다. 이러한 엇갈린 견해들은 젊은 성인들에 비해 노인들의 청력 역치(hearing threshold)가 현저하게 높다는 사실에서 파생되었다. 이러한 혼돈을 제거하기 위해서, 우리가 수행한 MMN 연구는 ERP를 측정하기 전에 개별 피험자들의 청력 역치를 측정하였으며, 청력 역치의 변화를 반영하기 위해서 자극의 강도를 조절하였다(Sable et al.에서의 준비). 그 결과, 젊은 성인들과 노인들로부터 얻은 변이음에 대한 반응이 거의 동일한 것으로 나타났다. 이는 연령이 예상에서 벗어난 정보를 처리하는 그 자체에는 의미 있는 어떤 영향을 미치지 않는다는 것을 시사한다. 그러나 앞부분에서 요약한 N1 데이터와 유사하게, 노인들은 반복해서 제시되는 기본 양상을 충분히 억제하지 못한 상태에서 변이음을 처리하는 것처럼 보인다. 왜냐하면 노인들은 젊은 사람들에 비해 더 작은 MMN을 보이고 있기 때문이다(MMN은 기본 음과 변이음을 감지할 때 발생하는 뇌파 차이로 계산된다).

연령에 따른 P300 반응의 변화

P300은 전형적으로 두정엽(parietal lobe)과 중심부(central area)에서 나타나고, 파형의 크기가 300밀리 초대에서 가장 크게 양전압(positive, 상향)의 형태로

나타나는 ERP 구성 성분이다(Fabiani et al., 2007). 이것이 발견된 이후(Sutton et al., 1965), P300은 작업기억의 자원을 분배하고 조정하는 주의 통제 정보처리와 연관되어 있다고 알려져 왔다. 특히, 돈친(Donchin)과 그의 동료들의 연구(예, Squires et al., 1977)는 P300의 강도는 특정 자극의 주관적 확률(subjective probability)에 매우 민감하기 때문에 특정 부위에 가해지는 자극이 나타날 확률에 의해 영향을 받는다는 것을 보여 주었다. 예를 들면, 두 자극이 무작위로 제시될 때, 유발 자극이 선행 자극과 다른 경우에 P300이 더 커진다(예를 들면, 자극 문자열의 맨 끝이 다른 BBBA가 제시되는 경우가 AAAA 경우처럼 동일한 경우보다 더 큰 P300을 보임). 사실, 일련의 교체(ABAB vs. ABABB)가 일어날 때, 이러한 규칙에 대한 분명한 예외가 발생한다. 이 경우에는 교체가 불규칙적일 때 P300이 더 커진다(Squires et al., 1977). 돈친(Donchin, 1981; Donchin & Coles, 1988 참조)의 이러한 연구 결과들을 기반으로 다음과 같은 상황에서 P300이 나타난다고 제안하였다. ① 피험자들이 현재 제시되는 자극(current stimulus) 배열의 표상(representation)을 유지한다. ② 현재 제시되는 자극이 이전에 제시된 자극을 바탕으로 한 예상 자극과 일치하지 않을 때 P300이 생성된다. ③ 이러한 프로세스는 시간의 흐름 혹은 방해 기능(맥락 최신화 가설, context updating hypothesis)으로 인해 쇠퇴하는 자극 표상의 최신화(refreshing of stimulus representations)를 반영한다. 자극 표상의 최신화 과정은 표상이 활발할 때보다 쇠퇴할 때 더 많이 필요하다. 그리고 정보의 최신화 과정은 P300의 강도 차이에 반영된다. 작업기억의 용량이 큰(또는 방해 요인에 저항을 더 잘 하는) 피험자들은 작업기억의 용량이 적은 피험자들보다 최신화 과정이 덜 필요하고 이런 이유로 더 적은 P300의 증가를 보인다. 이 유형의 초기 연구 결과는 절대 음감(perfect pitch, 희귀한 청각 자극이 제시되었을 때, P300을 생성하지 않는 사람들)을 가진 피험자를 대상으로 한 클라인 등(Klein et al., 1984)의 연구에 의해 보고되었다.

우리 연구의 경우, 작업기억 용량의 개인 차가 젊은 성인들과 노인들의 자극열의 종류에 따른 P300의 강도 차이를 예측할 수 있는지에 대해 조사하였다. 구체적으로, 우리(Brumback et al., 2005a)는 자극 시퀀스가 일치하지 않는 경우, 작업-용량 점수[Operation-span score, O-span, 방해 자극이 있을 때 작업기억의 용량을 측정하기 위해 랜디 엥글과 그의 동료(Brumback et al., 2005)들에 의해 개발됨]가 높은 피험자들은 작업-용량이 낮은 피험자들에 비해 작은 P300를 생성할 것이라고 예측했다. 그 결과는 우리의 예측을 뒷받침했다. 처음 연구는 젊은 성인들을 대상으로 이루어진 반면, 우리는 노인들을 대상으로 동일한 실험을 실시하여 동일한 결과를 얻었다(Brumback et al., 2005b). 이는 작업기억의 개인 차가 젊은 성인들이나 노인들에게 동일하게 작용하고 일생 동안 영향력을 행사한다는 것을 시사한다.

P300의 다른 매개변수들(parameters)이 노화와 관련해서 광범위하게 연구되고 있다. 그중 하나가 'P300 지속시간(P300 latency)'인데, 젊은 성인기부터 시작해서 P300 지속시간은 매해마다 1 혹은 2밀리초(ms)씩 증가한다는 것이다(Polich et al., 1985). 이 결과는 매우 강력하고 인지 노화에 따른 정보처리 기능의 속도 둔화 관점(a processing-slowing view of cognitive aging)과 일치하지만, 개인 차가 큰 것도 염두에 두어야 한다. 노인들의 P300 지속시간의 가변성이 젊은 성인들보다 더 크다. 가변성의 근원이 되는 요인들에 관한 연구들은 아직 자세하게 조사되지 않은 상황이다.

노화에 의해 변화하는 P300의 강도와 지속시간뿐만 아니라 P300이 나타나는 뇌 영역에서도 차이가 있다(예, Fabiani & Friedman, 1995). 젊은 성인들은 P300이 두정엽에 집중되어 있고 두정엽의 P300이 큰 반면, 노인들은 두정엽보다는 전두엽에서의 파형이 오히려 더 크게 나타난다. 이러한 결과들은 ERP 성분의 두피 분포가 일반적으로 반응을 생성하는 뇌 영역에 의존한다고 보기 때문에 아주 흥미롭다. 두피 분포의 변화는 뇌 영역의 다른 배치가 젊은 성인들이나 노인들에게서 관찰되는 P300의 원인이 되는 것으로 받아들여지고 있다. 파비아니와 프리드먼(Fabiani, & Friedman, 1995)의 실험의 초기 시행(trial)에서 젊은 성인들도 P300이 전두엽에 분포하고 있다는 것을 보여 주었다. 그러나 실험이 진행되는 과정에서 전두엽의 활성화(새로운 자극에 대한 반응을 나타내는 것, Knight, 1984)가 젊은 성인들에게는 급격히 줄어드는 반면 노인들에게는 지속적인 것으로 나타났다. 이러한 결과는 앞서 언급한 N1 효과를 연상케 한다. 노인들은 그 효과가 지속적인 데 반해 젊은 성인들은 그 효과를 재빨리 억제한다. 초기의 전두엽 활성화는 독특하고 새로우며 한 번도 반복한 적이 없는 항목에 의해 유도되는 또 다른 ERP 성분인 P3a 혹은 Novelty P3과 유사하다(예 Knight, 1984). 후속 논문에서 파비아니와 그의 동료들(Fabiani et al., 1998)은 노인들 모두가 새로운 자극에 대해 동일한 Novelty P3를 보이지는 않는다고 보고하고 있다. "젊어 보이는(younger-looking)" P300을 보여 주는 사람들은 위스콘신 카드 분류 검사(Wisconsin Card Sorting Task, WCST)와 같은 몇몇 신경 심리 과제를 수행할 때에도 더 좋은 결과를 보이는 것으로 나타났다. 이러한 차이는 유연성과 부적절한 반응을 억제하는 능력의 결핍을 반영한다.

요약하자면, P300 데이터는 젊은 성인들과 노인들 간의 차이뿐만 아니라 노인들 내에서의 차이를 분명하게 보여 주고 있다. 이러한 차이들은 정보처리 속도(P300 지속시간 효과), 작업기억 용량(순서 효과가 P300 강도에 미치는 영향), 그리고 억제 능력 부족(두피 분포 효과)의 가변성 등을 반영한다.

뇌 연결성에 관한 연구

뇌는 복잡한 네트워크이며, 내부에서의 인지 과정은 네트워크의 다양한 피질 영역의 조정된 작용을 반영한다. 노화는 다른 영역 활동의 잘못을 예측하고(관련된 둔화 현상), 적절한 억제 처리 부족, 또 영역들 간의 연결성 손상과 같이 연결성에 영향을 줄 수 있다. 연결성은 두 수준으로 나눌 수 있다. ① 해부학적 연결성, ② 기능적 또는 효율적 연결성. 해부학적 연결성은 각각 다른 뇌와 피질 영역이 연결되는 신경섬유 연결선(fiber tracts)을 지칭한다. 이러한 신경섬유 연결선은 세포를 생성하는 기능의 저하 혹은 감소된 수초 형성 (myelination) 혹은 둘 다로 인해 노화 과정에서 영향을 받는다. 효과적인 연결성은 하나의 영역에서의 활동이 다른 영역 활동에 영향을 주는 상대적인 효과를 의미한다. 그러나 어느 영역이 다른 어떤 영역에 영향을 주는지에 대한 인과관계를 해부학적 연결성으로 유추해 내는 것은 매우 어렵다. 그래서 대부분의 연구자들은 피질 영역 사이의 활동 상관성을 이용하여 기능적 연결성을 찾는다. 정보처리는 시간이 흐름에 따라 각각 다른 뇌 영역으로 흘러간다고 추정되기 때문에 영역 간 상관관계는 약간 지연되어(some lag) 나타날 수 있다.

지난 몇 년 동안 구조적 및 기능적 뇌 연결성에 관한 연구가 늘어나고 있다(Rykhlevskaia et al., 2008 참조). 우리는 최근에 노화가 구조적 및 기능적 뇌 연결성에 어떤 영향을 주는지를 EROS를 이용해 연구하기 시작했다. EROS는 훌륭한 시공간 해상도를 제공하기 때문에 2센티미터 정도 가까이 있는 뇌의 영역에서 일어나는 활동을 시간의 흐름에 따라 독립적으로 예측할 수 있게 한다. 이러한 연구(Gratton et al., 인쇄 중; Rykhlevskaia et al., 2006)에서 우리는 피험자가 하나의 자극을 공간적 특성 혹은 언어적 특성에 따라 범주화하는 패러다임을 사용했다. 공간적 혹은 언어적 특성 중에 어느 것으로 범주화해야 하는지는 자극이 제시되기 전에 짧은 시간(2초) 동안 제시되는 단서로 표시하였다. 우리의 관심은 그 단서에 따라오는 사전 뇌 활동(preparatory brain activity)에 있다. 구체적으로 우리는 단서가 피험자들에게 이전 시행을 기준으로 관련 범주(relevant dimension)가 바뀌는 전환 시행(switch trials) 조건에 관심을 가졌다. 우리는 전환 시행 조건을 단서가 범주 변화를 알리지 않는 비전환 시행 (non-switch trials) 조건과 비교하였다. 일반적으로 노인들은 젊은 성인들에 비해 유연성이 떨어지는 것으로 나타났기 때문에 우리는 전환 시행에서 반응 시간이 더 길어질 것으로 예측했다. 더 나아가, 우리는 합당한 범주 규칙의 활성화와 부적합한 범주 규칙의 억제와 관련이 있는 전두엽 영역의 활동을 유도하는 전환 단서(switch cue)를 예상했다. 우리는 공간(오른쪽 뇌 관련)과 언어 범주 규칙(왼쪽 뇌 관련)을 비교하였다. 언어 규칙을 사용하다가 공간 규칙을 적용해야 하는 공간으로 전환(switch-to-spatial)하는 경우에는 우반구 활성화(right-hemisphere activation)를 그리고 공간 규칙을 사용하다가 언어 규칙으로 전환(switch-to-verbal)하는 경우에는 좌반구 활성화(left-hemisphere activation)를 기대했다. 이는 우리가 젊은이들을 대상으로 하여 얻은 결과였다. 그러나 노인들은 양반구 패턴(bilateral pattern)을 보여 주었다. 이는 젊은 성인들에게는 단일 반구 활동이 관찰되지만, 노인들에게는 양쪽 뇌 활동이 관찰된다는 최근 영상 기법(imaging) 연구 결과들과 일치한다.

그러나 흥미롭게도, 우리는 이러한 현상들과 뇌 해부학 간에 상관관계가 있다는 것을 관찰하였다. 구체적으로, 전환으로 인한 부가적인 반응 시간(switching cost)은 뇌의 두 반구를 연결하는 가장 중요한 신경 섬유(구조적 자기공명영상으로 측정됨)인 뇌량의 앞쪽 1/3 정도 크기와 상관이 있었다. 큰 뇌량을 가진 피험자들은 작은 뇌량을 가진 피험자들에 비해 적은 전환 노력(cost)을 필요로 하는 것으로 나타났다. 뇌량의 크기는 연령에 따라 줄어들지만, 뇌량이 행동에 미치는 영향은 나이 그 자체가 행동에 미치는 영향보다 더 크다. 뇌량의 크기는 좌우 반구의 기능적 활성화의 상관에도 영향을 미친다(EROS로 측정함). 즉 큰 뇌량을 가진 피험자들은 젊은 사람들이 보이는 것처럼 양 반구의 활동이 상호 부적인 상관을 보였다("불규칙"의 억제를 나타낼 수 있음). 우반구의 활동이 크면 좌반구 활동은 줄어 들고, 반대로 좌반구 활동이 높으면 우반구의 활동이 감소하는 것처럼 양반구가 상호작용하였다. 이런 양반구 간의 상호작용이 부적 상관을 갖는 것은 양반구가 상호 억제하는 기능 때문에 나타나는 것으로 추론해 볼 수 있다. 이러한 부적 상관의 절대적 크기를 뇌량의 크기와 관련지어 분석해 보면, 작은 뇌량을 가진 피험자들의 상관의 크기는 뇌량이 큰 사람보다 작았다. 이러한 데이터들은 뇌량의 크기로 전환 비용 정도를 예측해 볼 수 있도록 하며, 또한 한 반구에서의 활동은 다른 반구의 활동이 얼마나 위축될 것인지를 예측할 수 있도록 정보를 제공해 준다. 더 나아가, 이러한 결과들은 나이가 들어서 뇌량의 크기가 감소하면, 전환비용이 어느 정도로 증가할 것인지를 예측할 수 있도록 정보를 제공해 주기도 한다. 끝으로, 노화에 따른 뇌 반구 사이의 억제 능력의 감소는 여러 원인으로 나타날 수 있지만, 이들 억제 기능 감소의 원인 중의 하나가 뇌량 감소에 따른 것이다. 흥미로운 질문은 노화로 억제 기능이 감소하는 원인으로, 반구 간의 상호 억제 기능처럼 다른 상호 연결되어 있는 영역들 간에도 이런 상호 억제 기능이 있는데, 이런 영역들 간 상호 억제 기능이 약화되어 인지 노화의 억제 기능 저하로 나타나는 것인지의 여부를 조사하는 것이다. 이런 가능성은 억제 감소 이론과 일치하는 것이다 (Hasher & Zacks, 1988).

신경과 혈관의 관련성에 관한 연구

앞에서 언급한 바와 같이, 신경과 혈관의 관련성에 관한 연구는 노화 연구에서 특히 중요하다. 여기에는 두 가지 이유가 있다. ① 노화로 신경과 혈관이 함께 변하면, fMRI, PET, NIRS의 측정치도 변한다. ② 신경과 혈관이 함께 변하면, 노화된 뇌가 시간이 지남에 따라 지속되는 높은 처리 요구에 적절한 대처를 할 수 없도록 한다.

최근에 우리는 신경(분산)과 혈류 역학(흡수) 신호들을 광학적 측정 방법으로 탐구하기 시작했다. 우리는 이 영역에 관해 두 가지 연구를 하였다. 첫 번째 연구는 8명의 젊은 성인들을 대상으로 한 파일럿 프로젝트였다(Gratton et al., 2001). 단색 기록 시스템(750 나노미터)으로는 신경(분산)과 혈류 역학(흡수) 신호들을 측정할 수가 없었다. 그래서 느린 혈류 역학 효과를 옥시-, 데옥시-혈색소 효과로 분해해서 측정할 수가 없었다. 실험에서 여러 종류의 파장을 가지는 복합 파장으로 뇌 영역을 자극하였다(PET와 유사한 접근법은 Fox & Raichle, 1985 참조). 연구 결과, 젊은 성인 뇌에서 느린 혈류가 변화하는 정도는 분산 효과 크기와 비례하였다. 또한 빠른 신호와 느린 신호가 동시에 동일한 뇌 영역에서 발생한다는 것을 보여 주었다.

두 번째 연구(Fabianiet al., 2005)는 동일한 패러다임으로 실행된 대규모 실험으로, 64명의 젊은 성인 집단과 심폐 기능(cardiopulmonary fitness)이 좋은 노인 집단과 심폐 기능이 떨어지는 노인 집단 총 세 집단을 대상으로 수행되었다. 이 연구는 복합 파장의 빛을 이용하는 분광 분석 접근법(spectroscopic approach)을 사용하였으며, 또한 연구의 타당성을 확보하기 위해 fMRI와 시각 유발 전위 검사(visual evoked potentials, VEP)도 동시에 사용하였다. 이 연구에서 얻은 예비조사 결과는 첫 번째 연구와 동일했으며, 첫 번째 연구를 확장시킨 것이었다. 첫 번째 연구와 마찬가지로, 고속 EROS 반응(즉 분산 효과)과 혈류가 변화하는 정도(옥시 헤모글로빈 농도 변화로 측정함)는 비교적 선형적인 관계를 나타내는 것으로 관찰되었다. 세 그룹에 있는 피험자들 모두 비교적 유사한 고속 EROS 반응을 보였다. 그러나, 심폐 기능이 떨어지는 노인 집단은 고속 EROS 반응(즉 분산 효과)과 혈류가 변화하는 정도를 나타내는 함수에서 기울기가 다른 집단들에 비해 작았다(약 50%가량). 이러한 결과는 심폐 기능이 떨어지는 노인 집단의 현저하게 감소한 옥시 헤모글로빈 반응 때문이었다.

두 번째 연구의 결과들은 신경과 혈관의 상호작용이 나이가 들어감에 따라, 특히 심폐 기능의 차이에 따라 다르게 변하는 것을 강조하고 있다. 유사한 결과가 다른 연구에서도 보고되었다(Cabeza, 2002). 그러나, 노년 참가자들을 대상으로 추가적인 피질 영역 동원(recruitment of additional cortical regions)과 같은 영상 연구법을 사용한 다른 연구의 결과들에 따르면 해당 현상은 신경혈관의 상호작용만으로는 설명할 수 없었다(Cabeza, 2002).

요약 및 연구 방향

이 장에서 보여 주는 데이터는 인지 노화를 설명해 주는 세 가지 가설(처리 과정 지연, 억제 감소, 그리고 작업기억의 감소)에 대한 상당한 정신생리학적 및 뇌 영상 증거를 보여 주고 있다. 연결 체계를 통해 해당 현상을 보면, 이 세 가지 메커니즘 간의 공통 부분이 있다는 것을 알 수 있다. 처리 과정 지연과 억제 감소는 노화에 따른 연결 문제의 결과로 볼 수 있으며 작업기억의 감소는 관련이 없는 정보를 억제하는 능력의 부족으로 인한 간섭 효과로 볼 수 있다. 따라서 정신생리학적 데이터는 인지 노화의 영향에 관한 단일한 견해를 제시하고 있다.

여기서 살펴본 연구들의 또 다른 중요한 특징은 개인 차의 역할이다. 노화에서 관찰되는 대부분의 현상들은 개인 차가 존재한다. 어떤 피험자들은 젊었을 때의 수행 능력을 그대로 유지하고 있으며, 신경생리학적 개요(profile)와 뇌 영상 자료가 젊은 성인들과 거의 유사한 반면 다른 피험자들은 젊은 성인들과 현저한 차이를 보였다. 이러한 개인 차는 개인 간 해부학적인 차이(예, 뇌량 크기)와 심폐 기능의 차이(앞서 우리의 연구에서 본 바와 같이 신경 혈관 상관)에 어느 정도 의존하는 것으로 보인다. 우리 실험실(Gordon et al., 2008)과 다른 실험실(Colcombe et al., 2005)에서 얻은 최근 데이터는 뇌의 해부학적 변화도 역시 심폐 기능 수준에 의해 영향을 받는다는 것을 시사하고 있다. 작업기억 크기(working memory span)와 신경심리학적 검사에서의 개인 차는 모두 ERP와 뇌신경 영상 결과와 높은 상관성을 보였다. 개인 차를 심폐 기능 수준으로 얼마나 설명할 수 있느냐는 아직 결정되지 않았으며, 향후 연구의 주제가 될 수 있다. 교육과 생활방식, 그리고 게놈(genome)도 인지 노화 과정에서의 차이를 결정하는 요인들이 될 수도 있다. 그러나 뇌를 통한 정보의 흐름에서 발생하는 해부학적이고 기능적인 변화를 관찰하는 연구는 이러한 중요한 현상을 밝히는 데에 보다 유용한 설명을 제공할 수 있다.

2

직업 환경과 여가 활동의 인지 복잡성이 노인들의 지적 기능에 미치는 영향

카르미 스쿨러Carmi Schooler, Ph.D | 미국 보건복지부 국립보건원 산하 국립정신건강연구소, 사회환경연구 프로그램

이 장에서 나는 여가 활동과 유급 노동의 복잡성이 노인들의 지적 기능에 미치는 영향을 검토하고자 한다. 이를 통해 나는 지적으로 부담이 큰 과업들을 수행하는 것이 노년기의 지적 기능에도 긍정적인 영향을 준다는 증거를 제시하고자 한다. 직업과 비직업적 환경이 인지에 미치는 영향을 보여 줌으로써 환경이 노인들의 심리적 기능에 어떤 영향을 미치는가를 이해하고자 하는 사람들에게 도움이 될 것이라고 믿는다. 실제로 이러한 이해는 노인들의 삶의 경험을 향상시키는 프로그램과 환경을 개발하는 데 유용한 통찰력을 제공한다.

지적으로 부담이 큰 활동이 정상적인 노인들의 인지 기능에 미치는 영향에 대한 몇 가지 종류의 가설이 있다. 이들 가설들은 아직 어느 것이 옳은 것인지 결정되지 않은 상태이다. 그러나 인지 부담이 큰 환경 조건이 젊은이들보다 노인들에게 더 좋지 않은 방향으로 영향을 줄 수도 있다는 가설을 뒷받침하는 증거들이 있다. 만약 인지 속도(Salthouse, 1991)나 작업기억(Baddeley, 1986), 또는 둘 모두 나이가 들면서 감소한다면 노년의 작업자는 인지 부담

이 큰 환경 조건에서 잘 적응하지 못할 것이라고 예측할 수 있다. 다르게 생각해 보면, 이러한 노인들의 인지 결손을 향상시키기 위한 지속적인 지적 기술을 훈련하고 향상시킬 수 있는 환경이 젊은이들보다도 노인들에게 더 중요하다고 할 수도 있다.

　노인 개개인의 인지 기능 수준과 그들이 수행하는 과제가 주는 지적 부담 간에 상관관계가 존재한다는 증거는 상당히 많이 존재한다. 핵심적인 문제는 이 상관관계의 기초가 되는 두 변수 간 인과관계의 방향을 파악하는 것이다. "비교적 높은 수준의 인지 기능"과 "인지 부담이 큰 특정 활동에 참여하는 것" 간의 상관은 해당 활동이 부과하는 인지 요구를 처리하면서 인지 기능이 높아졌기 때문일 수도 있다. 다른 한편으로는 이러한 상관관계는 인지 기능이 높은 사람들이 인지 부담이 큰 활동에 지속적으로 참여할 가능성이 높은 특성을 가지고 있기 때문일 수도 있다. 가장 기본적인 질문은 환경적 특성이 개인 특성에 미치는 영향, 그리고 개인 특성과 환경 간의 타당한 상호작용 효과의 수준이다.

　이러한 문제를 다루는 방법은 기본적으로 두 가지이다. 첫 번째는 실험이고, 두 번째는 구조방정식 모델링(structural equation modeling; SEM)과 같은 복잡한 통계 모델링을 종적 데이터(longitudinal data)에 적용해서 얻는 방법이다. 하지만 이 두 방법 모두 완벽하지는 않다. 실험 연구에서는 피험자들을 관련이 있는 실험 조건에 무작위로 할당한다. 하지만 이런 실험에서는 실험에 참여할 수 있는 피험자들의 유형과 수, 그리고 실험 조작 강도와 적절성, 길이 측면에서 제한이 크다. 통계 모델에도 이러한 제한이 존재하는데, 먼저 분석 모형에 포함되지 않은 변인의 영향을 완전히 제거할 수 없다. 특정 환경의 피험자들의 자료만 사용되거나 주어진 환경 조건이 개인의 특성과 상호작용하여 제3의 효과를 나타낼 수도 있다. 또한 데이터의 특성상 통계 모델링을 하기에 부적절한 경우가 있을 수도 있다. 이러한 한계점을 고려하여 두 방법(실험, 구조방정식 모델) 중에 하나를 사용해야 한다면, 내 생각에는 종적 데이터의 통계 모델을 사용하여 실제 상황에서 환경 조건이 노인 개개인의 지적 기능에 미치는 영향을 조사하는 것이 최선으로 보인다.

구조방정식 모델링(SEM)을 기반으로 환경 조건이 지적 기능에 미치는 영향을 조사한 최초의 연구는 콘-스쿨러(Kohn-Schooler)의 1983년 연구이다. 이 연구는 직업 조건의 심리적 효과를 측정한 것으로, 미국의 노동자를 대표하는 표본 집단을 1964년에 인터뷰한 다음 10년 후인 1974년에 다시 인터뷰하여 얻은 데이터이다. 이 장에서 나는 우선 미국에서 이루어진 콘-스쿨러의 초기 연구에 대해서 설명하고, 그 연구 결과들이 다른 산업사회에도 일반화될 수 있는지를 검증하고자 한다. 두 번째로, 나는 정상적인 인지기능을 가진 사람들과 현저한 인지 감퇴를 보이는 사람들을 대상으로 한 최근 연구들에 대해서 논의하고자 한다. 세 번째로, 나는 콘-스쿨러가 실시한 1974년 연구를 확장하여 동일한 피험자들을 대상으로 20년의 긴 삶의 과정뿐만 아니라 직장 밖의 생활까지 인터뷰한 1994년의 연구를 기반으로 하는 비교적 최근의 연구들에 관해 자세하게 설명하고자 한다. 그리고 마지막으로, 이러한 결과들을 뒷받침하는 인간을 대상으로 한 준실험 연구들(quasi-experimental studies)에 관해서 논의하며 인지와 신경심리학적 메커니즘에 대한 약간의 통찰력을 제공하고자 한다.

환경의 복잡성과 지적 기능에 관한 콘-스쿨러의 초기 연구

콘-스쿨러의 초기 연구(Kohn & Schooler, 1978, 1983)는 직업 조건과 심리적 기능의 잠재적인 상호작용 혹은 교차-지연 효과(혹은 둘 다)를 조사하였다. 지적 기능 측면에서 핵심이 되는 가설은 인지적으로 복잡한 작업을 자발적으로 하는 것은 지적 기능에 긍정적인 영향을 미치며, 비자발적인 인지적 단순 작업을 하는 것은 부정적인 영향을 미친다는 것이었다. 또한 연구자들은 개인의 인지 기능 수준과 개인이 속한 환경에서 주어지는 인지 요구가 서로 영향을 미친다고 추론했다. 그 이유는 사람들은 자신의 지적 용량이 감당할 수 있는 정도의 인지가 요구되는 활동을 선택하고, 활동하도록 선택받으며, 해당 활동을 계속할 가능성이 비교적 높기 때문이다. 이러한 연구들은 대부분 구조방정식 모델링(SEM)의 비재귀 상보-효과 모형(nonrecursive reciprocal-effects models)을 이용하였다. 이 모형을 통해 환경 조건과 심리적인 특성 간의 상관이 환경 조건이 심리적 특성에 영향을 주는 정도와 반대로 심리적 특성이 환경 조건의 선택 및 유지에 영향을 주는 정도를 평가할 수 있다.

직업의 복잡성과 지적 기능

콘-스쿨러 연구 프로그램에서 가장 광범위하게 다루어진 환경의 복잡성 요인은 유급 노동의 실질적인 복잡성이었다. 지적 기능에 대한 효과의 측면에서 보면, 종단 연구 결과의 핵심은 실질적으로 복잡한 일을 자발적으로 수행할 수 있는 도전과 기회를 제공하는 근무 조건이 남성 노동자들의 지적 유연성을 증가시킨다는 것이다. 즉 근무 중 지적 도전과 자발성을 제한하는 노동 조건은 남성 노동자들의 지적 유연성을 감소시킨다는 것이다(Kohn & Schooler, 1983). 또한 콘과 스쿨러는 초기 지적 기능이 그 이후에 주어지는 실질적으로 복잡한 유급 노동에 지연 효과를 주는 것을 발견하였다. 이는 일의 복잡성과 심리적 기능 간의 상호작용이 지속적이라는 점을 시사한다.

콘-스쿨러 연구 프로그램과 해외 연구소에서 실시한 종단 연구가 아닌 몇몇 연구들도 복잡하고 인지적 부담이 큰 노동 조건과 지적 기능 간에 인과관계가 존재한다는 가설을 지지한다. 이러한 연구들로는 일본(Naoi & Schooler, 1985, 1990; Schooler & Naoi, 1988)과 폴란드(Kohn & Slomczynski, 1990) 그리고 우크라이나(Kohn et al., 1997)에서 실시한 유급 노동 연구뿐만 아니라 미국의 유급 여성 노동자(Miller et al., 1979; Kohn & Schooler, 1983, 8장) 연구가 있다. 학교에서 하는 일(Miller, Kohn, & Schooler, 1986)과 여성들이 하는 집안일

(Schooler et al., 1984; Kohn & Schooler, 1983, 10장)과 같은 다른 종류의 업무에서도 상당히 복잡한 업무와 지적 유연성 간에 동일한 상관관계가 나타났다.

특히 이와 관련된 연구는 밀러(Miller)와 그의 동료들(1985)이 미국과 폴란드에서 각각 다른 연령 집단을 대상으로 상당히 복잡한 업무를 수행하는 것과 지적 유연성 간의 인과관계를 분석한 연구이다. 이들은 구조방정식 모형(SEM)을 이용하여 상보-효과 모형으로 상당히 복잡한 과업을 수행하는 것이 인지적인 향상을 가져오는지 여부를 조사하였다. 그 결과, 두 나라의 젊은 성인 집단과 노인 집단 모두에서 상당히 복잡한 업무가 지적 유연성을 증가시키는 것으로 나타났다. 이 연구의 결과를 종합해 보면, 특히 미국인 표본(콘-스쿨러의 1964-1974년 표본)에서 밀러와 그의 동료들은 "상당히 복잡한 업무의 수행과 지적인 유연성 간의 상보적 효과가 노인 집단에서도 젊은 성인 집단만큼 강하게 나타날 뿐만 아니라, 오히려 노인 집단에서 더 강하게 나타날 수도 있다"고 제안한다(Miller, Slomczynski, & Kohn, 1985, p. 609). 집단 간의 분명한 차이는 수행한 업무의 복잡성 정도였다. 두 나라 모두에서 노인 집단은 젊은 집단에 비해 덜 복잡한 업무를 수행했다.

콘-스쿨러 연구 프로그램은 또한 직업 조건이 요구하는 지적 요구의 수준이 직장 밖에서 경험하는 지적 요구 수준에 영향을 미칠 수 있다는 증거를 제공했다. 콘-스쿨러의 연구 데이터를 사용하여 밀러와 콘(Miller and Kohn, 1983)은 근무 중에 수행하는 상당히 복잡한 업무가 여가 시간 활동에 지적으로 복잡한 활동을 선택할 가능성을 증가시키는 정도와 여가 시간에 하는 지적으로 복잡한 활동이 근무 중에 복잡한 업무를 하게 할 가능성을 증가시키는 정도를 비교했다. 그들은 상호간 인과 경로가 양쪽으로 유의미하다는 것을 발견했다. 예상한 바와 같이 개인의 통제가 근무 시간보다 여가 시간 활동에서 더 큰 것을 감안하면 개인의 여가 시간 활동 복잡성이 업무의 복잡성에 직접적으로 미치는 영향은 업무의 복잡성이 지적 복잡성이 높은 여가를 선택하게 하는 정도보다 유의미하게 작은 것으로 나타났다. 이러한 결과는 개인들의 지적 기능 수준이 통제되어도 유효한 것으로 나타났다.

여가 활동과 지적 기능

비록 앞서 소개한 연구들이 여가 활동을 인지 기능에 직접적으로 관련짓는 것은 아니지만 콘-스쿨러 연구 프로그램을 기반으로 하고 있는 최근의 연구는 여가 활동의 복잡성이 인지 기능에 긍정적인 영향을 미친다는 증거를 제시하고 있다. 동유럽에서 실시된 연구들을 기반으로, 콘과 그의 동료들 (2000)은 유급 고용에서뿐만 아니라 그 밖에서 이루어지는 복잡한 활동들도 지적 유연성과 관련이 있음을 발견했다. 콘과 그의 동료들은 이와 같은 경험적인 연관성이 1992년 겨울, 사회주의 국가에서 자본주의 국가로 급진적인 사회 변화를 겪은 폴란드와 같은 환경에서도 실증적인 연관성이 있다는 것을 발견했다. 그들은 지적 유연성이 남녀의 유급 고용과 여성들의 집안일과 매우 구체적인 경험적 연관성이 있다는 것을 알아냈다. 뿐만 아니라 지적 유연성이 남녀 연금 수급자들의 활동의 복잡성과도 매우 구체적인 경험적 연관성이 있다는 것을 알아냈다. 그들의 동유럽 연구에서는 종단 연구 데이터가 없기 때문에 콘-스쿨러와 그 동료들은 이러한 상관관계의 기본이 되는 인과 패턴을 평가할 수 있는, 상보적 효과를 추정할 수 있는 구조방정식 모형(SEM)을 사용할 수가 없었다. 그러나 종단 분석 없이도 이들의 연구 결과가 이전 연구들의 종단 분석과 모의 종단 분석 결과와 일치한다는 것을 고려하면 여가 활동과 지적 기능 관계도 역시 상보적인 관계를 갖는다고 볼 수 있다.

요약하면, 콘-스쿨러 연구 프로그램은 유급 노동의 실질적인 복잡성과 다양한 사회에 속한 개인들의 지적 기능 간에 상보적 효과가 있다는 명확한 증거를 제시하고 있다. 관련된 비교 문화 연구들 역시 직장 업무와 여가 시간 활동의 실질적인 복잡성이 보다 나은 지적 기능과 분명히 연관되어 있음을 보여 주는 증거들을 제시하고 있다. 보다 일반적으로 20년 전에 실시한 콘-스쿨러의 초창기 직업 연구에서 얻은 결과들 역시 복잡한 환경에 노출되는 것이 삶의 과정 전반과 모든 종(species)의 지적 기능을 높인다는 것을 보여 주는, 인지 노화와 동물을 대상으로 한 신경생물학 연구와 같은 다양한 분야의 후속 연구에서 얻은 결과들과 일치했다(Schooler, 1984). 나는 다음 절에서 환경의 복잡성과 노인들의 인지 기능 간의 관계를 다룬 다른 연구 집단들의 연구 중, 비교적 최근에 이루어진 연구들을 검토하고자 한다.

환경의 복잡성과 지적 기능에 관한 다른 연구들

환경 요인들이 노화에 미치는 영향에 관한 관심은 치매가 있거나 없는 노인들, 혹은 퇴행성 질환을 가진 노인이나 없는 노인들 간 인지 기능의 상관관계 혹은 결정 요인을 알아보고자 하는 많은 연구를 진작시켰다. 비록 이러한 연구의 결과들은 완전히 일관되지는 않지만, 풍요로운 환경이나 지적 도전이 있는 환경에 노출되는 것이 노인들의 인지 기능에 긍정적인 영향을 미친다는 가설과 일치하는 증거가 수적으로 더 많다. 하지만 이러한 결과를 가설의 증거로 완전히 받아들이는 것을 방해하는 경고가 하나 있다. 비록 종단 연구라고 하더라도, 이러한 연구들은 잠재적으로 관련성이 있는 요인들(예, 교육)의 효과를 통제하면서 환경 조건과 인지 기능 간의 관계를 검증하는 데 초점을 둔 연구 방법을 채택한다. 그러나 이러한 연구 방법으로는 환경의 복잡성과 인지 기능 사이의 잠재적 상보 관계를 직접적으로 분석할 수가 없다. 결과적으로, 이러한 연구들은 비교적 지적인 사람들이 상대적으로 지적 요구가 큰 환경에 선발되거나 혹은 선택적으로 머무를 가능성이 크기 때문에 이러한 상관관계가 관찰되었을 가능성을 배제할 수가 없다.

환경의 복잡성과 정상적인 인지 기능

다양한 연구들이 인생 전반에 걸쳐서 개인의 인지 기능과 직업이 부가하는 인지 요구와의 상관관계를 조사했다. 마찬가지로 다른 연구들은 사람들의 인지 기능과 여가 시간 활동이 부가하는 인지 요구 간의 관계도 조사했다. 비록 이 증거들로 논리적으로 결론을 내릴 수는 없지만, 이 증거들은 직장 혹은 여가 시간에 인지적 부담이 큰 활동을 수행하는 것이 인지 기능에 긍정적인 영향을 미친다는 가설에 부합한다. 이에 반하여 인지적 부담 요구가 없는 환경은 역효과를 불러온다.

직업의 복잡성과 정상적인 인지 기능

미국 노동부에서 수집한 종단 데이터가 아닌 데이터를 사용하여 아볼리오 (Avolio)와 왈드먼(Waldman)은 직장에서 부가하는 인지 요구 수준과 지적 기능 간의 관계를 인생 전반에 걸쳐서 조사하였다. 첫 번째 논문에서 그들은 노동자들의 지적 기능과 직업의 복잡성 간에 유의한 정적인 상관관계가 존재한다는 것을 보여 주었다(Avolio & Waldman, 1990). 두 번째 논문에서 그들은 연령, 인종, 성별 및 교육 수준을 고려했을 때에도 노동자의 지적 기능과 대략적으로 측정한 그들의 직업이 요구하는 인지 요구 간에 정적인 상관관계가 있음을 보여 주었다(Avolio & Waldman, 1994). 이 두 편의 논문에서 모두 연령, 직업이 부가하는 인지 요구 수준, 그리고 인지 기능 사이에는 유의미한 상호작용이 없는 것으로 나타났다. 이 두 편의 논문에서 상호작용이 나타나지 않았던 것은 아볼리오와 왈드먼이 색인한 인지 기능과 직업이 부가하는 인지 요구 수준 간의 상관관계가 연령에 따라 다르지 않았다는 것을 시사하고 있다. 보다 일반적으로, 아볼리오와 왈드먼이 내린 결론에 따르면 그들이 얻은 결과는 "직업 현장에는 지적 능력의 유지에 영향을 미치는 특별한 요인들이 있을지도 모른다"라는 것이다(Avolio & Waldman, 1994, 438쪽).

보스마(Bosma)와 그 동료들(2003)의 선행 연구는 50-80세 사이의 네덜란드 남녀 708명을 대상으로 직장에서 하는 일이 주는 지적 부담, 교육 수준 및 인지 기능 간의 상관관계를 조사하였다. 이 논문의 저자들은 피험자들에게 그들이 현재, 혹은 가장 최근에 종사했던 직업을 '미국 직업명 사전'을 활용하여 설명하도록 하였다. 업무가 부가하는 지적 부담 점수는 그 직업이 주는 지적 부담의 수준, 강한 집중력 및 높은 정확성 요구 여부, 그리고 시간적 압박의 유무를 묻는 질문을 실시하여 피험자들의 반응에 따라 부여하였다. 이 연구는 두 가지 중요한 결과를 발견하였다. 첫째, 낮은 교육 수준과 기준선 수준의 업무 부담은 정보처리 속도, 기억 및 일반적인 인지 검사로 측정한 종적 인지 기능의 급격한 저하와 유의한 연관성이 있다는 것을 발견했다. 둘째, 업무가 주는 인지 부담은 교육 수준이 인지 기능에 미치는 영향을 42% 설명해 준다는 것을 발견했다. 이 논문의 저자들은 교육 수준이 낮은 사람들에게 업무와 관련된 인지 자극과 도전을 제공하는 것이 교육 수준이 높은 사람과 낮은 사람들 간 노화에 따른 인지 저하의 격차를 줄이는 데 도움이 될 것이라는 결론을 내렸다.

여가 활동과 정상적인 인지 기능

보스마와 그 동료들(2002)은 네덜란드의 치매가 없는 중년 및 노년 남녀 830명을 대상으로 한 연구에서 여가 시간 활동과 인지 기능 간에 잠재적 상호 보완 효과가 있다는 증거를 제시했다. 3년에 걸쳐 실시한 이 종단 연구에서 연구자들은 두 가지 독립적인 회귀 모형을 추정하였다. 첫 번째 모형은 나이, 성별, 교육 및 인지 기능의 영향을 통제한 경우에도 여가 활동 수준과 노년기 시기의 인지 기능이 관련되어 있다는 것이다. 두 번째 모형에서는 나이, 성별, 교육 수준 및 여가 활동의 영향을 통제했을 때, 인지 기능과 노년기의 여가 활동이 관련되어 있다는 것이다. 연구자들은 개인들로 하여금 여가 활동에 참여하도록 장려하는 것이 결국 여가 활동 참여에 영향을 미칠 수 있는 인지 기능의 악화를 방지할 수 있다는 결론을 내렸다. 비록 이 연구자들은 동일한 모형 내에 있는 상보적인 효과를 동시에 검증하지는 않았지만 그들의 연구 결과는 환경의 복잡성이 인생 전반의 지적 기능에 긍정적인 영향을 미친다는 가설(Schooler, 1984, 1990)과 일치한다.

콘-스쿨러의 연구와 무관한 종단 데이터 세트에 바탕을 둔 두 논문에서, 저자들이 스쿨러의 환경 복잡성 가설을 검증한 결과 한 데이터는 그 가설과 일치하고 다른 하나는 일치하지 않는, 명백하게 상반되는 결과를 얻었다고 보고했다. 캐나다의 퇴역 군인들을 대상으로 한 푸쉬카르 골드(Pushkar Gold)와 그 동료들(1995)의 연구는 복잡한 환경에 노출되는 복잡한 생활방식이 노년기 삶의 지적 기능에 긍정적인 영향을 미친다는 가설을 뒷받침한다. 빅토리아 종단 연구(Victoria Longitudinal Study)의 데이터를 사용한 헐치(Hultsch)와 그의 동료들(1999)은 그들의 분석이 환경 복잡성 가설을 강력하게 뒷받침하지 않는다고 보았다. 그들은 복잡한 환경에 노출되는 것이 지적 기능을 향상시킨다는 모형보다는 높은 수준의 지적 기능이 복잡한 환경에 대한 노출을 증가시킨다는 가설이 해당 결과를 더 잘 설명한다고 주장하였다. 또한 헐치(Hultsch)와 그의 동료들(1999)은 푸쉬카르 골드와 그 동료들(1995)이 얻은 캐나다 퇴역 군인들의 데이터를 재조사하였다. 그 결과, 그들은 데이터를 올바르게 분석했을 때 지적 기능 수준이 복잡한 생활방식의 활동에 참여하도록 하는 효과가 푸쉬카르 골드와 그 동료들(1995)이 보고한 반대 효과보다 더 크기 때문에, 이 데이터 세트 역시 그들의 결론을 뒷받침한다는 결론을 내린다. 이러한 결론으로 인해 두 논문(Hertzog et al., 1999; Pushkar et al., 1999)의 저자들이 서로의 입장을 강하게 방어하게 되었다. 비록 이 두 연구의 결과들은 복잡한 환경에 대한 노출과 비교적 높은 수준의 지적 기능 간 상호 인과관계의 존재를 인정한다는 점에서 일치하지만, 이 둘 중 어느 연구도 이러한 가능성을 직접적으로 평가하지는 않았다.

최근의 단면 연구로는 솔트하우스(Salthouse), 베리시(Berish), 마일스(Miles)가 2002년에 20-80세 성인들을 대상으로 인지 자극과 인지 기능 간의 관계를 조사한 것이 있다. 이 연구에서 그들은 인지적 자극이 되는 활동에 참여하는 것이 인지 기능과 관련이 있다는 증거를 발견하지 못했기 때문에 인지 자극이 나이가 들수록 쇠퇴할 수밖에 없는 기능을 보존하거나 향상시키지 않는다고 주장하고 있다. 그들의 연구 결과는 복잡한 환경에 노출되는 것이 인지 기능에 긍정적인 영향을 미친다는 가설을 지지하는 여러 증거들과 완전히 대조된다. 이 논문의 저자들이 인정한 바와 같이 이 연구가 단면 연구라는 것과 피험자들이 건강하고, 교육 수준이 비교적 높다는 사실이 인지 기능과 인지 자극 간의 관련성을 과소평가했을 가능성이 존재한다. 적어도 이 연구자들은 피험자들이 참여한 인지 활동이 주는 인지 부담의 수준이 피험자 자신의 판단에 기초를 두고 있기 때문에 그들이 측정한 인지 자극이 주관적이었다는 것은 동일하다. 주어진 활동에 대해 개인이 매기는 인지 부담의 수준은 그 개인이 가진 인지 기능 수준에 의해 영향을 받는다고 믿을 만한 이유가 충분하기 때문에 이러한 주관성이 연구 결과에 큰 영향을 미쳤을 가능성이 매우 높다.

요약하면, 솔트하우스와 동료들의 2002년 연구를 제외하고, 이 절에서는 환경 복잡성 가설을 뒷받침하거나, 환경 복잡성 가설 또는 인지 기능 가설, 혹은 둘 모두와 일치하는 연구들을 검토하였다. 각 가설을 검증하기 위해 모형을 개별적으로 추정하기 위해 노력하였지만, 이 연구들 중에 환경 복잡성 수준과 지적 기능 간의 상관관계가 환경 복잡성의 심리적 영향을 반영하는 정도, 혹은 지적 기능이 뛰어난 사람들이 이러한 환경을 선택하거나 선택되는 정도를 직접적으로 다룬 연구는 하나도 없었다.

환경의 복잡성과 임상적인 인지 감퇴

환경의 복잡성과 정상적인 인지기능에 관한 연구와 병행하여, 많은 연구들이 환경의 복잡성이 임상적 인지 감퇴(예, 알츠하이머성 치매 및 노화로 인한 치매 등)에 미치는 영향을 다룬다. 비교적 인지 부담이 적은 직업 및 직업 조건은 노인들에게 발생하는 다양한 유형의 임상적 인지 기능 장애와 관련되어 있다. 마찬가지로, 인지 부담이 적은 여가 시간 활동이 알츠하이머 및 노인성 치매와 같은 임상적 인지 감퇴와 관련된다.

직업의 복잡성과 임상적인 인지능력 감퇴

직장에서 지적 부담이 있는 복잡한 작업을 수행하는 것이 지적 기능에 긍정적인 영향을 미친다는 가설은 직업 유형이 노인들 사이에 임상적으로 유의한 수준의 인지능력 감퇴 발생과 연관성이 있다는 연구들에 의해 간접적으로 뒷받침되고 있다. 스웨덴에서 75세 이상의 치매가 없는 노인 913명을 6년 이상 추적한 종단 연구에서, 추(Qiu)와 그의 동료들(2003)은 가장 오랫동안 지속한 직업의 종류가 알츠하이머 발병률의 중요한 예측 변수라는 것을 발견하였다. 구체적으로, 이 연구자들은 가장 오랫동안 종사한 직업이 제품 생산과 관련된 육체노동인 경우, 비육체적인 일에 종사한 경우에 비해 알츠하이머 및 모든 유형의 치매 발병 위험이 더 크다는 것을 발견했다. 비록 이 연구자들은 여러 가지 유독성 물질이 있는 작업 환경에 노출되는 것, 열악한 사회경제적 조건과 생활방식, 그리고 좀 더 낮은 지능이 육체노동과 알츠하이머병 및 치매 발병 위험률 간의 연관성을 만드는 잠재적인 메커니즘이라고 추측하고 있지만, 자주 반복되는 일상과 인지적 부담이 덜한 육체노동의 특성과 같은 다른 직업적 메커니즘의 영향도 배제할 수 없음을 시사한다.

미국과 다른 산업화된 사회에서 이루어진 몇 가지 다른 연구들도 직업 조건 및 유형과 노인 인구에서 나타나는 치매가 서로 연관성이 있다는 것을 보여 주었다. 미국에서 스턴(Stern)과 그의 동료들(1994)은 치매가 없는 60세 이상의 노인 593명을 1년에서 4년간 추적 조사하였다. 그들은 좀 더 낮은 교육 수준과 직업 성과를 가진 사람들이 치매 발병 위험률이 유의하게 높은 것을 발견했다. 그들은 낮은 교육 수준과 직업 성과 요인이 인지 보유(cognitive reserve)를 낮췄을 가능성이 있다고 지적한다. 인지 보유는 치매를 지연시키는 역할을 하며, 인지적으로 부담이 큰 지적 작업을 많이 오랜 기간 동안 할 때 증가한다. 프랑스에서 다르티그(Dartigues)와 그의 동료들(1992)은 65세 이상 노인 3,777명의 데이터를 분석하였다. 그들은 나이, 성별, 교육 수준 및 다른 공변인들을 통제한 결과, 농장 일꾼들, 가사노동 종사자들 및 블루칼라 노동자(혹은 육체노동자)들이 "지능을 요하는" 직업에 종사하는 사람들에 비해 인지 장애에 대한 위험이 더 높다는 것을 발견했다. 동일한 샘플을 사용한 종단 분석에서, 그들은 여자 농부들이 남녀 전문가들 및 관리자들에 비해 치매 발병 위험률이 더 높다는 것을 발견했다(Helmer et al., 2001). 육체 노동을 요하는 다른 직업에서도 유사하게 더 높은 알츠하이머성 치매 발병 위험율이 나타났다.

비록 이러한 연구들은 직업 조건이 노인들의 인지 기능과 연관성이 있다는 증거를 제시하지만, 이 연구자들은 일반적으로 그들이 얻은 결과들이 수행에 요구되는 인지 수준과, 직업이 요구하는 인지적 수준에 따라 직업을 얻고 유지할 가능성을 반영하는 정도는 추정하지 않은 것으로 보인다. 결과적으로, 관찰된 상관관계에 기초한 인과관계의 방향에는 여전히 의문점이 남아 있다. 게다가 직업 환경에서 주어지는 인지적 부담 수준을 광범위한 직업 범주를 통해 추정하면, 직업 복잡성의 수준은 단지 추측이 가능할 뿐, 직접적으로 측정할 수는 없다.

여가 활동과 임상적인 인지 기능 감퇴

관련 연구들 역시 일반적으로 여가 시간 활동, 특히 인지적 부담이 큰 활동과 비치매성 인지 기능 간에 정적인 상관관계가 존재함을 보여 준다. 예를 들면, 윌슨(Wilson)과 그의 동료들(2002)은 미국에 있는 801명의 가톨릭 교도와 수녀, 신부들을 대상으로 하여 빈번한 인지 활동 참여가 알츠하이머성 치매 발병 위험 감소와 관련이 있다는 가설을 검증했다. 이 연구자들은 신문 읽기, 라디오 청취, 및 독서와 같은 7가지 유형의 일반적인 활동을 통해 기준선 수준의 인지 활동 점수 단위를 측정하였다. 그들은 4년 후에 실시한 후속 검사를 통해, 인지 활동 점수가 33% 낮은 알츠하이머성 치매 발병 위험률과 관련이 있다는 것을 발견했다. 또한 연령, 성별, 교육 및 기본 수준의 인지 기능을 통제했을 때, 인지활동 점수가 한 단위 증가함에 따라 일반적인 인지 노화는 47%까지 낮게 나타났으며, 작업기억은 60%까지 감소하였고, 지각 속도는 30%까지 적게 나타났다.

마찬가지로 버기즈(Verghese)와 그의 동료들(2003)도 뉴욕에 있는 75세 이상 노인 469명을 약 5년간 추적 관찰하여 여가 시간 활동이 치매 위험에 미치는 영향을 조사하였다. 이 연구자들은 인지 상태, 나이, 성별, 교육 수준 및 만성 질환을 기준선으로 통제했을 때에도 여가 활동 참여가 치매 발병 위험의 감소와 관련이 있다는 것을 발견했다. 더 중요한 것은, 이 연구는 신체적 여가 활동 참여보다는 인지적 부담이 큰 여가 활동(예, 독서, 보드게임, 악기 연주)에 참여하는 것이 인지 기능과 정적인 관계가 있다는 것을 발견했다.

다른 산업국가에서 실시한 연구에서도 비슷한 결과들을 보고하고 있다. 왕(Wang)과 그의 동료들(2002)은 스톡홀름에 있는 75세 이상의 노인 776명을 대상으로 한 종단 연구 데이터를 사용하여, 치매 진단을 받기 전에 6년 이상 다양한 여가 활동에 참여하는 것이 치매 발병 위험 증감과 관련이 있는지를 조사하였다. 이 연구자들은 기준선에서 지적, 사회적, 혹은 생산적 활동에 빈번하게 참여하는 것은 치매 발병률에 반비례한다는 것을 발견했다. 버기즈(Verghese)와 그의 동료들(2003)이 얻은 결과와 유사하게, 이 연구 결과는 노인들의 사회적 활동 및 지적 활동과 그들의 인지 기능 보존 간의 관련성을 시사하고 있다. 또 다른 스웨덴 연구(Crowe et al., 2003)에서도 마찬가지로 지적, 문화적, 자율 권한(self-empowerment) 및 가사 활동을 포함하는 총체적인 여가 활동 참여가 많을수록 20년 후 알츠하이머병과 치매의 발병 위험률이 감소한다는 것을 발견했다. 흥미롭게도 이 연구에서 지적-문화적 활동 참여가 많을수록 알츠하이머성 치매 위험이 감소하는 수준은 여성이 남성보다 더 높았다.

프리드랜드(Friedland)와 그의 동료들(2001)은 건강한 노인에 비해, 알츠하이머성 치매를 앓고 있는 노인들은 적어도 알츠하이머병이 발병하기 5년 전부터 전반적인 활동의 다양성과 지적 활동 강도가 감소한다는 것을 확인했다. 이 두 집단의 성인 초기(20-39세)와 성인 중기(40-50세)의 모든 수동적, 사회적, 지적 활동들을 살펴보면, 나이와 성별, 교육 수준 및 소득 적정성을 모두 고려했을 때에도 건강한 노인들이 알츠하이머병 환자들보다 더 활동적인 것을 발견했다. 그럼에도 불구하고, 성인 초기 여가 활동 수준을 통제했을 때, 이러한 연구 결과들은 성인 중기에만 해당되는 것으로 나타났다. 성인 중기의 여가 시간에 지적 부담이 있는 활동을 비교적 적게 하는 것은 성인 초기에 보내는 여가 시간의 비율을 통제했을 때에도 알츠하이머성 치매를 예측하는 변인이다. 또한 이는 나중에 알츠하이머병을 앓게 되는 사람들의 성인 중기에 나타나는 특징인, 지적 수준이 낮은 여가 시간 활동을 할 가능성을 감소시킨다. 이것은 수녀 연구(Snowden et al., 1996)에서 설명했던 것과 같이, 성인 초기에 발생하는 몇 가지의 인지 기능 장애의 조기 징후이다.

여기에 설명한 연구들의 결과들은 대체로 비교적 지적으로 부담이 되는 여가 활동에 참여하는 것이 노인성 치매 발병을 감소시키거나, 이러한 질환의 임상 징후를 지연시키거나, 둘 모두와 관련된다는 가능성에 대해 매우 일맥상통하는 결과들을 보여 주고 있다.

환경의 복잡성과 지적 기능에 관한 최근의 사회환경적 연구들

정신건강연구센터의 사회환경적 연구(SSES)에 해당하는 비교적 최근 프로젝트는 환경적 복잡성과 노인들의 지적 기능 간에 상보적 효과가 있는지 조사하였다(Schooler, Mulatu, & Oates, 1999; Schooler & Mulatu, 2001; Schooler, Mulatu, &

Oates, 2004). 이 논문들은 1974년과 1994-1995년에 수집한 데이터(1차 연구 피험자들의 연령은 20세 이상이었다)를 사용하여 유급 노동의 복잡성(Schooler, Mulatu, & Oates, 1999; 2004) 혹은 여가 시간 활동의 복잡성(Schooler & Mulatu, 2001)과 지적 기능 간의 상보적 효과를 조사하여, 콘-스쿨러(Kohn-Schooler)의 초기 연구를 확장한 것이었다. 이어지는 절에서는 다음의 네 가지를 논의하고자 한다. ① 위의 연구들에서 얻은 종적 연구 데이터에 관한 샘플, ② 우리가 측정한 환경의 복잡성과 지적 기능, ③ 데이터 분석과 주요 발견들과 ④ 그 결과의 중요성.

종단 표본의 특징

직업 조건이 주는 심리적 효과에 관한 콘-스쿨러의 첫 번째 데이터 수집 시도는 1964년, 국가의 대표 표본인 남성 직장인 3,101명을 인터뷰하면서 시작되었다. 이 표본은 당시 국민여론조사센터(NORC)에서 주 25시간 이상, 군사 시설이 아닌 직장에서 근무하는 16세 이상인 남성들로부터 얻은 데이터이다. 1974년, 국민여론조사센터는 첫 번째 인터뷰 응답자들 중, 당시 65세 이하인 전체 데이터의 약 1/4에 해당하는 표본을 인터뷰하였다. 후속 연구 대상으로 선정된 883명의 남성 가운데 820명(93%)의 소재가 파악되었다. 그 당시 생존해 있는 785명의 남성 가운데 687명(88%)을 인터뷰하였다. 또한 1974년 연구에서는 그 당시 모든 기혼 남성 피험자들의 배우자인 여성들도 인터뷰하였다. 자격 요건에 맞는 여성은 617명이었으며, 이 중 약 90%에 해당하는 555명의 여성을 인터뷰하였다. 이 여성들의 연령은 26-65세였다. 1994-1995년에 수행된 후속 연구에서는 1974년 설문 조사에 참가한 687 가구 가운데 95%(650 가구)의 소재가 파악되었다. 1974년 연구에 참가한 1,242명의 남녀 가운데 707명(남성 352명, 여성 355명)을 1994-1995년에 다시 인터뷰하였다. 후속 연구에 누락된 참가자들은 소재가 파악되지 않았거나 사망했거나, 혹은 질병이나 인터뷰 거부로 인해 인터뷰를 완료하지 않은 경우였다.

유급 노동에서 실질적으로 복잡한 일과 지적 기능 사이의 상보적 효과를 조사한 연구(Schooler, Mulatu, & Oates, 1999)에서, 우리는 1974년과 1994-1995년 모두 직업을 가지고 있던 사람들에게만 초점을 맞추었다. 이 연구의 유효 표본 크기는 233명이었고, 남성 160명, 여성 73명으로 구성되었다. 참가자들의 연령 범위는 41-83세였으며, 평균 연령은 57세였고, 평균 교육 수준은 기술고등학교 졸업이었다.

인지적 부담이 되는 여가 시간 활동과 지적 기능 간 상보적 효과를 조사하는 연구(Schooler & Mulatu, 2001)에서 우리는 그들의 여가 시간 활동과 지적 기능에 관한 데이터를 제공한 피험자들에게 초점을 맞추었다. 이 연구에서의 유효 표본 크기는 635명이었고, 남성 315명, 여성 320명으로 구성되어 있었다. 참가자들의 연령 분포는 41-88세였으며, 평균 연령은 64.5세였다. 1994-1995년의 후속 연구 기간 동안 267명(약 41.7%)이 유급 노동을 하고 있었다.

일의 실질적인 복잡성

실질적인 일의 복잡성은 사고와 독자적인 판단에 의해 정의되었다(Kohn-Schooler, 1983). 일의 실질적인 복잡성에 관한 잠재적 개념 지표는 피험자들이 종사하는 일, 대상, 데이터(혹은 아이디어), 그리고 사람들에 관해 세부적으로 묻는 객관식 및 주관식 질문들을 통해 측정되었다. 1974년과 1994년-1995년에 종사한 직업에 대한 일의 복잡성은 7등급 기준으로 평가하게 하였다. 예를 들어, 직업명 사전(미국 노동청, 1965)에 있는 대상, 데이터(혹은 아이디어) 및 사람들과 같은 요인들에 대한 평가, 응답자들이 각 활동에 보내는 시간에 대한 추정치 및 응답자들이 내린 일의 복잡성에 대한 종합적인 평가를 포함시켰다. 일의 복잡성을 평가하는 각 지표는 리커트 척도를 사용하였다. 예를 들면, 데이터에 있는 직업의 복잡성은 1-9점으로 평가하게 하였다(1점: 데이터에 중요하지 않은 일, 9점: 종합적인 일). 일하는 시간은 0-90시간으로 나타났다.

여가 활동의 복잡성

여가 시간 활동의 인지적 복잡성은 유급 노동의 복잡성과 유사하게 개념화되었으며, 여가 활동이 유급 노동이 아니라는 차이점밖에 없다. 우리의 연구에서 인지 여가 활동 잠재요인은 1974년과 1994-1995년 설문 조사에 모두 포함되었던 6가지 항목으로 측정하였다. 이 항목들은 다음과 같다. ① 지난 6개월 이내에 읽은 책의 수, ② 정기적으로 구독하는 잡지의 수, ③ 읽는 잡지의 지적 수준 평가(가장 높은 수준은 5점), ④ 지난 6개월 이내에 미술관 혹은 박물관, 연주회 및 연극 등과 같은 행사 방문 횟수, ⑤ 특별한 관심사, 취미 활동 수, ⑥ 특별한 관심사나 취미 활동에 보내는 시간 수.

지적 유연성

지적 기능의 척도인 지적 유연성은 "복잡한 상황에서 주어지는 지적인 부담에 대응하는 인지적 유연성"으로 정의한다(Kohn & Schooler, 1983, p.112). 이 요인의 지표들은 다음과 같다. ① 임베디드 그림 테스트(Embedded Figures Test, Witkin et al., 1962)에서 얻은 종합 점수, ② 인터뷰 세션에서 피험자의 지적 능력에 대해 내리는 인터뷰 담당자의 평가, ③ 인터뷰에 포함된 찬반 설문조사에서 얻은 찬성 빈도(어떤 질문들은 같은 내용을 묻는 문항이더라도 답의 긍정·부정 여부가 반대인 역문항이기 때문에, 만약 전반적으로 동의하는 긍정 반응이 나타날 경우, 그것은 피험자가 그 설문에 대해 신중하게 생각하지 않았으며 질문에 따라 다르게 생각하지 않았다는 것을 시사한다), ④ "TV에서 담배 광고를 허용하는 것에 대해 찬성하거나 반대하기 위해서 당신이 생각해 낼 수 있는 모든 주장은 무엇입니까?"라는 질문에 대한 답변의 등급은 양쪽 주장에 대한 이유를 제공하며, ⑤ 두 장소 중에서 햄버거 가게를 설치하는 장소를 선별하는 가상의 질문에 대한 답변의 타당성 등급(두 장소 간에 발생할 수 있는 수익의 차이를 이해하는 것뿐만 아니라 잠재적 비용과 매출 가능성을 고려한 판단 타당성).

인지 여가 활동과 지적 유연성 척도는 다른 곳에서 사용하는 표준화 검사와 매우 높은 상관관계가 있다. 이 증거는 이러한 요인을 1994-1995년의 후속 연구에서만 사용된 표준 척도 데이터에서 생성된 요인들과 연관시킴으로써 발견되었다. 뿐만 아니라 인지 여가 활동 요인을 보여 주기 위해 사용된 이 6개의 항목 외에도, 1994년-1995년 데이터는 사람들과 데이터로 수행되는 과업의 복잡성을 5점 척도로 평가하고 있으며, 유급 노동의 실질적인 복잡성을 측정하기 위해서 그에 상응하는 질문으로 이러한 활동에 쓰는 시간을 포함시켰다. 이 두 세트의 항목들에 기초한 구조방정식 모형(SEM) 요인들 간의 상관관계는 매우 높은 것으로 나타났다($r = .89, p \langle .0001$). 이와 유사하게 지적 유연성 척도는 즉시 회상, 범주 유창성, 일련번호 찾기, 어휘 의미, 동일 그림 찾기, 용도가 다른 것 찾기와 같은 표준 인지 검사 결과와 상관관계가 매우 높은 것으로 나타났다($r = .86, p \langle .0001$). 따라서 우리는 설문 기반 지적 기능 척도가 현장에서 구할 수 있는 표준 인지 척도만큼이나 타당한 척도라는 것을 확신한다.

데이터 분석 및 주요 발견들

〈그림 2.1〉은 환경의 복잡성과 지적 기능 간의 상보적 관계를 가정하는 우리의 일반 모형이다.

직업의 복잡성과 지적 기능

작은 표본(223명)을 처리하기 위해 우리는 2단계 인과 모형 접근법을 사용하였다. 먼저 하나의 척도 모형을 만들어 추정하였다. 이 척도 모형은 지적 유연성과 실질적인 일의 복잡성을 측정하는 다중 지표뿐만 아니라, 배경 변인들을 측정하는 단일 지표를 포함하고 있다. 그 후에 이러한 척도들 간의

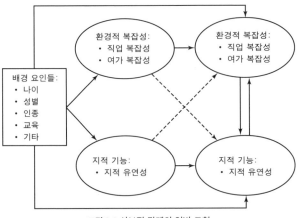

그림 2.1 상보적 관계의 일반 모형

공변량들을 저장하여 후속 인과 모형의 입력 데이터로 사용하였다. 이 모형에 관한 구체적인 설명은 다음과 같다. 이 모형은 ① 1994-1995년에 얻은 실질적인 일의 복잡성과 지적 유연성 간의 상보적 효과, ② 1974년에 얻은 실질적인 일의 복잡성과 상보적 효과, 지적 유연성부터 1994-1995년에 얻은 내성적 요인(endogenous factors)의 경로, ③ 나이, 성별, 교육 수준 및 인구통계학적 특성을 포함한 모든 사회인구학적 특성부터, 이러한 내성적 요인에 이르는 경로를 분석한다. 연령과 관련된 유사점과 차이점을 고려하여 우리는 그 표본의 중위 연령을 57세로 하여 두 연령 집단으로 나누어 나이에 기초한 다중 집단 분석을 실시하였다. 이 인과 모형을 검증함에 있어서 오차와 잔차변인과 공변량만이 집단에 따라 달라질 수 있도록 하였고, 완화가 필요한 유의한 인과 매개 변인의 유무를 결정하기 위해서 수정 지수를 조사하였다. 우리는 효과가 유의하지 않은 구조 경로를 제거하여 모형을 재추정하였다.

우리의 최종 모형은 이 데이터에 매우 적합한 것으로 나타났으며, 가정하였던 상관관계를 확인하였다. 첫째, 우리는 1994-1995년의 실질적으로 복잡한 일에서 1994-1995년의 지적 유연성에 이르는 경로가 유의한 상보적 효과를 확인하였다. 둘째, 우리는 1994-1995년의 실질적으로 복잡한 일에서 1994-1995년의 지적 유연성에 이르는 경로가 연령에 따라 유의한 차이가 있는 것을 발견했다. 즉 실질적으로 복잡한 일이 노인들의 지적 유연성($\beta = 0.50$, $t = 14.87$)에 미치는 영향이 젊은이들($\beta = 0.26$, $t = 3.47$)에 비교해 2배 이상 높은 것으로 나타났다. 셋째, 비록 1994-1995년의 지적 유연성에서 1994-1995년의 복잡한 일에 이르는 반대 방향의 경로에서는 연령 효과가 나타나지 않았지만, 이 경로의 상대적인 크기($\beta = 0.25$)는 상보적 경로(1994-1995년의 실질적으로 복잡한 일에서 1994-1995년의 지적 유연성에 이르는 경로)에 비교해 두 집단 간에 차이가 있는 것으로 나타났다. 젊은 집단에서는 실질적인 일의 복잡성이 지적 유연성에 미치는 영향이 역방향의 효과와 비슷한 것으로 나타났지만, 노인 집단에서는 그 크기가 반으로 줄었다. 일반적으로 유급 노동에서 주어지는 인지 부담에 대해 좀 더 광범위한 잠재성 척도를 포함시킨 일련의 모형과 완전한 구조방정식 모형(SEM)에서 유사한 결과들을 얻었다(Schooler, Mulatu, & Oates, 2004).

여가 복잡성과 지적 기능

유급 노동의 실질적인 복잡성과 지적 유연성 간의 관계를 분석했던 우리의 원래 분석과는 달리(Schooler, Mulatu, & Oates, 1999), 우리는 여가 시간 활동과 지적 유연성 간의 관계를 분석하기 위해 완전 모형 접근법을 사용하였다. 복잡한 모형을 다루기 위해서 우리는 표본 크기(N = 635명)가 비교적 큰 결정 요인을 사용하였다. 우리는 여가 시간 활동의 특성과 복잡성은 개인이 직업 유무와 밀접하게 관련이 있다고 믿었기 때문에 1994-1995년의 노동자 집단과 비노동자 집단을 비교하기로 하였다.

노동자와 비노동자 집단, 그리고 두 기간이라는 잠재 요인들에 대한 측정 불변성 모형을 검증했기 때문에 우리는 다음과 같은 인과 매개 변인을 제시하였다. ① 1994-1995년 연구의 인지 여가 활동과 지적 유연성 간의 상보적 효과, ② 1974년 연구의 인지 여가 활동 및 지적 유연성에서부터 이에 해당하는 1994-1995년 연구의 내생적 요인(endogenous factors)들에 이르는 경로들, ③ 모든 사회인구학적 특성에서부터 1994-1995년의 내생적 요인에 이르는 경로들. 이 모형에서는 오차와 잔차변인 및 공변량만이 집단에 따라 달라질 수 있도록 허용하였으며, 완화가 필요한 유의한 인과 매개 변인의 유무를 결정하기 위해서 수정 지수를 조사하였다. 또한 우리는 효과가 유의하지 않은 구조 경로를 제거하여 모형을 재추정하였다.

우리의 최종 모형은 그 데이터가 매우 적합하다는 것(χ^2[614; N = 635]= 1080.41, 평균 제곱근 오차(RMSEA) = .05; 비교적합지수(CFI) = .91)과, 1994-1995년의 인지 여가 활동과 1994-1995년의 지적 유연성 간에 유의한 상보적 효과가 있다는 것을 보여 주고 있다. 지적 유연성은 비교적 복잡한 여가 활동을 수행하는 결과를 낳았다($\beta = 0.34, p \leq .001$). 이와는 반대로 비교적 복잡한 여가 활동은 지적 기능의 수준을 높였다($\beta = 0.26, p \leq .05$). 사실 지적 기능이 복잡한 여가 시간에 미치는 영향은 상보적 효과보다 약간 더 큰 것으로 나타났다. 이 모형에서도 우리의 모형과 마찬가지로 실질적인 복잡한 활동 참여와 나이, 인종과 같은 배경 요인 및 사회경제적 지위가 인지 여가 활동 및 인지적 유연성에 직간접적으로 영향을 미치는 것으로 나타났다. 노동자와 비노동자 집단을 분리하여 분석하는 다중 집단 분석으로 고용 여부 변인을 추가했을 때에도 인지 여가 활동과 지적 유연성 간에 상보적 관계가 나타났다.

발견의 중요성

우리가 발견한 연구 결과는 중년 및 노인들의 유급 노동 및 여가 시간 활동의 인지적 복잡성은 지적 기능에 영향을 미친다는 것을 보여 준다. 좀 더 복잡한 일과 여가 시간 활동을 수행하는 것은 지적 기능을 증가시키고, 덜 복잡한 일 혹은 여가 활동은 지적 기능을 감소시킨다. 우리가 살펴본 바와 같이 이러한 인과 패턴은 복잡한 유급 노동 및 여가 시간 활동이 노인이나 젊은 사람들에게, 그리고 노동자와 비노동자에게 미치는 영향을 비교했을 때에도 나타난다. 우리는 또한 상보적 효과도 존재한다는 증거를 발견했다. 높은 수준의 지적 기능은 사람들이 더 많은 지적 요구를 요하는 여가 시간 활동을 하도록 하는 것뿐만 아니라 복잡한 유급 노동에 종사하도록 한다. 비록 우리가 발견한 상보적 효과들은 보통 수준이지만, 이러한 결과들은 직장 안팎에서 지적으로 도전이 되는 일을 하는 것이 중년들과 노인들에게 주는 지적인 혜택은 중요하고 의미가 있다는 것을 시사한다.

우리 연구의 결과들은 일의 실질적인 복잡성이 지적 기능에 미치는 영향에 관해, 본 연구 대상자들이 20살 더 젊었을 때 얻은 콘(Kohn)과 스쿨러 (Schooler)의 1983년 연구 결과를 확장한다. 우리의 연구 결과는 인지적으로 복잡한 환경적 요구에 대처하는 것이 젊은 사람들 혹은 노인들 모두의 인지 기능에 미치는 효과가 보수를 받기 위한 일을 넘어 여가 시간에도 비교적 인지적으로 복잡한 과업을 수행하는 것으로 확장된다는 것을 나타낸다. 종합하면, 일과 여가 시간에 대해서 우리가 얻은 연구 결과들은 노년에도 자발적으로 복잡한 과업을 수행하는 것이 지적 정보처리에 긍정적인 효과가 있다는 일관적이고 확실하게 믿을 만한 증거를 제공하고 있다. 따라서 이 결과들은 인지적으로 부담이 되는 환경에 대처하는 것이 인생 전반에 걸쳐 사람들의 지적 기능의 수준을 높인다는 가설(Schooler, 1984, 1990)을 일반화할 수 있다. 우리 연구 대상자 중에서 41-88세에 속하는 표본들을 살펴보면, 환경 조건이 심리적인 기능에 미치는 영향은 노인들도 적어도 젊은 사람들만큼 강하다. 실제로 한 연구에서 우리는 실질적인 복잡성이 젊은 사람들보다는 노인들의 지적 기능에 더 큰 영향을 미친다는 것을 발견했다. 이는 노인들이 환경 조건에 의해 받는 심리적인 영향이 젊은 사람들보다 더 크다는 것을 시사하고 있다. 이러한 결과들은 노인들이 노출되는 환경의 복잡성을 최소한 유지하기 위한 사회적 개입의 타당성과 가능성이라는 현실적인 문제를 제기한다.

대체로 우리의 결과들은 크로스워드 퍼즐을 하는 것 자체는 효과가 없을지라도(예, Hambrick, Salthouse, & Meinz, 1999), 직장에서 혹은 여가 시간에 실질적으로 복잡한 과업을 수행하는 것은 "유산소 운동과 유사한 것(analog of aerobic exercises)"이라는 것을 시사하고 있다(Hertzog, Hultsch, & Dixon, 1999, p. 528). 노년기에도 실질적으로 복잡한 과업을 해결하는 것이 복잡한 환경이 제공하는 지적인 도전에 대처하는 능력을 키우는 것으로 보인다.

인간을 대상으로 실시한 환경의 복잡성과 지적 기능에 관한 유사 실험 연구들

그러나 정신건강연구센터의 사회환경적 연구(SSES) 결과들은 기본적으로 종단 설문 데이터에 기반을 두고 있다. 그래서 그 결과들은 복잡한 환경과 지적 기능의 상호 영향에 대한 기본적인 신경생물학적 혹은 심리학적 메커니즘을 설명하지 못한다. 물론 많은 동물실험 연구들이 이 책의 여러 장에서 다루고자 하는 관련 심리신경생물학적 문제들을 다루고 있다(자세한 내용은 Mohammed et al., 2002를 참고하기 바람). 그래서 나는 그것들을 여기서는 다루지 않을 것이다. 대신 나는 복잡한 환경에 대한 노출이 인지에 미치는 영향뿐만 아니라 인지적으로 복잡한 환경에 노출되는 것이 지적 기능에 미치는 영향을 통해서 잠재적 신경생물학적 및 심리학적 메커니즘을 제안하는, 인간 대상 연구들에 대해 간단히 검토하고자 한다.

스펙터(Spector)와 그의 동료들(2003)은 인지기능자극 프로그램(cognitive stimulation program)이 치매를 겪고 있는 사람들의 인지 기능과 삶의 질에 미치는 효능을 평가하기 위해서 무작위 통제 실험을 실시하였다. 중재 집단은 14번의 세션(각 세션마다 45분)에 걸쳐서 금전 사용, 단어 게임, 현재 유명인의 얼굴, 그리고 다양한 개인 및 사회적 활동에 초점을 맞춘 인지기능자극 프로그램과 현실감각 훈련을 받았다. 이러한 처치를 받지 않은 통제 집단과 비교했을 때, 중재 집단은 인지 기능뿐만 아니라 삶의 질 측면에서도 유의한 향상을 보였다. 이 저자들은 중재 효과의 크기가 임상에서 보고하는 치매 약물 치료와 비슷하다고 보고하고 있다.

볼(Ball)과 그의 동료들(2002)은 세 가지 형태의 인지 훈련 중재가 자립 생활을 하는 노인들의 인지 및 일상생활 기능 향상에 미치는 효과를 평가하기 위해서 규모가 큰 좀 더 정교한 무작위 통제 실험을 실시하였다. 즉 이 세 중재 집단에게 언어적 에피소드 기억, 문제 해결 및 추론, 그리고 정보처리 속도 실험을 실시했는데, 각 집단에게 10번의 훈련 세션(각 세션마다 60-75분)이 제공되었다. 중재 세션에는 이러한 전략을 연습하기 위한 개인 및 그룹 훈련뿐만 아니라, 낮은 난이도에서 시작하여 점점 높아지는 인지 전략에 대한 설명도 포함되었다. 추가 세션(booster session)은 11개월 후에 초기 피험자의 60%에 해당하는 인원에게 제공하였다. 즉시 사후 검사에서 각 중재 집단은 그들이 훈련을 받은 인지능력의 점수가 기준 점수 및 통제 집단 점수와 비교해서 향상되었다. 즉시 사후 검사보다 효과는 덜하지만, 24개월 뒤에 실시한 사후 검사에서도 효과가 있는 것으로 나타났다. 스펙터와 그의 동료들(2003)의 연구와는 달리 볼 일행의 연구는 인지 훈련이 일상생활 기능을 향상시키는 유의미한 효과가 있다는 것을 발견하지 못했다. 하지만 윌리스 (Willis)와 샤이에(Schaie)가 앞서 1986년에 실시한 연구는 노인들을 훈련시키는 것이 구조방정식 모형(SEM)을 통해 증명된 인지 기술을 다른 잠재 요인에도 일반화할 수 있다는 증거를 제공하고 있다.

결론

모하메드(Mohammed)와 그의 동료들(2002)은 환경적 풍요와 뇌에 관한 그
들의 신경생물학적 연구의 폭넓은 리뷰에서 "환경에 의해서 유도된 노화한
유기체의 뇌 변화도 '사용하지 않으면, 잃는다'는 일반적인 결론과 유사하
다(p. 126)"고 지적한다. 그들은 "환경적인 자극이 전뇌 기저부(basal forebrain)
와 다른 뇌 영역에 있는 신경 영양적인(neurotrophin) 수준을 유지시키고 노인
들의 신경 보호구(neural reserve)를 증가시켜서 그 기능을 유지하는 것을 돕는
다"고 주장하면서 논문을 마무리하였다. "환경적인 풍요가 뇌에 미치는 영
향은 파리에서부터 철학자에 이르는 다양한 종에서 관찰되는 보편적인 현
상인 것처럼 보인다(p. 127)". 인지적으로 복잡한 환경이 인간의 인지 기능에
미치는 영향에 관해 조사하고 있는 심리학적 및 사회학적 연구와 관련된 이
설문은 행동과학의 관점을 상당히 일관성 있게 뒷받침하고 있다. 구조방정
식 모형(SEM)에 기초한 상보적 효과 모형의 결과는 지적 기능 수준과 환경
복잡성 간의 상관관계가 적어도 부분적으로는 이러한 환경적 영향 때문이
라는 것을 입증하고 있다. 이러한 분석들은 이와 같은 상관관계가 단지 지적
으로 잘 기능하는 사람들이 지적인 기능이 떨어지는 사람들에 비해 인지적
으로 부담이 되는 환경을 선택하거나 이러한 환경에 선택되고, 이러한 조건
에서 자신을 더 성공적으로 유지할 수 있는 정도에 의해서만 발생할 가능성
을 상당히 낮춘다.

끝으로, 비록 우리와 다른 사람들이 얻은 연구 결과들이 직장 안팎에서
인지적으로 부담이 되는 활동에 참여하는 것이 지적 기능에 긍정적인 영향
을 미친다는 가설을 매우 일관성 있게 뒷받침하고 있지만, 현재 우리는 이러
한 효과의 기본이 되는 심리학적 및 신경생물학적 과정에 대해 기초적인 개
념만을 가지고 있을 뿐이다. 더구나 우리는 이러한 환경이 인지 기능에 미치
는 영향의 한계와, 이러한 한계가 인생의 여러 단계에서 어떻게 변화하는지

는 알지 못한다. 그럼에도 불구하고 우리가 알고 있는 것은 노인들의 지적 기능이 비교적 복잡한 환경에서 주어지는 인지적 도전에 대응함으로써 이로운 효과를 얻을 수 있다는 사실을 가리키고 있다. 연구들의 한계점도 있지만 분명한 것은 뇌의 인지 기능을 적극적으로 사용하면 그것을 잃지 않는 데 도움이 된다는 사실이다.

3

노인들의 지적 기능 향상

미셸 L. 미드Michelle L. Meade | 몬타나 주립 대학교, 심리학과
데니즈 C. 박Denise c. Park, PhD | 텍사스 대학–달라스, 행동 및 뇌과학 학부

노화가 인지 쇠퇴를 동반한다는 것은 기정사실이며, 현재 이러한 쇠퇴 과정의 완화 요인을 찾는 연구에 큰 관심이 쏠리고 있다. 노인들의 인지 기능을 향상시키는 것은 비록 향상 폭이 작을지라도 노인들의 삶의 질을 개선하는 데 중요한 결과를 가져온다. 특히 이러한 향상이 알츠하이머병으로 인해 장애를 가지는 연령을 늦춘다면 더욱 그러하다. 이 장에서는 노인들의 인지 기능을 향상시키는 두 가지 접근법에 관해서 논의하고자 한다. 한 가지 접근법은 피험자들이 특정 인지 기능을 향상시키도록 훈련을 하는 실험실 개입에 기반을 두고 있으며, 다른 하나는 노인들이 인지 기능을 유지하는 데 생활양식 변인들이 하는 역할에 초점을 두고 있다. 노인 인지에 관해서 간략히 설명한 후에 우리는 이 두 가지 접근법에 관해서 각 접근법의 전반적인 효과를 강조하면서 차례로 논의하고자 한다. 끝으로, 우리는 노화 완화에 대한 유망한 새로운 방향을 제공한다고 믿는 생활방식 변인들을 조작한 실험 연구에 관해 논의하고자 한다.

인지 노화에 대한 개요

나이가 듦에 따라 정보처리 속도(Salthouse, 1996), 작업기억(Working memory) 용량(Park et al., 1996; 2002), 과업 전환 능력 혹은 불필요한 정보 억제(Cepeda et al., 2001; Hasher & Zacks, 1979) 및 장기기억 기능, 특히 부호화(Craik, 1983; Park et al., 1996; 2002)가 상당히 감소한다는 설득력 있는 증거가 있다. 정보처리 능력은 감소하지만, 지식 축적(경험의 효과를 나타나는 것)은 나이와 더불어 향상한다. 정보처리 능력 감소와 지식 성장 사이의 상호작용을 〈그림 3.1〉에서 보여 주고 있다.

　홍미로운 점은 동시에 발생하는 정보처리 능력 감소와 지식 증가가 노인들의 인지 기능에 미치는 영향이다. 최근 연구들에 따르면, 노인은 정보처리의 결손을 보완하고 인지 기능을 유지하기 위해 증가된 지식을 사용한다고 보고한다. 예를 들면, 헤든, 라우텐슐라거, 그리고 박(Hedden, Lautenschlager, & Park, 2005)은 연합쌍(paired associates)을 기억하는 과제와 언어를 산출하는 유창성 과제에서 단어를 산출할 때 젊은 성인들은 정보처리 속도와 작업기억에 더 많이 의존하는 데 비해 노인들은 언어적 지식에 더 많이 의존한다는 사실을 구조방정식 모형을 사용하여 보고하였다.

　인지 정보처리가 나이가 들수록 쇠퇴하는 것처럼, 신경 구조도 줄어든다는 증거가 있다. 전두엽의 부피는 인생 전반에 걸쳐서 감소하며, 보다 완만한 축소는 중간 측두엽 영역에서 관찰된다(Raz, 2000). 단기간의 종단 연구들은 건강한 노인들의 뇌 구조의 부피 변화도 불과 1년 사이에도 분명하게 감소한다는 것을 보여 주고 있다. 구체적으로, 볼티모어에서 건강한 노인들을 대상으로 한 종단 연구에 따르면, 뇌 부피는 매년 평균 5.4cm³씩 감소하며(Resnick et al., 2003), 뇌실 부피(뇌가 줄어들면서 생기는 빈 공간을 액체로 채워서 생기는 부위)는 커진다는 것을 보여 주었다(Resnick et al., 2000).

　나이가 듦에 따라 신경조직(neural tissue)이 감소함에도 불구하고, fMRI 연

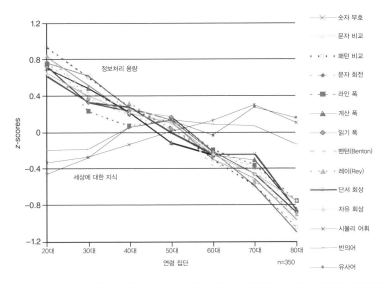

그림 3.1 일생에 걸친 수행평가: 정보처리 속도 척도, 작업기억 척도(시공간 및 언어), 장기기억 척도(시공간
  및 언어), 단기 기억 척도(시공간 및 언어), 지식에 기초한 언어 능력 척도. 각 척도의 종합 점수는 모
  든 척도의 평균값인 Z-점수를 나타낸다.

* D.L 박 외(D.L. Park et al., 2002)의 "Models of. Visuospatial and verbal memory across the adult life span", Psychology and Aging,
  17(2): 299-320. D.C.의 허락을 받고 등재

구에서 노인은 부호화(encoding)를 하고, 작업기억 과업을 수행할 때, 뇌 전반
에 걸친 활성화 부위가 젊은 성인들보다 더 큰 분포를 나타내는 것이 일반적
이다. 또한 대부분의 경우, 젊은 성인들은 한 쪽 반구의 전전두엽에서만 활
성화가 나타나는 것과는 다르게 노인들은 양반구의 전전두엽 영역에서 활
성화가 나타난다(Cabeza, 2002; Park et al., 2003; Reuter-Lorenz, 2002). 상당한 수의
이론들은 노인들에게서 나타나는 이러한 부가적인 활성화는 신경 체계의
쇠퇴를 보완하기 위한 것이라고 제안한다(Cabeza 2002; Park et al., 2001; Daselaar
et al., 2003; Rosen et al., 2002). 이러한 가설을 지지하기 위해 구체스와 그의 동
료들(Gutchess et al., 2005)은 후에 기억해 내야 하는 그림 자극을 부호화할 때,
노인들은 젊은 성인들에 비해 중앙의 전두엽(middle frontal cortex)을 더 많이 사
용하고, 젊은 성인들은 해마의 활성화(hippocampal activation)에 더 많이 의존하
는 것을 보고했다. 또한 젊은 피험자가 아닌 노인 피험자의 경우, 전두엽의

증가와 해마의 활성화의 감소 사이에는 직접적인 관계가 있었다. 이러한 양상은 노인들이 전두엽에 있는 자원들을 추가로 사용하여 해마 부위의 결손을 보완한다는 것을 보여 준다.

신경영상(neuroimaging) 연구들은 노인들이 쇠퇴한 뇌 기능을 뇌의 다른 부위 혹은 추가 영역(혹은 둘 다)을 활용하여 보완한다는 것을 강력히 지지한다. 이러한 보완이 다양하게 나타난다는 사실은 노인들의 신경 기능이 역동적이며 신경 인지 체계에 뇌 가소성이 남아 있다는 것을 시사한다. 더구나 몇몇 연구 결과들은 노인들이 인지 쇠퇴를 보완하기 위해서 젊은 성인들과는 다른 방법을 사용하지만 이 전략이 매우 효율적이라는 것을 제시하고 있다(예를 들어, Hedden, Lautenschlager, & Park, 2005; Hertzog, Dunlosky, & Robinson, 2005^D). 이러한 뇌의 재구성(reorganization)과 적응(adaptation)에 대한 것을 이번 장에서 다루고자 한다. 노인들에게서 발생하는 인지 쇠퇴의 속도를 지연하는 방법들을 이해하는 데 관심이 있으며, 이 장의 나머지 부분에서는 성인 후기의 인지를 향상시키기 위한 개입 전략에 관해서 논의하고자 한다. 인지 기능을 향상시킬 수 있는 생활양식 변인들 및 잠재적 중재들뿐만 아니라 실험실에서 실시하는 중재 프로그램에 관해서도 논의하고자 한다. 나이가 먹어감에 따라 발생하는 인지 기능을 바꾸는 대신, 인지 기능을 지원하기 위해 만들어진 외적 변인들과 신호들(의미적 관계, 보조 시각 자극, 목록 구성 등)에 초점을 둔 연구 문헌들도 있다. 하지만 우리는 이러한 자극-특정 조작(stimulus-specific manipulation)에 관해서는 다루지 않는다.

훈련을 통한 인지 촉진에 관한 실험실 연구들

노인들의 인지 기능을 향상시키기 위해서 설계된 가장 보편적으로 사용되는 실험 기법은 훈련(training)이다. 전형적인 훈련 연구에서는 인지 훈련이 인지기능 향상에 효과가 있는지를 조사하며, 대개는 뚜렷한 인지능력 감소를 보이는 특정 인지 과제(cognitive task) 혹은 인지 처리(cognitive process)를 훈련한다. 예를 들어, 만약 특정 개인이 이름-얼굴을 연결하여 암기하는 훈련을 받았다면, 연구자는 해당 피험자가 칵테일 축제 같은 곳에서 얼굴과 이름을 기억하는 능력이 향상될 것이라고 기대한다. 왜냐하면 앞선 예시에서, 실험실에서 행해진 훈련은 실제 상황과 매우 유사하기 때문이다(근전이, near transfer에 대한 증거). 훈련 연구의 또 다른 관심사는 훈련을 통한 개선이 새로운 과제(novel task)의 개선으로 전이되는지에 대한 것이다. 예를 들어, 이름-얼굴 훈련은 작업기억의 개선이나 운전 능력의 향상으로 이어지는지를 알아보는 것이다(원전이, far transfer). 이러한 개념은 특정 인지 처리의 지속적인 연습이 다양한 인지 영역의 기능을 향상시킬 수 있다는 것을 의미한다. 이는 신체 운동이 특정 근육의 강도를 증가시킬 뿐만 아니라 전반적인 체력 및 심혈관 기능의 전반적인 향상을 가져오는 것과 유사한 논리이다.

윌리스와 샤이에(Willis & Schaie, 1986)는 훈련이 특정 영역의 인지 기능을 향상시키는 것뿐만 아니라 인지 기능 쇠퇴를 멈추는 데에도 효과적이라는 증거를 제시하고 있다. 이 연구에서는 피험자 노인들을 이전 14년 동안 종단적으로 수집한 자료에 기반하여 공간 정향성(spatial orientation)과 귀납 추론 능력(inductive reasoning ability)이 지속적으로 감퇴하고 있는 노인과 그렇지 않은 노인으로 구분하였다. 모든 피험자는 2주 동안 공간 정향성 또는 귀납 추론 능력에 대한 5번의 교육을 받았다. 변화를 측정하기 위해 구조-기반 접근법(construct-based approach)을 사용하여 분석한 결과, 윌리스와 샤이에는 귀납 추론과 공간 정향성 모두에서 상당한 개선을 보고하였다. 보다 중요한 것은, 이들 능력에서 지속적인 감퇴를 보이고 있던 노인 집단에서는 더 이상의 감퇴가 일어나지 않았고, 정상적인 수준을 유지하고 있던 노인 집단에서는 능력의 향상을 보였다. 이러한 결과는 훈련이 선택적으로 인지 기능을 향상시켰음을 시사하지만 일반적인 인지 기능을 강화시키지는 않았다(훈련이 새로운 과제의 개선으로 전이되지 않았음을 주목하라―공간 정향성 조건의 피험자들은 귀납 추론의 향상을 보이지 않았고 그 역 또한 마찬가지였음).

현재까지 가장 종합적인 훈련연구는 볼과 그의 동료들(Ball et al., 2002)이 수행한 것이다. 볼과 그의 동료들은 2,800명의 피험자를 기억 기능, 처리 속도 혹은 추론을 위한 훈련 프로그램에 등록했다. 피험자들은 6주 동안 1시간씩 10회의 훈련을 받았으며, 11개월 후에 추가적인 촉진 훈련(booster training)을 받았다. 피험자들에게 즉시 수행 검사와 이후 2년 동안 1년에 한 번씩 후속 평가를 실시하였다. 흥미로운 것은 훈련이 목표 능력(기억, 처리 속도 및 추론)에 대한 효과뿐만 아니라 도구적 일상생활 활동척도(Instrumental Activities of Daily Living Scale, IADL; Willis et al., 1992)로 측정된 음식 준비와 금전관리와 같은 일상생활 활동의 향상에 효과가 있는지에 대해서도 관심을 가졌다. 볼과 그의 동료들은 기억, 처리 속도 및 추론은 일상생활 과업을 성공적으로 수행하는 것과 밀접한 관련이 있기 때문에, 이러한 구성 요소의 처리 능력을 향상시키는 것이 일상생활 점수의 향상으로 전이된다고 가정하였다. 연구 결과는 이러한 훈련이 노인들이 훈련한 영역의 수행 능력을 향상시킨 것으로 나타났으나, 일상생활 과업에 대한 향상으로는 전이되지는 않는 것으로 나타났다. 또한 특정 능력을 훈련하는 것이 그 능력을 향상시키는 데는 도움이 되지만 새로운 과업 향상으로는 전이되지 않는다는 볼과 그의 동료들의 연구 결과는 훨씬 앞선 이전 연구들과 일치한다.

윌리스와 샤이에(Willis & Schaie, 1986)의 연구와 볼(Ball)과 그의 동료들(Ball et al., 2002) 연구의 피험자들은 건강한 노인들로 분류된다. 흥미로운 질문은 기억 장애를 가진 노인들의 인지능력 안정화 효과에 관한 것이다. 체리와 시몬스-데게로랄모(Cherry & Simmons-D'Gerolamo, 2005)는 알츠하이머병에 걸릴 가능성이 있는 노인들에게 기억 훈련을 제공했다. 이 연구자들은 성공적인 인출 간격이 점진적으로 늘어나도록 구성한 간격-인출 프로그램(spaced-retrieval program)을 실시하여, 즉시 사후 검사에서 공간 인지능력의 유의미한 향상이 있음을 보여 주었다. 비록 이전에 훈련을 받은 노인들은 재훈련 시험에서 유리하다는 것을 보였지만(그래서 훈련 효과가 있는 것처럼 보였지만), 분산 인출이 알츠하이머병에 걸릴 가능성이 있는 노인들의 장기적으로 기억 수행에 효과를 미친다는 증거는 나타나지 않았다(Cherry & Simmons-D'Gerolamo, 2005). 즉시 사후 검사의 개선은 경우에 따라 훈련이 인지능력이 손상된 노인들에게도 영향을 미친다는 것을 시사한다(Camp et al., 1996; 2000; Cherry & Smith, 1998 참조).

최근에 훈련이 신경 구조에 미치는 영향을 조사했다. 비록 인지 훈련이 젊은 성인들의 신경 구조를 바꿀 수 있다는 증거들이 있지만, 노인들을 대상으로 한 연구들 가운데 인지 훈련이 신경 구조 혹은 신경 기능에 영구적인 변화를 가져올 수 있는지에 관해서 다루고 있는 연구는 많지 않다. 예를 들면, 드래건스키와 그의 동료들(Draganski et al., 2004)은 젊은 성인들을 3개월 동안 간단한 저글링(juggling) 훈련을 하게 한 결과 지속적인 저글링이 중간 측두엽(midtemporal area)과 좌반구 후두 두정내구(left posterior intraparietal sulcus)에 있는 회백질(gray matter)을 증가시켰다는 것을 발견했다. 나이버그와 그의 동료들(Nyberg et al., 2003)은 젊은 성인들과 노인들을 모두 포함시킨 한 연구에서 연상 훈련(mnemonic training)이 젊은 성인들의 전두엽(frontal)과 두정엽(occipitoparietal)부위의 활성화를 가져온다는 것을 보여 주었다. 노인들도 역시 신경 가소성을 보여 주었지만, 그 양상은 젊은 성인들과는 차이가 있었다. 연상 훈련을 통해 기억이 향상된 노인들만 두정엽 부위에서 활성화가 나타났고, 훈련의 효과가 없었던 노인들은 전두엽 부위에서 활성화가 나타났다. 유산소 운동(aerobic fitness)을 한 노인들은 운동을 하지 않은 노인들과 비교해 전두엽과 측두엽 및 두정엽 부위에 있는 회백질이 증가했다고 보고하고 있는 콜콤브와 그의 동료들(Colcombe et al., 2003)의 연구에서 노화로 인한 가소성에 대한 다른 증거들을 찾아볼 수 있다. 비록 현재는 비교적 드물지만, 훈련이 신경 부피를 영구적으로 증가시키고 혹은 지속적인 기간 동안 신경 회로의 변화를 가져온다는 증거는 앞으로의 훈련 작업의 효율성을 입증하는 데 중요하다.

훈련은 목표 능력(근전이)이 되는 인지 기능을 향상시키는 데 비교적 효과적인 방법이다. 그리고 어떤 경우에는 삶의 질(알츠하이머병에 걸릴 가능성이 있는 노인들을 위한 기억 훈련 혹은 노인들이 처방된 약물을 지속적으로 복용할 수 있도록 돕는 기법을 훈련시킨다는 경우와 같이)에 중요한 영향을 미친다. 그러나 훈련과 관련된 대부분의 연구에는 제한들이 있다. 마르시스케(Marsiske, 2005)가 요약한 바와 같이, 훈련으로 인한 향상은 비교적 그 효과의 수명이 짧으며, 모든 피험자들이 효과를 얻을 수 있는 것은 아니다. 마르시스케는 또한 아마도 훈련 연구가 직면하고 있는 가장 큰 도전(원전이 증명)에 대해서도 다루고 있다. 즉 노인들이 실험 과제 이외의 영역에서 혜택을 받을 수 있는 포괄적인 인지 향상은 고사하고, 하나의 목표 능력이 향상되거나 안정되는 것이 또 다른 능력의 향상으로 전이되지 않는다. 노인들의 운전 능력 향상으로 전이될 수 있는 유효시야(useful field of view, UFOV) 훈련은 예외에 속한다(Roenker et al., 2003).

전형적으로 훈련 연구들은 인지 기능을 향상시키거나 강화하기 위한 방법으로 수일 동안 지속되는 연습이 포함되어 있다. 사실상 훈련과 관련된 모든 문헌들은 처리의 반복적인 수행이 작업을 보다 쉽게 혹은 다양한 과업을 효율적으로 수행할 수 있게 한다라는 가정하에 노화와 더불어 쇠퇴하는 하향식 처리와 같은 노력이 필요한 과정의 반복에 의존하고 있다. 인지 기능을 향상시키는 또 다른 접근법은 나이가 들어도 변하지 않고 감소하지 않는 인지 처리를 활용하는 것이다(Park, 2000). 이러한 자동화된 처리(Hasher & Zacks, 1979)는 적은 인지 자원을 활용하며, 환경적인 단서나 암시(suggestions)에 대응하여 작동하는 상향식 데이터 기반(data-driven) 처리이다. 이러한 자동화된 처리는 특히 환경에 민감하기 때문에, 이 처리는 약을 복용하거나 건강 검진을 실시하는 것을 기억하는 것과 같은 실제 상황에서의 인지 수행 능력을 향상시키는 데 도움이 될 수도 있다.

　류와 박(Liu & Park, 2004)은 노인들이 처방된 약의 지속적 복용을 장려하기 위해서 자동화된 처리의 활성화를 이용했다. 그들은 노인 피험자들에게 혈당 모니터를 사용하는 법을 가르친 후에, 그들에게 3주 동안 하루에 4번 정해진 시간에 혈당 모니터를 사용할 것을 지시했다. 피험자들은 의도적으로 그 목표 활동을 예행연습하는 조건(노력이 필요한 처리에 참여) 혹은 그 활동과 관련된 장단점을 신중하게 생각하게 하는 조건(역시 노력이 필요함) 중 하나에 배정되었다. 세 번째 조건에서 피험자들은 다음 날 혈당 모니터를 사용하기로 되어 있는 구체적인 상황에서 그 혈당 모니터를 사용하는 것을 상상하도록 하는 "실행의도(implementation intentions)"라는 기법을 사용하였다. 예를 들면, 노인들은 그들 스스로 아침 식사로 오렌지 주스를 마시고 난 후에 정해진 시간에 그들의 혈당을 관찰하는 행위를 상상하게 한다. 피험자들이 다음 날 실제로 오렌지 주스를 마셨을 때, 이 활동은 자동적으로 그들에게 단서로 작용해서 그 노인들이 자신들의 혈당 수준을 관찰하도록 할 것이다. 지속성을 향상시키기 위한 이러한 자동화된 처리에 대한 의존은 실행 훈련(5분 소요)이 혈당 모니터를 지정된 시간에 사용하는 행동을 다른 두 조건에 비해 유의하게 증진시켰다는 분명한 증거가 도출되었다. 놀랍게도 이와 같은 유의미한 증가는 3주간의 실험 기간 동안 유지되었다. 류와 박은 노인들은 비교적 규칙적인 생활을 하기 때문에 일단 그 행동을 실행하면 노인들은 매일 동일한 단서를 마주하는 경향이 있었고, 이러한 경향이 혈당을 측정하는 행위를 계속 자극하고 유지시킨다고 제안했다. 이러한 자료는 인지 기능을 향상시키는 또 다른 효과적인 방법은 여러 상황에서 기능을 향상시키기 위한 메커니즘으로서 노인들이 가지고 있는 자동화된 처리를 있는 그대로 활용하는 것과 관련이 있다는 것을 시사하고 있다.

노년기 인지 기능 예측의 생활방식 요인들

특정 인지능력을 노인들에게 훈련시키는 것이 전반적인 인지 기능을 향상시키는 데는 별로 도움이 되지 않는다는 사실과 자동화된 처리가 특정 상황에 한정되어 있다는 사실로 미루어 보면 노인의 인지를 향상시킬 수 있는 다른 방법들을 조사하는 것이 매우 중요하다. 하나의 접근법은 생활방식 변인(lifestyle variable)을 조사하는 것이다. 삶의 전반에 걸쳐서 다양한 인지 기능에 지속적으로 참여하는 것이 노년기 인지 기능에 유리하게 영향을 미친다는 증거들이 있다. 더 나아가 실제 생활에서 이루어지는 활동들은 실험실에서 훈련하는 활동들보다 좀 더 다양하고 복잡하기 때문에 이러한 활동들에 대한 지속적 참여가 제공하는 이점은 광범위한 인지 기능을 지원하게 될 가능성이 높다.

생활방식 변인들에 관한 연구는 일생 동안 특정 유형의 활동에 어느 정도 참여해 온 사람들 사이의 인지 기능을 평가한다. 이 연구들의 관심사는 좀 더 활동적인 개인들이 그렇지 않은 개인들에 비해 주어진 활동에서 높은 인지 기능을 보여 주는지이다. 생활양식 조사연구는 대부분이 상관 연구이기 때문에 연구 결과를 해석하는 데 주의를 기울여야 한다.(Salthouse 출판의 논의 참고). 그러나 그 효과는 강력하고, 다양한 연구 분야에서 활동적인 삶과 높은 인지 기능 사이에 상관관계가 있다. 생활양식 변인들이 노인들의 인지 기능 감소율에 영향을 미친다는 증거가 복잡한 일과 인지 활동을 통한 지적 참여, 여가 활동 참여 및 사회 활동에 대해 다루는 문헌에서 나온다. 우리는 그것에 대해 차례대로 고찰하고자 한다.

생활방식 변인들이 노년기 인지에 미치는 영향을 이해하는 방법 중 하나는 일생 동안 덜 복잡한 직업에 종사한 사람들에 비해 상대적으로 일생 동안 복잡한 직업에 종사해 온 노인들의 인지 건강을 조사하는 것이다. 수년간 인지 노력이 요구되는 복잡한 직업에 종사하는 것은 인지 기능 감퇴를 예방하는 효과를 가진다. 지적 도전이 있는 환경이 후기 성인기의 인지에 긍정적인 영향을 미치는지에 관한 증거들이 엇갈린다. 많은 연구들은 인지적으로 부담이 되는 직업 환경이 노년기 인지 기능을 높여 준다는 가설을 뒷받침하고 있다. 예를 들면, 스쿨러와 그의 동료들(Schooler et al., 1999)은 교육 및 다른 관련 요인들이 통제된 뒤에도 일생 동안 "실질적으로 복잡한(substantively complex)"일에 종사했던 것이 덜 도전적인 직업에 종사했던 것보다 더 나은 지적 기능을 예견한다고 보고했다. 스쿨러와 그의 동료들은 좀 더 높은 인지 기능을 가진 사람들은 활동에 참여할 가능성이 높으며, 이러한 활동들은 인지 기능을 향상시킨다(활동적인 노인들이 높은 인지 기능을 유지하게 하는 피드백 루프가 있다)는 것을 시사하는 상보적 모형을 제안했다. 복잡한 직업이 인지 기능의 감소를 예방할 수 있다는 것을 보여 주는 추가적 증거는 마스트리흐트(Maastricht)의 종적 연구에서 나온다. 이 연구를 시작할 때에 인지 결손을 보이는 피험자는 한 명도 없었다. 하지만 3년 뒤에 인지적 요구가 적은 직업에 종사한 피험자의 4%에 해당하는 수가 인지 기능 장애를 보여 준 반면, 인지적 요구가 많은 직업에 종사했던 노인들 가운데 단지 1.5%만이 인지 기능 장애를 보였다(Bosma et al., 2003).

　그러나 복잡한 직업이 후기 성인기의 인지 기능 유지에 도움을 준다는 가설과 관련하여 다른 연구 결과들은 엇갈린다. 시마무라와 그의 동료들(Shimamura et al., 1995)은 젊은 교수들과 노인 교수들 간에 나타나는 나이의 영향과 대학생들과 지역사회에 살고 있는 노인들 간에 나타나는 나이의 영향을 비교하였다. 교수들의 나이에 따른 결손이 반응시간, 쌍연합학습 및 작업기억에서는 일반인들의 결손과 비슷한 것으로 나타난 데 반하여, 순행 간섭(proactive interference) 및 산문 회상(prose recall) 측정에서 나이의 영향을 받는 것으로 나타나는 일반인들과 다르게 교수들은 이러한 척도에서 나이의 영향을 받지 않는 것으로 나타났다. 마찬가지로 크리스텐센(Christensen, 1994)은 젊은 교수들과 노인 교수들의 인지 능력의 차이를 조사하였다. 젊은 육체노동자들과 노인 육체노동자들 사이에는 나이에 따른 인지 능력의 차이가 관찰된다. 교수 집단에서도 이런 나이에 따른 인지 능력의 차이가 대부분의 기억검사에서 나타나고, 나이에 따른 결손이 없는 기억 검사는 소수에 불과했다.

끝으로, 인지적 부담이 큰 직업이 인지 처리 기능을 보존한다는 주장을 반박하는 증거들이 있다. 크리스텐센과 그의 동료들(Christensen et al., 1997)은 5년에 걸친 종단 연구에서 비언어적 과업을 하는 데 있어서 교수들의 인지 기능 감소율과 육체노동자들의 인지 기능 감소율 간에는 차이가 없다는 것을 보여 주었다. 더 나아가 솔트하우스(Salthouse)와 그의 동료들(1990)은 건축가들과 비건축가들의 시·공간 과업 수행 능력이 다르지 않다는 것을 보여 주었다. 이는 인지 부담이 있는 직업이 인지 기능을 향상시킨다는 가설에 반하는 증거이다.

직업 경험의 질과 노년기의 인지 기능의 질에 대한 상반된 결과는 복잡한 직업에 대한 정의와 관련이 있을 수 있다. 앞에서 언급한 문헌에서 내린 복잡한 직업에 대한 조작적 정의는 육체노동자 대 사무직 종사자(Christensen et al., 1997)에서부터 비교수 대 교수(Shimamura et al., 1995)에 이르기까지 매우 다양하다. 게다가 피험자들이 주어진 직업 내에서 지적으로 얼마나 많은 투자를 했는지는 개인마다 다르다. 예를 들면, 어떤 교수들은 최신 정보에 대한 도전 의식을 불러일으키는 수업 자료를 자주 갱신하는 반면, 다른 교수들은 수년 동안 동일한 수업 자료를 반복 사용한다. 끝으로, 직업 경험의 효과는 적고, 평생 동안 복잡한 일에 종사하는 것은 쉽게 측정할 수 없는 미미한 보호 효과를 제공할 수도 있기 때문에 나이가 아주 많을 때만 분명하게 나타날지도 모른다.

참여 효과를 조사할 수 있는 또 다른 방법은 주어진 직업 내에서 사람들이 얼마나 참여했는지를 고려하는 것이다. 자기 보고의 한계에도 불구하고, 인지 참여 수준에 대한 피험자의 자기 보고(self-report)가 유사한 직업 지위에 있는 사람들 간의 큰 개인 차를 더 잘 다루고 있다. 이 문헌들은 인지 활동 참여에 대한 자기 보고는 노년기의 인지 기능과 관련이 있다는 것을 시사한다. 구체적으로, 윌슨(Wilson)과 그의 동료들은 피험자들에게 티브이 시청에서부터 라디오 듣기, 읽기, 게임하기 및 박물관 방문에 이르는 인지가 요구되는 다양한 활동에 대한 참여도를 자기 평가하게 하였다. 이러한 활동에 많이 참여한 피험자들은 상대적으로 이러한 활동에 많이 참여하지 않은 피험자들에 비해 인지 과업을 더 잘 수행했으며(Wilson et al., 1999; 2003), 알츠하이머병에 걸릴 위험이 줄어든 것으로 나타났다(Wilson, Mendes de Leon et al., 2002; Wilson, Bennett et al., 2002). 이 연구들은 아주 엄청난 수의 다양한 피험자들을 대상으로 하였다. 때문에 인지 활동이 조금만 증가해도 치매에 걸릴 위험이 64%까지 감소할 수 있다(Wilson, Bennett et al., 2002)는 것을 시사하는 이러한 연구 결과들은 주목할 만하다.

더 나아가, 인지가 요구되는 활동에 참여도가 높다고 보고한 피험자들은 실험실에서 실시한 기억 검사에서 더 나은 수행을 보였다. 아버클과 그의 동료들(Arbuckle et al., 1992)은 비록 일반 지능이 대부분의 변인들을 가장 잘 예견하지만, 제2차 세계대전 참가자들의 자기 보고서에서 평생에 걸친 지적 활동 참여가 다양한 기억 척도에 작지만 독립적인 영향을 미친다는 것을 발견했다. 동일한 피험자들을 대상으로 한 후속 연구에서, 퍼시카 골드와 그의 동료들(Pushkar Gold et al., 1995)은 초기에 높은 수준의 지적 능력과 교육은 열성적인 생활방식으로 발전할 수 있는 성향과 기회를 부여하며, 이러한 생활방식은 노년기의 인지에 부가적인 혜택을 준다고 제안했다. 이 생각은 앞에서 논의했던 스쿨러(Schooler)와 그의 동료들(1999)의 상보적 모형과 유사하며, 생활방식 변인들이 인지 기능에 미치는 영향을 이해하는 데 근본적인 문제를 나타내고 있다. 지적 활동이 인지 기능을 향상시키는가? 혹은 초기에 높은 수준의 인지 기능을 가지고 있는 사람들은 지적으로 자극이 되는 활동에 보다 적극적으로 참여하는가? 이 토의에 내재해 있는 이 문제에 대한 해석은 헐치와 그의 동료들(Hultsh et al., 1999)이 보고한 데이터에서 그 예를 찾을 수 있다. 이들은 빅토리아의 종단 연구(Victoria Longitudinal Study)에서 6년간 자신이 지적 수준이 높은 활동에 참여했다고 보고한 사람들의 인지 감퇴가 완화되었다는 것을 발견했다. 하지만 이 저자들에 따르면, 인지 기능이 높은 사람들은 지적으로 자극이 되는 활동을 추구한다는 것이 이 자료에 대한 또 다른 해석을 제공할 수 있다. 근본적인 상관관계의 증거가 되는 가능한 메커니즘을 더 잘 이해하기 위해서 후속 실험 연구가 필요하다. 일반적으로, 자기 보고에서 나타난 인지 활동 참여는 일생 동안 높은 인지 기능을 유지하는 것과 관련이 있는 것으로 보인다.

이 연구들은 여러 가지 인지 구성 요소들의 종합 척도를 사용했다는 것을 주목하기 바란다. 자기 보고서에서 하나의 인지 활동을 자주 하는 것은 유의미한 이점이 없는 것으로 나타났다. 예를 들면, 햄브릭과 그의 동료들(Hambrick et al., 1999)은 자기 보고에서 십자말풀이에 대한 경험이 많다고 보고한 사람들이 십자말풀이에 대한 경험이 적은 사람들에 비해 인지 과제에서 더 높은 점수를 얻지 못했다(Salthouse, & Mitchell., 1990; Salthouse et al., 2002 참조). 자기 보고에서 단일 활동(십자말풀이)에 참여한 결과와 다양한 인지 활동(라디오, TV, 박물관)에 참여한 결과 간에 나타나는 차이는 일반 활동의 기초 수준(general activity)을 반영하는 것일 수도 있다. 앞에서 요약한 상보 모형에서 제시된 바와 같이, 다양한 활동에 대한 참여도가 높다고 보고한 사람들은 일반적으로 좀 더 활동적이고, 그래서 인지 기능의 증가를 다시 제공하는 좀 더 도전적인 활동을 추구할 수도 있다. 이와는 반대로 단일 기술을 숙달한다고 보고한 사람들은 그 기술이 새로운 영역의 기술로 전이되지 않기 때문에 인지적으로 부담이 되는 활동에 대한 폭넓은 경험을 한 사람들과 동일한 이득을 얻지 못할 수도 있다. 그럼에도 불구하고 이 연구는 지적 참여가 노년기 인지 기능에 보호 효과를 제공하는지에 관한 이해를 높여 준다.

몇몇 연구들은 여가 활동이 노인들의 인지 기능에 미칠 수 있는 영향에 대해 조사하였다. 이러한 연구의 기본 가정은 여가 활동에 참여하는 것은 노년기에 인지 감소를 완화하는 다양한 기술을 연습시킨다는 것이다. 파브리굴과 그의 동료들(Fabrigoule et al., 1995)은 여행, 정원 가꾸기 및 뜨개질과 같은 활동이 3년 이내에 실시한 기본 검사에서 노인들을 치매 발병의 위험으로부터 보호하는 효과가 있다고 보고했다. 스카미와 그의 동료들(Scarmea et al., 2001)은 여가 활동(친구 방문과 걷기)을 많이 한다고 자기 보고를 한 사람들은 초기 인지 수행, 건강, 우울을 통제했을 경우에도 치매 발병 위험이 감소되었다. 끝으로, 크로와 그의 동료들(Crowe et al., 2003)은 성인 초기와 중기 동안에 총 여가 활동(인지-문화, 가정 및 자기 개선)의 수가 성인 후기의 치매 발병 위험율을 낮추는 것과 관련이 있다고 보고했다. 여가 활동은 인지적, 사회적 및 육체적 구성 요소를 수반(육체적 활동이 제공하는 유익한 효과를 검토하기 위해서 Kramer et al., 1999와 Colcombe & Kramer, 2003을 참조하기 바람)하기 때문에 여가는 측정하기가 어렵다는 것에 주목하기 바란다. 왕과 그의 동료들(Wang et al., 2001)은 육체적 활동이 조절되었을 때에도, 여가 활동이 인지에 유익하다는 증거를 제시한다. 비록 여가 활동의 어떤 구성 요소가 이러한 효과를 만드는지는 분명하지 않지만, 일반적으로 설득력 있는 데이터는 여가 활동이 치매 발병 위험을 줄여 노인들의 인지 기능에 유익하다는 것을 시사한다.

사회 활동

연구 결과들에서는 오직 사회 활동을 많이 참여하는 것만이 노인들의 인지 기능 향상과 관련이 있다고 제시한다. 사회적 참여는 전형적으로 생활 조건에서 타인과의 접촉(혼인 상태, 어린이들과의 접촉)과 집 밖의 활동(친구들과 가족들과의 사회 활동) 그리고 사회적 만남에 대한 만족도로 정의된다. 놀라워 보일지 모르지만, 사회적 만남은 다양한 측면에서 높은 인지 기능을 요구하며 특히 기억을 많이 요구한다. 사회적 적합성(Social appropriateness)은 사람들이 타인의 이름을 기억하는 것을 중요하게 한다. 또한 아는 사람과의 관계가 진전됨에 따라, 추가 상호작용을 기반으로 그 사람의 삶, 가족, 그리고 활동 등 많은 요소들을 기억하게 된다. 반스와 그의 동료들(Barnes et al., 2004)은 많은 사회 관계망이 노년기의 더 높은 인지 기능 및 인지 기능 감소 속도를 늦추는 것과 관련이 있다는 것을 보여 주었다. 더 나아가 사회 참여는 노년기의 치매 발병을 예방하는 효과가 있을 수도 있다(Seidler et al., 2003). 스웨덴에서 실시한 인구 기반 종단 연구에 따르면, 제한된 사회 관계망을 가진 사람들은 치매 진단 위험율은 60% 이상이었다(Fratiglioni et al., 2000). 마찬가지로 바숙과 그의 동료들(Bassuk et al., 1999)은 12년 전에 사회 활동에 제한적으로 참여를 한 사람들은 인지 장애 위험이 크게 증가했다고 보고했다. 이러한 결과는 높은 수준의 사회 활동을 유지하는 사람들은 노년기에 높은 인지 기능을 보인다는 것을 시사한다(그리고 치매 발병 위험을 줄인다). 지금 토의한 데이터는 상관관계에 관한 것이기 때문에 인지적 참여(혹은 다른 생활방식 변인들)와 인지 기능 간의 방향적 관계는 확인할 수 없다는 것을 유념하기 바란다.

요약

많은 상관관계 연구들은 생활방식 변인들과 노년기의 인지 기능 간에 상관관계가 있다고 제안한다. 더 나아가 앞 장에서 논의한 훈련 연구에서 얻은 결과와는 대조적으로 생활방식 변인들은 상대적으로 보다 전반적인 인지 향상을 가져온다. 이러한 연구는 전도유망하고, 인지와 신경 회로가 노년기에도 변할 수 있다는 개념을 지지한다. 한 가지 중요한 문제는 현재 문헌으로는 이러한 효과의 기저에 있는 메커니즘을 다룰 수 없다는 점이다. 좀 더 구체적으로, 생활방식 변인들이 높은 인지를 이끄는지 혹은 노인들의 높은 인지 기능이 이러한 인지 기능을 유지할 수 있도록 하는 생활방식을 선택하게 하는 것인지에 대한 문제를 해결할 수 없다(Schooler et al., 1999에 제안한 상보 모형을 참조하기 바람). 생활방식이 노인들의 인지 기능에 미치는 영향을 잘 이해하기 위해서 노인들을 임의로 배정하여 지적인 활동에 참여하게 하는 실험 연구가 필요하다.

두 실험 연구에서 생활방식 변인들이 노인들의 인지 기능에 미치는 영향을 결정하기 위해서 우리는 인지를 자극하는 활동 참여를 직접 조작을 시도했다. 자극으로 사용된 활동은 퀼트를 배우는 것과 디지털 카메라 사용법을 배우는 활동이었다. 두 실험 모두에서 피험자들은 임의로 실험 집단(퀼트 혹은 디지털 카메라 사용법 배우기) 혹은 대기자 명단에 있는 통제 집단 중 한 집단에 임의로 배정되었다. 모든 피험자들은 종합 인지 검사를 사전에 받았다. 실험 집단에 배정된 참가자는 처치와 관련된 활동들에 일주일에 15시간씩 참여했다. 매주 15시간 가운데 5시간은 교실 수업으로 진행되었으며, 10시간은 교실에서 기술을 배우는 데 할애하였다. 이 처치는 8주간 지속되어 실험 집단에 속한 피험자들은 적어도 120시간 동안 새로운 활동에 참여하였다. 이와는 반대로 통제 집단에 있는 피험자들은 1주일에 한 번씩 불러서 그들의 일상 활동에 대해 질문하였다. 8주가 끝난 후에 모든 피험자들은 사전 검사에서 제시한 것과 동일한 종합 인지 검사 도구로 사후 검사를 시행했다. 실험 집단이 통제 집단에 비해 상대적으로 사후 검사에서 선택적인 점수 향상을 보여 해당 결과는 생활방식 처치가 노인들의 인지 기능에 유익하다는 가설을 뒷받침한다고 할 수 있다. 이는 단순히 노인들의 높은 인지기능이 도전이 되는 활동을 선택하게 하는 것은 아니라는 것이다.

초기 결과는 퀼트에 참여한 피험자들은 선택적으로 처리 속도를 측정하는 검사 점수가 향상되었으며, 디지털 카메라 사용에 참여한 피험자들은 선택적으로 장기기억을 측정하는 검사에서 점수가 향상되었다. 실험에 참여한 피험자 수가 적기 때문에 크게 상호작용 효과를 얻기는 어렵지만, 이 결과들은 전도유망하고 실험적으로 통제된 처치 연구들이 생활방식 변인들이 노인들의 인지 기능에 미치는 영향을 이해하는 데 유용한 정보를 산출할 수 있다는 것을 시사한다.

향후 방향

노인들의 인지 기능을 향상시키는 것과 관련해서 해답을 얻지 못한 많은 질문들이 있다. 이 장에서 논의하고 있는 연구는 효과적인 처치를 위해 인지 유연성을 담당하는 메커니즘을 찾는 것이 가장 중요한 질문이라는 사실을 시사한다. 생활방식 변인들에 관한 실험 연구는 개인의 초기 인지 기능에서 여러 활동들의 영향을 풀 수 있는 새로운 유망한 접근법을 제공한다. 앞으로의 연구는 인지 변화의 생물학적 기반을 좀 더 잘 이해하기 위해서 인지 유연성을 뒷받침하는 신경에 좀 더 집중해야 한다. 노인들의 일상 생활에서의 처치가 중요하다는 점을 고려해 보면, 앞으로 연구의 최종 목표 중 하나는 노인이 이러한 연구 분야에서 보다 쉽게 이익을 얻을 수 있도록 처치 시행의 개선을 포함하는 것이다.

4

사회적 맥락 접근법—노화와 전문 지식

대니얼 모로Daniel G. Morrow | 일리노이 대학교 어바나–샴페인 항공 연구소

우리는 지식, 효율성, 지혜, 그리고 경험의 결실로 신체, 감각, 인지 기능의 손실을 수반하는 생물학적인 변화를 상쇄하며 우아하게 늙어 가기를 바란다. 연구 결과들은 노화에 대한 이러한 낙관론을 뒷받침하기도 하고 제한하기도 하는데, 우리가 일상적인 활동을 처리하는 능력에 영향을 미치는, 나이와 관련된 득실 사이에는 복잡한 이율배반 현상이 있다는 것을 보여 주고 있다. 수십 년간 수행된 실험실 연구는 처리 속도, 작업기억 및 추론이 필요한 새로운 과제처럼 가변적인 지적 능력을 요구하는 과제의 수행 능력은 나이가 듦에 따라 점차적으로 쇠퇴한다는 비관적인 견해를 나타내고 있다(예, Park et al., 1996). 하지만 직장과 가정과 같이 의미 있고, 익숙한 상황에 기반한 연구들은 좀 더 낙관적인 견해를 보이고 있다. 예를 들어, 나이는 보통 직장 업무 수행 능력과 관련이 없다(예, Salthouse & Maurer, 1996). 이러한 불일치는 직장과 가정에서 하는 활동들이 가변적인 능력보다는 경험을 통해 얻은 지식과 기술에 좀 더 의존한다는 사실을 반영하는 것일 수 있다. 비록 새로운 지식이 습득되는 속도가 느려지더라도 이러한 결정화된 능력은 유지되거나 인생 전반에 걸쳐 증가하는 경향이 있다(Ackerman & Rolfhus, 1999). 지혜(Baltes

& Staudinger, 1993)와 사회적 판단(Hess, Osowski, & Leclerc, 2005)과 같이 일상 기능에 중요한 "실용적인 지능" 역시 나이와 함께 증가할 수도 있다.

노인들의 능력이 전문성으로 유지되는 정도와, 이러한 지식과 경험이 인지 기능 감소를 어떻게 상쇄하는지를 이해하는 일에 오랫동안 관심을 기울여 온 것은 놀라운 일이 아니다(자세한 내용은 Bosman & Charness, 1996; Rybash, Hoyer, & Roodin, 1987; Salthouse, 1990, 1995을 참조). 인지와 노화가 같은 맥락 안에서 연구되어야 한다는 인식(Stern & Carstensen, 2000), 그리고 수명 이론(예, Diehl, 1998; Lawton, 1982)과 인간 요인 이론(Human factors theory: 예, 분산된 인지 이론(distributed-cognition theories; Hutchins, 1995)을 기반으로 사람-환경 간의 거래 측면에서 일상 능력을 분석하고자 하는 관심 때문에 이러한 문제들은 오늘날 특히 밀접한 관련이 있다. 좀 더 실용적인 쟁점들은 전문성과 노화 간의 관계에 주의를 기울이고 있다. 인구, 경제 및 기타 사회적 변화는 정책 입안자들이 연령에 기반한 조종사들(Sirven & Morrow, 2007)과 항공교통 관제사들(Broach & Schroeder, 2006)의 나이에 기반한 정년퇴직 규칙을 다시 논의하도록 촉구한다. 일반적으로, 오늘날 노인들은 앞선 세대들보다 근무 연수가 늘어나게 될 것이며, 과거 경험을 유지하는 것과 새로운 기술을 익히는 것의 장단점에 대한 문제를 제기하게 될 것이다.

개요

나는 먼저 전문가들이 인지적 한계에도 불구하고, 자신의 분야와 관련된 업무를 어떻게 잘 수행하는지를 고찰하고자 한다. 이는 노인 전문가들이 수행의 수준을 유지하기 위해 노화와 관련된 인지적 제약을 상쇄하는 방법을 시사하는 것일 수도 있다. 전문 지식은 하나의 영역에만 해당되는 것이 아니다. 전문가들은 여러 방면에서 뛰어나다(Hoffman et al., 1995). 따라서 전문가들의 노화에 따른 수행 능력의 차이를 줄이는지 묻는 대신 어떠한 환경에서 인지 기능 감소가 발생했는지를 고려하는 것이 더 유용하다. 나는 전문 지식(그리고 전문성을 기반으로 한 연령별 수행 차이의 완화)이 개인의 특성(예, 전문 지식의 정도, 인지 능력, 연령), 과제(예, 난이도, 시간 제약, 해당 분야 관련성) 그리고 수행평가(예, 회상 혹은 추론)에 따라 얼마나 달라지는지를 살펴보기 위해서 젠킨스의 기억 연구(Jenkins, 1979)에서 사용된 상황적 체계(contextual framework)를 도입했다. 이러한 개인들의 특성들은 전문가들이 나이의 영향을 감소시키려고 채택하는 전략에 결합하여 영향을 미칠 수도 있다. 이에 더해 전문 지식의 메커니즘은 분야에 따라 다를 것이기 때문에, 이 장은 크게 두 영역으로 구성되었다. 첫 번째는 수행이 규칙에 기반한 제약에 고도로 적응된 지각과 집중 능력에 의해 크게 영향을 받는 분야들이고, 두 번째는 수행이 계획, 상황 인식, 업무 관리와 같은 복잡한 인지 기술에 의해 영향을 받는, 비교적 제약이 없는 분야들이다. 두 번째 분야는 나이에 따른 가변적인 지적 능력의 차이를 감소시키기 위해 좀 더 다양한 전략을 허용할 것이다 (Rybash, Hoyer, & Roodin, 1986).

전문 지식과 인지 효율성

전문가들은 그들의 일반 인지 능력이 뛰어나기 때문에 우월한 것으로 보이지는 않는다(그들은 이 능력을 기반으로 처음에 선택되었거나, 나중에 획득했거나, 경험을 통해 이러한 능력을 기르게 되었을 것이다). 전문가들과 초보자들은 일반적으로 처리 속도, 작업기억 혹은 기타 일반 인지 능력의 측면에서 크게 다르지 않다. 또한 두 집단은 노화에 따라 비슷한 변화를 경험하는 경향이 있다(예, Clancy & Hoyer, 1994; Morrow et al., 2003). 오히려 이러한 제약들을 제거하면 전문 지식과 관련된 이점이 감소한다는 연구 결과들이 보여 주는 바와 같이 오히려 전문 지식의 혜택은 과제가 분야와 관련된 제약들을 담고 있는 정도에 달려 있다(Vicente & Wang, 1998 참조). 따라서 전문가의 수행 능력은 그들이 추상적인 수준에서 문제를 볼 수 있게 하는 장기기억의 고도로 조직화된 지식 구조에 의해 크게 영향을 받는다(Glaser & Chi, 1988).

전문가들은 이러한 전문 분야에 관련된 지식을 활용하여 여러 방법으로 업무 목표를 효율적으로 달성하게 된다. 첫째, 문제와 관련성이 가장 높은 정보에 집중하는 것과 같은 효율적인 주의집중 전략은 추상적인 문제 표상에 의해 유도된다(Bellenkes, Wickens, & Kramer, 1997; Shanteau, 1992). 둘째, 지식이 인지적 집중을 요하는 계산의 필요성을 감소시키기 때문에 효율성을 확보하게 된다(Feignbaum, 1989). 전문가들은 또한 장기기억에 있는 이러한 지식 구조에 신속하고 안정적으로 접근 가능한 복잡한 검색 구조를 개발하여, 작업기억 용량의 한계를 어느 정도 벗어날 수 있다(장기 작업기억, Ericsson & Kintsch, 1995). 셋째, 분야 관련 업무들에 대한 경험 수준이 높으면 지각-운동 기술이 자동화되고, 제한된 주의집중 자원에 대한 의존성이 감소한다(Anderson, 1990). 마지막으로, 전문가들은 내적(지적) 전략뿐만 아니라 외적 전략을 사용하여 탁월한 면모를 보여 준다. 전문가들은 인지의 외부 형태에 있는(external forms of cognition) 정신적 작업 부하를 없애기 위해서 환경과 상호작용하며 인지 복잡성을 줄인다(Hutchins, 1995; Kirlik, 1995).

요약하자면, 전문가들은 노화와 관련된 인지 기능 감소를 상쇄하고, 수행 능력을 유지하게 하는 다양한 전략을 사용하여 높은 수준의 수행을 성취한다. 이러한 전략들은 전문가 기반 완화(mitigation)로 확인된 메커니즘과 대략 일치한다(예, Bosman & Charness, 1996; Salthouse, 1990). 나이가 많은 전문가들은 효율적인 기술을 지원하는(혹은 기술을 유지하는) 높은 수준의 훈련에 참여할 것이다. 그리고 전문가들은 노화로 인한 인지 기능 감소를 상쇄하기 위해 가장 관련성이 높은 정보에 주의를 집중하는 것, 외부의 도움에 의존하는 것, 혹은 협동적 관계에 의존하는 것과 같은 새로운 전략을 개발할 수도 있다.

전문가들은 또한 과제(협상)를 성취하기 위해 요구되는 인지 부담을 줄이기 위해서 과제를 단순화할 수도 있다. 다음 절에서는 이러한 전략들의 채택에 영향을 미치는 사람, 과제, 그리고 평가 조건들을 알아보고자 한다.

이와 관련된 연구를 검토하기 전에, 연구 방법을 간단히 논의해 보자. 연구들의 디자인이 다양하며, 완화에 대한 증거의 평가 방식도 다양하다. 일부 연구에서는 엄밀한 실험 설계를 하고, 실험 집단을 구성하여, 연령과 전문 지식 간의 상호작용을 조사하였다. 이런 연구의 대체적인 결론은 전문가 그룹에서는 연령 차이가 나지 않는다는 것이다. 다른 연구에서는 나이와 경험이 지속적으로 변화하는 표본을 사용하여, 연령과 전문 지식의 효과를 회귀 분석 모형으로 검토하였다. 실험 설계 연구에서는 흔히 작은 표본을 사용하여 연령과 전문 지식 간의 주요 관계를 조사한다. 그러나 이런 방법은 여러 변인들이 함께 상호작용하는 다양한 상황을 반영하는 데 한계가 있다. 회귀 모형을 이용한 연구 방법은 이런 실험 설계 연구의 한계를 해결할 수 있는 대안 방법이다. 그러나 회귀 모형 연구에도 문제가 있다. 회귀 모형 연구의 결과는 노화, 인지 기능 감소, 전문성 등의 관련성을 찾을 수는 있지만, 어느 변수가 어느 변수의 원인이고 결과인지를 결정할 수가 없다. 모든 연구에서 통제해야 할 사항이 혼입(confounding)이다. 노화와 전문성 관련 연구에서의 심각한 혼입 변인(confound variable)은 나이와 더불어 경험이 증가하는 경향이 있다는 사실이다. 이런 경험 변수의 혼입 효과를 통제하기 위해서, 회귀분석에서는 보통 경험 혼입 변인(confound)이 인지 수행에 영향을 주는 정도를 먼저 제거한 후에 노화 변수와 전문성의 상호작용이 인지 수행에 유의미한 관련성을 가지는지를 평가한다. 보통은 나이가 많은 전문가는 좀 더 많은 경험을 가진 사람들이고 이런 경험은 전문가의 연령 효과를 감소시킨다(Meinz, 2000). 다른 연구에서는 최고의 수행 능력을 보이는 전문가들의 연령을 조사하고, 최고치의 전문 지식이 나이가 더 들어감에 따라 달라지는지 확인하는 종단 설계를 사용했다. 또 다른 종류의 종단 연구 설계에서는 코호트(cohort)

를 설정하고 코호트 구성원들의 발달적 변화를 노화와 연관하여 조사한다. 이때 노화에 따른 인지 기능 감소가 전문성에 의해 조절되는지를 조사하여, 노화와 전문성 간의 관련성을 파악한다. 후자에 속하는 종단 연구는 그 수가 많지 않다.

스포츠와 게임에 있어서 전문 지식과 연령

노화로 인한 지각-운동 및 인지 능력(특히 처리 속도)의 변화는 다른 분야에 비해 스포츠 영역에 있는 노인 전문가들의 높은 수준의 수행을 제한한다. 여러 스포츠 종목 가운데 최고의 기량을 보이는 연령을 검토한 연구는 수영, 단거리 달리기와 같이 육체적으로 힘든 스포츠의 최고 기량 연령이 골프처럼 육체적으로 덜 힘든 스포츠에 비해 빠른 것으로 나타났다(20대 중반 vs. 30대 초반, Schultz & Curnow, 1988). 육체적으로 덜 힘든 스포츠(골프, 테니스)를 한 경험은 노화로 인해 발생하는 지각-운동 과제의 차이를 줄일 수 있다.

동시적 타이밍 과제(coincident-timing tasks), 특히 가속화되는 표적을 추적하는 과제의 수행은 일반적으로 노화에 의해 명확하게 감소한다. 테니스 선수가 아닌 사람들 사이에서는 노화로 인해 수행 능력이 감소한 반면, 테니스 선수들은 노화로 인한 과제 수행 능력의 감소가 유의미하지 않은 것으로 나타났다(Lobjois, Benguigui, & Bertsch, 2005). 이 논문의 저자들은 일반인들에 비해 나이 든 테니스 선수들은 시각-운동 지연이 감소한다고 주장했다. 시각-운동 지연은 운동계획(motor planning)을 촉진시킨다. 젊은 선수들과 나이 든 전문 선수들에게서 유사한 지연이 나타났는데, 이는 고도의 훈련이 지각-운동 기술을 유지시킨다는 것을 시사한다. 그러나 분야-일반 업무 수행에 관한 것은 조사하지 않았기 때문에, 전문 선수들이 가지고 있는 노화와 관련된 이점은 노인들의 인지 훈련 효과와 같은, 좀 더 일반적인 요소들을 반영할 가능성이 있는지는 아직 확실하지 않다(예, Colcombe et al., 2004).

게임(체스, 브리지, 바둑) 및 음악에서 숙련된 수행 능력에 관한 연구는 고도의 전문 기술이 특정 상황에서 연령의 차이를 완화시킬 수 있다는 추가적인 증거를 제공한다. 전문 지식이 관련 분야에서는 장점으로 발휘되지만, 일반적인 과제에서는 그렇지 않다. 전문 피아니스트는 노화로 인해 키보드 치는 속도가 감소하지는 않지만, 일반적인 운동 과제에서는 속도가 느려진다 (Krampe & Ericsson, 1996). 다양한 전문 기술을 가지고 있는 음악가들을 대상으로 실시한 운동 계획(movement planning)에 관한 연구에서 복잡한 폴리리듬을 두드리는 과제를 수행할 때, 노인 아마추어 피아니스트들은 일정한 연주 속도를 유지하기 위해서 시간 순서(temporal sequencing)를 단순화하였지만, 뛰어난 노인 피아니스트들은 매우 빠른 속도의 변화를 조절하기 위해서 병렬 시간 메커니즘(parallel timing mechanism, 손을 동시에 사용하는 것 vs. 순서대로 사용하는 것)을 사용하는 것으로 나타났다(Krampe, Engbert, & Kliegl, 2002). 이러한 연구 결과들은 높은 수준의 전문가들은 나이가 들어도 특정 지각–운동 전략을 유지한다는 것을 시사한다. 이와 더불어 전문가들이 사용하는 이러한 인지 전략이 연령에 따라 차이가 있다는 증거가 거의 없다는 것 또한 완화 (mitigation)에 대한 기술 유지 설명과 일치한다.

체스에서 숙련된 수행 능력을 보이는 것 역시 감각 및 주의집중 전략을 반영한다. 전문가들은 응시점당 더 많은 정보를 추출하여 가장 관련성이 높은 말들(pieces)의 관계성 대 항목별 속성에 집중한다(Charness et al., 2001). 게다가 체스 말의 움직임에 대해 인식하는 것이 장기기억의 배열 형태 지식에 대한 빠른 검색에 기반하고 있어서 작업기억의 한계를 극복할 수 있도록 도와준다(Ericsson & Kintsch, 1995). 최근 연구에서는 고도의 기술은 나이가 들어도 킹을 위협하는 말을 탐지하는 속도가 감소하지 않으며, 체스 전문가들은 나이가 들어도 체스 움직임을 탐색하는 효율성이 떨어지지 않는 경우가 많다 (Charness, 1981). 일반적으로 체스, 음악, 그리고 관련 분야에 대한 고도의 전문 기술은 의도적인 연습, 혹은 반복과 연속적인 개선을 통해 특정 부분의 수행을 향상시키기 위해서 고안된 개별화된 훈련에 많은 노력을 투자하는 것에 의해 결정된다(Ericsson & Lehmann, 1996). 게다가 노인 전문가들은 의도적인 연습을 통해서 뛰어난 수행 능력을 유지하는 것으로 보인다(Krampe & Ericsson, 1996).

기술의 수준 및 의도적 연습과 같은 개인적인 요인뿐만 아니라 과제 요인들에 따라 연령에 따른 차이의 완화 수준이 결정된다. 분야 관련 과제는 분야 제약 조건(Vicente & Wang, 1998)에 의해서 구성되는데, 전문가들은 이런 제약 조건에 능하다(Ericsson, Patel, & Kintsch, 2000). 전문가들은 이러한 과제들을 수행하기 위해서 새로운 표상 혹은 자극에 새로운 반응을 결부시키는 것과 같은 것을 개발하기 위해서 사전 준비 작업을 할 필요가 거의 없다. 분야 관련성이 낮은 과제들은 과제의 제약 조건과 분야 지식 간에 새로운 연관성을 형성하거나 자극에 새로운 반응을 매핑해야 한다. 분야 관련성이 낮은 과제를 수행하려면 좀 더 많은 인지 자원을 사용해야 하기 때문에 노인 전문가들에게 불리하다. 예를 들면, 이전에 논의한 연구들과는 대조적으로 실제 음악 연주, 음악 자료를 회상해야 하는 과제들을 조사한 연구들에서는 완화 효과가 나타나지 않았다(Halpern, Bartlett, & Dowling, 1995; Meinz & Salthouse, 1998; Meinz, 2000). 이와 유사하게 분야 관련성이 높은 체스 전문 기술은 회상 과제보다는 움직임을 탐색하는 과제에서 노화의 영향을 완화할 가능성이 높다(Charness, 1981). 체스에 관한 전문 기술은 회상 과제가 아닌, 추론 혹은 인식 과제에서 나이 차를 감소시킨다(Masunaga & Horn, 2001). 관련 분야에 대한 고도의 의도적 훈련은 지각-운동 기술의 자동화를 도울 것이며, 지속적인 훈련은 노화로 인해 인지 자원이 감소하더라도 이러한 기술들이 유지되도록 한다(Bosman & Charness, 1996). 노인 전문가들은 예측되는 과제 변화(Lobjois et al., 2005) 혹은 추상적인 문제 표상들에 근거한 정보를 사용하여 추론을 이끌어 내는 것(Ericsson & Lehman, 1996)과 같은 전략에 점점 더 의존할 수도 있다.

이는 완화의 바탕이 되는 보상 전략이다.

　요약하면, 스포츠나 게임과 같이 규칙에 의해 통제를 많이 받는 분야의 전문 기술에 관해 조사한 연구들의 경우, 수행 능력의 나이 차를 완화하기 위해서는 인지-운동 및 주의집중 전략에 대한 의도적인 연습이 중요하다고 제시하고 있다. 좀 더 일반적으로 인지에 대한 상황적 접근법들(Jenkins, 1979)이 제안하는 것과 같이 완화는 개인과 과제의 특징, 그리고 수행이 평가되는 방법에 의해 결정되는 것으로 보인다.

직업과 관련된 분야에서 전문 지식과 노화의 관계

다음으로 우리는 게임과 유사하게, 지각-운동 기술에 크게 의존하는 직업과 관련 분야에 대해 논의하고자 한다. 그 다음에 계획 및 업무 관리와 같은 다양한 인지 기술에 따라 수행이 결정되는 직업 분야에 관해 고찰해 보고자 한다. 이러한 분야들은 노인 전문가들이 성공에 이르는 다양한 경로들을 제공할 것이다.

　전문 지식은 전문가 수행 능력을 대표하는 직업 관련 업무에 있어서 나이 차를 완화시키는 경향이 있다. 한 연구에서 산업 현장에서 드릴로 구멍 뚫기를 한 경험이 없는 초보자들은 구멍 뚫는 작업 수행 능력에서 나이 차가 나타났지만, 산업 현장에서 드릴로 구멍 뚫기를 한 경험이 있는 피험자의 수행에는 나이 차가 나타나지 않았다(Murrell, 1970). 비록 이 연구는 일반 인지능력을 측정하지 않았지만, 전문가들에게서 나타나는 나이 차의 부재는 전문가들의 선택 효과를 반영한다. 좀 더 확실한 증거는 솔트하우스(Salthouse, 1984)의 표기 타이핑(transcription typing)에 대한 고전적인 연구에서 나오는데, 이 연구는 고도의 경험을 보유한 타이피스트들의 수행 능력이 나이에 의해 영향을 받지 않는 것을 보고하였다. 동일한 피험자들의 표준 반응

시간이 나이가 듦에 따라 길어지는 것을 보여 주었다. 이는 노인 전문가들은 분야 일반적인 능력(domain-general ability)을 갖추고 있지 않았음을 시사한다. 타이피스트들은 키보드에서 타이핑을 하는 동안 타이핑할 내용을 미리 내다보기 때문에, 대표적인 일련의 반응시간 과제인 정보처리 제약은 상쇄되는 것으로 보인다. 노인 타이피스트들은 젊은 타이피스트들에 비해 미리 보기(preview) 전략에 좀 더 의존하는 것으로 보이며, 이는 보상 전략을 시사한다(Bosman, 1993). 이와 유사하게 의료 기술자들도 자신의 전문 분야와 관련이 있는 시각 탐지 과제(얼룩에서 박테리아 탐지)을 수행할 때는 연령에 따른 쇠퇴가 감소했지만 일반적인 시각 탐지 과제에서는 그렇지 않았다(Clancy & Hoyer, 1994). 목표 식별(target identification)이 동일한 상황 단서에 의해서 지지되었을 때, 의료 기술자들에게 완화가 일어날 가능성이 높았다(Hoyer & Ingolfsdottir, 2003). 이는 전문 기술에 기반한 완화는 과제의 분야 관련성 혹은 그 과제가 분야의 제약 조건을 반영하는 정도에 따라 결정된다는 추가적인 증거를 제공한다. 이러한 시각 탐지 연구들은 완화의 기초가 되는 전략은 확인하지 않았다.

체스와 다른 게임 전문가에게서 우리가 본 바와 같이, 완화는 공간 기술이 필요한 직업 분야(예, 건축학)의 수행 능력을 표준 공간 능력 검사(예, 시각화, 심적 회전)로 측정하는 것과 같이 분야 관련성이 낮은 과제에서 일어날 가능성이 낮다. 경험이 자가평가에 의해 측정되거나(Salthouse, 1991) 초보자를 공간 능력을 필요로 하는 분야의 전문가와 비교할 때, 나이 차는 이러한 공간 능력이 필요한 과제에 대한 경험 수준이 다양한 표본과 비교할 수 있다(건축가에 관한 연구인 Salthouse et al., 1990; 그래픽 디자이너에 관한 연구인 Lindenberger, Kleigl, & Baltes, 1992).

직업과 관련된 많은 분야들은 불확실성, 업무관리, 문제 해결 및 "실질적인 복잡성"(Schooler, Mulatu, & Oates, 1999)의 차원에 따라 의사 결정을 해야 한다. 또한 직업과 관련된 많은 과제들은 보통 개인보다는 팀에 의해서 달성되기 때문에 협업이 중요하다. 특히 이러한 분야들의 과제 수행 성과는 스포츠와 게임에서 뛰어난 성과를 위해 흔히 요구되는 최고의 수행 능력보다는 일관된 수준의 노력에 따라 달라지기 때문에 이러한 분야들은 노인 전문가들이 능력을 유지할 수 있는 다양한 방법을 제공할 수 있다(일반 수행 능력과 최고 수행 능력의 차이는 Ackerman, 1994 참조). 이 리뷰는 항공과 금융 분야에 관한 연구에 초점을 맞추고 있다.

많은 직업 분야들이 공공 안전, 금융 웰빙 및 사회적으로 중요한 결과와 밀접하게 관련되어 있기 때문에 이러한 결과들이 노인 전문가들을 위태롭게 하는지에 대한 관심이 생겨났다. 나이가 직업 수행과 관련이 없는 경우가 많다는 연구 결과들과 마찬가지로(예, Salthouse & Maurer, 1996) 경험이 많은 조종사들(Li et al., 2003, 2006)과 항공교통 관제 전문가들(Broach & Schroeder, 2006)에게 발생하는 사고가 나이와 연관성이 있다는 증거는 거의 없다. 하지만 나이와 관련하여 이 연구들에 대해 내린 결론은 좁은 연령 범위(부분적으로 연령에 기반한 정년 퇴직 규칙 때문이다)와 나이, 경험 및 위험 노출에 대한 영향을 구별하는 데 한계가 있다는 것이다(Tsang, 2003). 사고율과 같은 포괄적인 측정법은 오류, 효율성, 혹은 다른 수행 능력 측면에서 나이와 관련된 차이를 모호하게 할 수도 있다. 다음 리뷰에서 우리는 인지 구성 요소와 관련이 있는 나이와 전문 기술과의 관계, 그리고 직업과 관련된 과제의 전략을 집중적으로 조사한 연구들에 좀 더 초점을 맞추었다.

전문 기술은 실행하는 다수의 과제에 주의를 할당하는 능력의 나이 차를 완화시키는데, 이러한 능력은 비행기 조종과 기타 복잡한 직업 분야에서 안전한 수행에 필수적인 업무관리를 구성하는 요인이다(Adams, Tenney, & Pew, 1995). 조종 전문 기술은 수동 추적 및 단기 기억 검색과 같은 동시에 처리해야 하는 업무 수행에서 나이 차를 감소시키는데, 이는 동시에 발생하는 조종 과제들을 수행할 때, 변화하는 우선순위에 대응하여 유연하게 주의집중을 할당하는 것과 같은 시간 분배 메커니즘이 경험에 의해 뒷받침되기 때문이다(Tsang & Shaner, 1998; Lassiter et al., 1997). 더 일반적으로 시간 분배 훈련은 동시다발적으로 처리해야 하는 과제 수행의 나이 차를 줄인다(Kramer et al., 1999).

한 실험실에서 파일럿들을 대상으로 실시한 연구에서 피험자들이 복잡한 항공교통 통제(ATC) 메시지를 듣고 다시 읽는(일반적인 조종 통신 절차) 조종 통신 과제(pilot-controller communication task)를 수행함에 있어 전문 기술이 나이 차를 감소시키는 것으로 나타났다. 이는 부분적으로 조종사들은 메시지와 비행 상황의 역동적인 심성 모형(mental model)을 생성하는 맥락 정보를 통합하기 위해서 분야 지식에 의존하기 때문이다(Morrow et al., 1994). 이 연구 결과는 노인들이 상황 모형에 이르는 추론을 이끌어 내기 위해 분야 관련 지식을 활용할 수 있을 때 별도로 이득을 본다는 것을 보여 주는 연구 결과와 일치한다(예, Miller et al., 2004).

비행 상황에 대한 정확한 심성 모형은 효과적인 조종 의사 결정의 바탕이 되기 때문에(Orasanu & Fischer, 1997) 전문 기술은 통신뿐만 아니라 의사 결정에서 나이 차를 완화시킬 수 있다. 한 연구에서 피험자들은 비행 시나리오를 각자 자신들에게 맞는 속도로 읽고 난 후, 그 시나리오에 나타난 문제와 그 문제에 대한 적절한 대응을 찾는 과제를 수행했다(Morrow et al., 2008). 노인 비행 조종사들은 젊은 조종사들만큼 문제의 해결책을 찾는 데 능했으며, 나이 차는 경험이 적은 비행사들에게서 나타났다. 또한 문제와 관련이 있는 정보를 읽을 때, 젊은 전문가와 노인 전문가들이 초보자들보다 읽기 속도가 느려질 가능성이 더 높았다. 이는 전문가들이 관련 단서에 집중한다는 연구 결과들과 일치한다.

이 장의 초두에 언급한 바와 같이 전문 지식은 내적인 전략만큼 외적인 전략에도 근간을 두고 있다(Hutchins, 1995; Kirlik, 1995). 조종사들은 작업기억과 같은 취약한 인지 자원의 과제 부담을 줄이기 위해 주변 환경과 상호작용하는 것에 능숙하다. 예를 들면, 항공교통 관제(ATC)와 통신을 할 때, 전문가들은 메모를 남기는 것과 같은 외부 도움 요소를 활용한다. 피험자들이 항공교통 관제 메시지를 듣는 동안 메모를 할 수 있었던 경우, 다시 읽기의 정확성에 있어서 젊은 조종사들과 나이 든 조종사들 간의 나이 차는 나타나지 않았으나 조종사가 아닌 피험자들은 그렇지 않았다. 이는 부분적으로 젊은 전문가들과 노인 전문가들이 좀 더 정확하고 자세한 내용을 메모하기 때문이다(Morrow et al., 2003; Morrow et al., 2008). 이러한 결과들은 조종사들이 분야와 연관된 외부 환경의 도움 요소를 활용할 때, 완화가 노화로 쇠퇴하는 자기 주도적 인지 처리의 필요를 감소시킬 가능성이 높다는 것을 시사한다(Craik & Jennings, 1992). 보다 일반적으로 다양한 직업 분야에서 일하는 노인들은 외부 도움 요소, 그리고 직장 동료들과의 협력 관계망과 같은 환경적인 도움을 받으면서 지속적으로 전문 기술을 개발함으로써 수행 능력을 유지한다(Park, 1994).

지식에 기반한 표상을 활용하는 것이 아니거나 혹은 피험자들이 과제에서 필요로 하는 표상들을 연결하기 위해서 추가적인 인지 자원을 사용하게 하는 수행 능력 측정법과 함께, 열악한 실험실 환경에서 수행 능력이 평가될 때, 외적 및 내적 전문가 전략을 통해 얻을 수 있는 기회는 감소할 것이다. 예를 들어, 항공 분야(Hambrick & Engle, 2002)뿐만 아니라 다른 분야 텍스트를 회상하는 검사를 사용하는 연구(Morrow, Leirer, & Altieri, 1992)에서 완화는 관찰되지 않는다. 과제의 복잡성과 평가 방법은 전문 기술이 나이 차를 완화시키는 시점에 영향을 미친다. 조종사의 작업기억의 부담이 증가하는 복잡한 절차와 자료가 포함된 조종사와 항공 관제국 사이의 대화 과제에서는 완화가 일어날 가능성이 낮다(Morrow et al., 2005 vs. Morrow et al., 1994).

조종사의 나이와 전문 기술 간의 관계는 분야 관련 제약을 좀 더 통합하는 모의 비행 시뮬레이션 상황에서도 연구되고 있다. 이러한 연구에서 수평 비행을 유지하는 것과 같은 일상적인 동작에서는 전문 조종사들 간 나이 차는 매우 적은 것으로 나타났다. 이는 수행 능력이 고도로 훈련된 절차적 기술이기 때문일 것이다(Taylor et al., 1994, 2005). 영역을 침범하는 비행기를 피하는 것과 같이 덜 익숙한 과제나 조종사의 작업기억의 부담이 큰 항공 관제 통신 과제, 특히 조종사가 외부의 도움을 받으려는 의지가 없을 때(앞서 언급한 실험실 연구 결과와 같이), 나이 차가 더 분명하게 나타났다.

수행에 있어서 집단과 노화에 따른 발달의 영향을 구분하는 데 도움이 되는 종단 연구 설계를 사용하여 나이와 전문 기술과의 관계를 지속적으로 조사하고, 경험이 이러한 요인의 영향을 조절하는 방법을 조사한 연구들은 많지 않다. 테일러와 그의 동료들(Taylor et al., 2007)은 40-69세에 속하는 조종사들을 대상으로 나이와 전문 지식이 모의 비행 장치에서의 수행 능력에 미치는 영향을 조사하기 위해서 종단 연구 설계를 사용하였다. 3년 이상의 검사 기간 동안 전문 기술이 좀 더 많은 조종사들(상급 비행 등급자들)이 기준선보다 조금 더 나은 수행 능력을 보였으며, 검사 기간 동안 수행 능력 감소를 보일 가능성이 적은 것으로 나타났다. 노인 조종사들은 기준선 수준의 젊은 조종사에 비해 수행 능력이 다소 낮게 나타났으며, 이러한 나이 차는 어려운 항공 관제 통신 과제에서 가장 뚜렷하게 나타났다. 표본분포에서 나이도 많고 경험도 좀 더 풍부한 조종사들의 수가 비교적 적기 때문에 완화 효과를 탐지하는 것은 어렵지만, 나이 차의 정도가 전문 기술에 의해 감소되지는 않았다. 놀랍게도 나이가 많은 조종사들은 젊은 조종사들에 비해 시간이 흐르면서 감소가 일어날 가능성이 낮은 것으로 나타났지만, 왜 이러한 결과가 나타났는지는 확실하지 않다(예, 평균으로의 회귀; 나이와 관련된 반복 검사의 이점). 그럼에도 불구하고 이 연구는 시간이 지남에 따라 다양한 연령대와 기술 수준을 가진 조종사들의 수행 능력에 변화가 일어난다는 도발적인 연구 결과를 제공한다.

전문 지식은 조종사들과 항공 관제 전문가들 간의 나이 차를 완화시킨다. 항공교통 통제는 보다 더 복잡한 업무관리 및 계획하는 기술뿐만 아니라 레이더 디스플레이에 나타난 항공기 간의 충돌을 감지하고 해결하는 것과 같은 지각 및 주의집중 기술이 필요하다. 누네스(Nunes, 2006)의 연구는 비록 비관제사뿐만 아니라 관제사도 인지능력 검사에서 ATC 과제에서 필요한 기술이 노화로 인한 감소를 경험하지만, 전문 기술의 완화는 비행기를 통제하기 위해서 지시를 내리는 것과 같은 복잡한 업무관리 기술이 필요한 보다 더 실질적인 과제에서 발생할 가능성이 높다는 것을 보여 주었다. 노인 관제사들의 작동 오류율은 젊은 관제사들과 유사했으나, 관제 항공기에 명령을 내리는 횟수는 더 적었다. 이는 노인 관제사가 잠재적 보상 전략으로 좀 더 효율적인 통제를 한다는 것을 시사한다. 항공교통 관제사들은 매일 이러한 복잡한 통제 과제를 일상적으로 수행하며, 이러한 높은 수준의 경험은 조종사들이 비슷한 정도로 복잡한(그러나 자주 수행하지 않는) 과제를 수행하는 것보다 보상 전략을 활용할 가능성이 더 높을 것이다. 비록 연구자들은 비행기 조종사들 간의 협력의 잠재적인 이점을 나이와 관련해서 계속 연구하고 있지만, 비행기 조종사들이 일상적으로 수행하는 복잡한 과제에서 유사한 전략들과 이점들이 발생할 것이다.

요약하면, 항공 분야에서 나이와 전문 기술에 관한 연구들은 완화가 일어나는 이유로 높은 수준의 실제 경험을 가진 노인 전문가들이 절차적 지식을 유지하는 것(체스와 관련 분야의 연구에서 나온 결과들과 유사함)뿐만 아니라 노인 전문가들은 계획을 지원하는 외적인 도움을 사용하는 것과 같은 전략을 개발하는 것을 제시하고 있다. 노인 조종사들과 젊은 조종사들의 의사 결정, 업무관리 및 상황 지각과 관련된 전략의 나이 차를 구분하기 위해 통제되었지만, 실질적인 상황에서 복잡한 과제를 어떻게 수행하는지에 대해서는 아직 더 많은 연구가 필요하다(Hardy & Parasuraman, 1997).

금융 분야의 전문 지식에 관한 연구들 역시 노인들은 다양한 전략을 통해 높은 수준의 역량을 유지한다는 것을 보여 준다. 성인들은 은퇴 후에 보통 점점 더 긴 시간을 금융 투자에 의존하면서 살아가기 때문에 금융 전문 지식은 매우 중요해지고 있다. 금융 분야에 대한 지식과 경험이 노인의 금융적 능력을 뒷받침하는 여부에 대해서는 엇갈린 증거가 나온 바 있다. 투자를 하는 노인들은 포트폴리오 다변화와 같은 투자 원칙에 대해서 젊은 성인들보다 더 많이 알고 있는 것으로 보인다. 하지만 이 노인 투자자들은 주식을 선택하여 다양한 포트폴리오를 유지하는 기술은 낮은 것으로 나타났다. 그 이유는 이러한 기술을 뒷받침해 주는 인지적 자원이 노화로 손실되기 때문일 것이다(Korniotis & Kumar, 2005). 만약 이 결과가 맞는다면, 금융 의사 결정에 대한 경험과 훈련은 이러한 인지 기능의 감소를 상쇄할 수 있다. 허시, 제이콥-로슨, 월시(Hershey, Jacobs-Lawson, & Walsh, 2003)는 8시간의 금융 의사 결정 훈련이 퇴직 투자와 관련된 재정 투자 문제를 해결함에 있어서 나이 차를 제거한다는 것을 발견했으며, 훈련을 받지 않은 피험자들에게는 나이 차가 나타난 것을 발견했다. 문제 해결 전략에 관한 분석은 나이와 무관하게 훈련을 받은 개인들은 추상적인 문제 표현의 개발을 나타내는, 유사하게 효율적인 정보 검색 전략을 사용한다는 것을 보여 주었다.

이러한 연구들은 금융 전문 지식과 훈련의 이점을 실험실 평가를 사용했기 때문에, 그리고 수행 능력 척도가 많지 않기 때문에 다소 제한적이다. 금융 전문가들이 직장의 목표를 달성하는 방법을 조사하면, 노화와 관련된 인지 처리의 감퇴를 완화하고 역량을 뒷받침하는, 보다 광범위한 전문가 전략을 밝히게 될 것이다. 다양한 연령대와 전문 지식(감독자 평가뿐만 아니라 급여, 승진과 같은 결과물로 측정)을 가진 은행 지점장들을 대상으로 실시한 한 연구는, 가장 전문 지식이 많은 피험자는 경영 지식을 재는 척도에서 나이와 무관한 수행 능력을 보이는 것을 발견했다. 반면 전문 지식의 수준과 무관하게, 가변적인 지적 능력을 측정하는 척도에서는 나이 차에 따른 감소가 일어났다. 게다가 경영 지식 척도는 전문성이 좀 더 높은 피험자에서만 성공적인 경영 성과를 예측했다(Colonia-Willner, 1998). 이 연구는 직장에서 높은 수준의 역량을 뒷받침해 주는 경험을 통해 얻은 지식의 중요성을 시사하고 있다. 지식 척도는 협력 전략을 도출해 내고, 복잡한 과제를 수행하는 데 있어서 나

이 차를 완화하기 위한 협력의 중요성을 시사한다

결론

이 장에서는 논의된 연구들은 이러한 과제를 수행하기 위해 필요한 인지능력의 노화와 관련된 변화에 대응하여, 일상 업무에서 높은 수준의 수행 능력을 지원하는 지식과 기술의 혜택에 대해 낙관적인 예측을 하는 이유를 제시하고 있다. 동시에 이러한 혜택의 범위가 노화와 관련된 생물학적 기반의 감각 및 인지 기능 감소에 의해서 제한되기 때문에 이 연구들은 연구 결과의 해석에 주의할 것을 권한다. 전문 지식은 여러 가지 복잡한 업무에서 나이 차를 줄일 수 있지만, 이러한 완화의 정도에는 사람(예, 기술 수준, 의도적인 훈련량), 업무(예, 분야와의 관련성, 난이도) 및 평가 방법(예, 회상, 추론)과 관련된 요인들이 합쳐져서 영향을 미친다. 또한 완화의 경로는 전문 지식의 분야에 따라서 다를 수 있다. 분야가 규칙에 의해서 크게 제한되고, 감각-운동 및 주의집중 기술이 중요한 역할을 하는 분야들(스포츠, 게임, 타이핑과 같은 작업)에서 높은 수준의 의도적인 연습으로 이러한 기술들을 유지할 때, 완화가 나타날 가능성이 가장 높다. 여러 가지 복합적인 인지 기술을 필요로 하는 분야에서는 완화 방법이 좀 더 다양하다. 예를 들면, 항공에서 조종의 일부 구성요소들은 고도로 자동화되어(수평비행 유지) 있으며, 반면 인지적으로 좀 더 부담이 큰 구성 요소들(조종사의 통신 및 의사 결정)은 능숙한 외부 지원 및 기타 업무관리 전략 사용에 의해서 지원을 받을 것이다. 관리 직책은 보통 정교한 협력 전략을 필요로 하고, 성공적인 노인 관리자들은 협력 전문 지식을 개발하여 높은 수준의 역량을 유지한다. 이는 직접 배운 것이라기보다 직장에서 얻는, 보다 더 암묵적인 지식일 것이다(Colonia-Willner, 1998). 노인들은 나이가 들어감에 따라 대인 관계에 관련된 지식과 지혜를 얻기 때문에 이러한 지식을 얻는 일에 특히 능숙할 수 있다(Baltes & Staudinger, 1993; Hess et al., 2005).

덜 긍정적으로, 전문 지식에 관한 문헌은 전문 지식의 완화 효과가 적어도 두 가지 방법에 의해서 제한된다고 제안한다. 첫째, 비록 대부분의 연구는 전문가들과 비전문가들의 표본이 일반 인지 기능 측정에서 차이가 없기를 희망하면서 선정한 표본들이기 때문에(이는 표본 선정 효과에 대한 문제가 제기될 수 있다) 이러한 사안들은 직접적으로 검사하기 위해서 고안되지 않았지만, 특정 업무에 대한 경험에 의해서 일반 인지능력이 유지되거나 개선된다는 증거는 거의 없다. 둘째, 이 장의 주제는 분야 일반적인 업무(예, Clancy & Hoyer, 1994) 혹은 전문가들이 일반적으로 수행하지 않는 분야 관련 자료가 있는 업무에서는 연령과 관련된 혜택이 거의 없다는 것과 더불어 전문 지식이 분야-관련 업무를 수행할 때 나이 차를 완화시킨다는 것이다(Morrow et al., 1994). 완화의 범위가 분야 관련 조건으로 제한된 연구 결과들은 전문 지식(예, Ericsson & Lehmann, 1996)과 인지 기능 훈련(Ball et al., 2002)의 혜택이 제한적이라는 증거를 동일하게 제시한다. 이 모든 연구들은 신체적, 지적 및 사회적 연대에 관한 연구와 대조되는 것으로 나타난다. 이는 다양한 면에서 복합적인 과제에 대한 경험이 인지능력의 구성 요소를 유지하고 때로는 향상시키는, 보다 광범위한 혜택을 나타내는 경향이 있다(Stine-Morrow et al., 2007 참조). 이처럼 대조되는 결과는 전문가들은 일반적으로 예측 가능한 범위 내의 부담이 있는, 비교적 제한된 조건에서 기술을 효율적으로 사용한다는 사실과 관련이 있을 것이다. 즉 전략과 자원은 특정 목표를 달성하기 위해서보다는 역량을 키우기 위해서 사용된다는 것이다. 학습(Bjork, 1999) 혹은 복잡한 전문 분야(예, 직장; Schooler et al., 1999)에서 다양한 목표들의 복잡한 요구를 충족시키기 위한 폭넓은 접근 방법을 만들어 내는 전문 분야 내에서 노인들의 인지 기능에 보다 광범위한 혜택이 주어질 수 있다.

5

운동이 학습과 신경 체계에 미치는 영향

브렌다 J. 앤더슨Brenda J. Anderson, PhD | 뉴욕 주립 대학교–스토니 브룩, 심리학과 및 신경과학과
대니얼 P. 맥클로스키Daniel P. McCloskey | 뉴욕 시립 대학교–스태튼 아일랜드, 심리학과
네프타 A. 미첼Netta A. Mitchell | 뉴욕 주립 대학교–스토니 브룩, 심리학과
데스피나 A. 타타Despina A. Tata | 아리스토텔레스 대학교–테살로니키, 심리학과

이 장에서는 운동이 뇌에 미치는 영향을 다루고자 한다. 운동이 특정 신경계에 미치는 선택적인 효과에 의한 결과인지 혹은 일반적인 호르몬과 훈련에 대한 혈관 반응의 간접적인 결과인지를 탐구하고자 한다. 운동의 효과는 호르몬, 면역 및 심혈관 체계에 광범위한 영향을 미치며, 이는 결국 뇌에 영향을 미치게 된다. 여기서 우리는 운동이 뇌의 네 개의 영역에 어떠한 영향을 미치는지를 탐구하고자 한다. 세 개의 영역은 운동과 관련이 있으며, 제4영역인 해마는 인지 기능과 보다 밀접하게 관련되어 있다. 운동 체계 내에서 운동은 신경 및 신진대사 요인에 영향을 미치는 것으로 나타났다. 해마에서 운동은 신경세포의 증식과 새로운 신경세포의 생존 및 성장 요인 발현에 영향을 미친다. 운동이 인지에 미치는 영향을 중재하는 역할을 수행할 수 있는지에 대해 조사했다. 연구 결과, 운동이 뇌 영역에 선택적으로 영향을 미치고, 그리고 선택적 효과는 인지기능 향상을 직접적으로 중재할 수 있다는 사실이 밝혀졌다.

　신체적 활동이 뇌에 영향을 미칠 수 있다는 가능성은 뇌과학 분야에서 새로운 것이 아니다. 1893년에 탄지(Tanzi)는 "어떤 신경 연결을 자주 지나가는

신경 충동은 그 신경 회로를 강하게 만든다. 그 후에는 강하게 생성된 신경 회로의 밀집(hypertrophy)을 발생시킨다"라고 썼다. 카할(Cajal)은 1911년에 탄지(Tanji, 1893)의 주장에 동의했으나(Ramon Y Cajal, et al., 1988), 이러한 메커니즘은 전문가가 익힌 기술과 새로운 운동 절차(motor sequence)를 획득하는 능력을 설명할 수는 없다고 덧붙였다. 탄지는 기존의 시냅스(synapse)에서 일어나는 변화에 초점을 맞춘 반면, 카할은 "분화(branching)와 점진적인 성장을 통한 새로운 경로 확립"을 제안했다. 탄지와 카할은 특히 뇌에서 운동과 관련된 영역의 뇌 변화를 고려했지만, 이 책에서는 추가적인 질문을 고려하고자 한다. 운동이 운동 체계뿐만 아니라 인지 기능에도 영향을 미치는가? 만약 그렇다면, 어떻게 영향을 미칠까?

운동이 인지 기능에 미치는 영향을 다루기 위해, 우리는 학습뿐만 아니라 뇌에 대해서도 연구해야 한다. 따라서 이 장에서는 침습적 방법(invasive method)이 허용되는 동물 모형에 대해 검토하려 한다. 동물의 인지 기능에 미치는 영향에 대한 증거 또한 다루며 이후 운동과 비운동 영역에서 운동이 유발하는 뇌의 변화에 대해서도 검토하고자 한다. 운동은 많은 생물학적 체계(심혈관, 면역, 신경계)에 영향을 미치기 때문에, 이런 문헌 리뷰는 운동으로 유발되는 뇌의 변화가 뇌의 특정에 국한되어 있는지 혹은 전반적인 영역에서 일어나고 그래서 결국은 운동으로 인한 혈관 또는 호르몬 반응 결과인지를 다루고자 한다. 추가적으로 운동으로 유발된 인지의 개선을 중재할 수 있는 신호 체계(signaling system)에 대해 다룬 연구들도 검토하고자 한다.

동물 운동 모형

설치류의 유산소 운동 모형은 우리(cage)에 부착된 쳇바퀴에서의 자발적인 운동(voluntary exercise)과 러닝머신에서의 강요에 의한 걷기 혹은 달리기의 두 가지 형태를 취한다. 강제 수영을 사용한 연구는 드물다. 문헌에서 강제 수영은 강제로 운동을 시키는 것과 스트레스 인자로 사용되었다. 따라서 그 연구 결과의 해석이 쉽지 않아 이번 검토에서는 배제하였다. 쳇바퀴와 러닝머신 훈련에는 표준화된 양식이 없다. 쳇바퀴 사용을 하루 3시간으로 제한한 연구(Labert et al., 2005)도 있지만, 보통 자발적 운동 조건에서 쥐, 생쥐, 저빌(gerbil, 애완용 쥐)은 일주일 내내 하루 24시간 동안 쳇바퀴를 사용할 수 있다. 운동 지속시간은 처치 조건에서 짧을 수도 있고(예, 2일)(Neeper et al., 1996) 혹은 길 수도 있다(예, 6개월)(Neeper et al., 1996). 러닝머신에서 쥐를 강제로 뛰게 하면, 주로 일주일에 5-7번 한 시간 정도 달린다. 달리는 속도는 빨리 걷기(10미터/분)(Isaacs et al., 1992)에서부터 달리기(27미터/분, Gilliam et al., 1984)까지 다를 수 있다. 보다 빠른 속도는 종종 최대 산소 소모량의 70-90%를 요구하는 달리기 속도를 낸다(Spirduso and Farrar, 1981; Gilliam et al., 1984). 러닝머신 처치 기간은 1개월(Isaacs et al., 1992)에서부터 6개월(MacRae et al., 1987b)까지 다양하다.

동물의 경우, 수영과 마찬가지로 러닝머신에서 달리는 것은 자발적이기보다는 강제적인 운동이다. 결과적으로 스트레스를 주게 될 수 있다. 이때 스트레스를 줄이기 위해서 일반적으로 두 가지 전략이 사용된다. 먼저 실험 대상인 동물들 모두를 실험 시작 전, 러닝머신에 두고 달리도록 했다. 이때 달리기를 거부하는 동물들은 실험 대상에서 제외하고 나머지 동물들은 달리기 조건과 통제 조건으로 나누었다(Spirduso and Farrar, 1981). 두 번째 전략은 운동 조건에 동물이 원하는 속도와 지속시간 동안 달리기를 할 수 있도록 몇 주에 걸쳐서 달리기 속도와 지속시간을 서서히 높이는 방법이다(Isaacs et al., 1992). 빠른 달리기 속도를 이용한 논문에서, 충격(shock)은 달리기에 동기를 부여하는 데 사용되었다. 유감스럽게도 연구자들은 실험에서 사용된 충격 횟수에 대한 정보를 보고하지 않아서 충격이 처치의 본질(nature)에 어떠한 영향을 주는지에 대해서는 분명하지 않다. 강제적인 운동 조건이 유발하는 심리적 스트레스의 가능성에 대한 우려 때문에 이 분야의 최신 문헌에서는 자발적인 운동을 이용한 연구를 선호한다.

인간을 대상으로 한 운동 연구와 비슷하게 동물을 대상으로 한 연구 또한 체력 향상을 확인할 수 있는 하나 또는 두 가지 측정 변인이 포함될 수 있다. 이상적으로 연구자는 훈련이 끝난 후에 최대 산소 소비량이 증가한다는 것을 보여 줄 수 있지만(예를 들어, Spirduso and Farrar, 1981), 이러한 측정에 필요한 장비는 고가이다. 어떤 연구자들은 대사 효소(예를 들어, 사이토크롬 산화 효소 활성)를 측정하여 근육의 에너지 생성 용량을 측정한다(Gilliam et al., 1984). 애석하게도 후자의 측정법은 모든 실험실에서 가능하지 않으며, 뇌 조직을 보존하는 데 필요한 특수 고정법(fixation method)과 호환되지 않을 수 있다. 다행히 근육, 부신 및 심장의 무게는 체력 향상을 간단하게 측정하는 대안이 될 수 있다(Isaacs et al., 1992). 이 측정법은 경제적이며 대부분의 실험 방법과 호환된다. 쳇바퀴를 사용하면 트레드밀을 사용하는 것과 비교해서 쥐가 바퀴에서 달리는 양을 실험자가 직접적으로 통제하기가 어렵다. 그래서 쳇바퀴를 이용한 연구에서는 달리는 양이 조건화 여부에 따라 증감이 있을 수 있는지를 고려해야 한다.

운동이 설치류의 인지 기능에 영향을 미칠 수 있는가?

운동이 설치류의 인지 기능에 영향을 주는지 여부를 결정하는 것은 어려운 일이다. "인지"와 가장 근접한 설치류의 행동은 공간 학습과 기억이다. 공간 학습은 해마에 의존한다. 해마는 인간의 선언 기억(declarative memory)과 연관되어 있다. 해마는 특정한 시간과 공간에 제시된 항목들을 연합하여 하나의 일관된 사건으로 구성해 내는 구조이다(Wallenstein et al., 1998).

신체적 활동과 인지 능력 사이의 관계를 다룬 초기 연구는 "더 똑똑한" 동물들이 좀 더 활동적인지를 조사하였다. 양을 사용한 리델(Lidell, 1925)은 매일 양이 받은 처치의 수와 미로를 빠져나오는 능력 사이의 상관관계를 찾는 데 실패했다. 마찬가지로, 셜리(Shirley, 1928)도 래슐리(Lashley) 유형의 미로 수행이 미로 실험을 마친 후 5일 동안 우리를 회전하는 활동을 예측할 수 있다는 증거를 쥐에서 발견하지 못했다. 런퀴스트와 헤론(Runquist, & Heron, 1935)은 활동량이 많은 가계(똑똑한 쥐)와 활동이 적은 가계(덜 똑똑한 쥐)의 17세대에 해당하는 두 집단의 쥐의 미로 수행과 활동을 비교했다. 미로 실험 2주 동안 쳇바퀴에서 좀 더 높은 달리기 활동을 한 쥐가 미로 실험에서 오류가 더 적은 것으로 나타났다. 좀 더 최근 연구로, 빠른 달리기 속도(25와 27세대) 조건에 선택된 쥐에게 학습을 시켰는데 이때의 학습 곡선은 통제 집단에 있는 쥐와 유사했다(Rhodes et al., 2003). 후자의 연구에서는, 런퀴스트와 헤론(Runquist, & Heron, 1935)의 연구와는 달리 두 집단 모두 달릴 수 있는 기회가 주어지지 않았기 때문에 결과에 대한 해석이 보다 쉽다. 전반적으로 이 결과는 달리기 성향과 학습 능력 사이에는 상관관계가 없음을 시사한다.

운동이 인지 기능을 향상시킬 수 있는지를 실험으로 조사하기 위해 많은 연구자들은 운동이 공간기억(spatial memory)에 영향을 미칠 수 있는지를 검증하였다. 공간기억은 작업기억(working memory)과 참조기억(reference memory) 두 가지 형태를 취할 수 있다. 작업기억은 보통 시험 중에 혹은 하루 안에 두 시험으로 측정하는 단기 기억이다. 작업기억은 일시적인(transient) 형태의 기억으로 주로 하나의 시행 안에서 혹은 두 개의 시행을 통해 검증된다. 참조기억은 보통 수일에 걸쳐 측정하는 장기적인 형태의 기억이다. 실험의 하나의 형태인 모리스 수중 미로 실험에서는 쥐는 물웅덩이에 잠긴 탈출 플랫폼의 위치를 학습해야 한다. 쥐들은 플랫폼의 위치를 찾기 위해 사용되는 인지도 (cognitive map)를 만들기 위해서 자연스럽게 미로 밖에 있는 시공간 단서를 사용한다. 장소 학습 세트(place-learning set)는 공간 작업기억을 측정하기 위해서 사용된다. 이 판에서 쥐들은 각 쌍의 첫 번째 시행에서 새로운 목표 위치를 학습한다. 두 번째 시행에 시행 1의 위치에 대한 기억을 검사하게 된다. 포다이스와 패러(Fordyce and Farrar, 1991b)는 14주(매주 5일)에 걸쳐서 60분 동안 20미터/분(0% 경사)의 속도로 실시한 강제 러닝머신 훈련이 쥐들이 물에 잠긴 플랫폼을 찾는 능력을 그저 앉아 있었던 쥐에 비해 2배에서 12배까지 향상시킨다는 것을 발견했다. 8주 동안(매주 5일간 매일 60분씩, 12미터/분, 0% 경사) 강제로 러닝머신에서 달리게 한 쥐에서도 유사한 결과가 보고되었다 (Fordyce and Wehner, 1993). 두 연구 모두 집단 간 수영 속도는 다르지 않았다. 그러므로, 체력의 차이가 향상된 수행을 설명하는 요인은 아닌 것으로 보인다. 또 다른 연구에서 3에서 6주 동안 하루에 3시간씩 쳇바퀴를 돈 쥐의 공간 작업기억이 향상되었다(Lambert et al., 2005).

수영 속도 데이터는 체력의 차이가 집단 간 공간 작업기억의 차이를 설명할 수 없다는 것을 시사한다. 그러나 운동의 다른 효과도 잠재적으로 결과에 영향을 미칠 수 있다. 예를 들어, 운동은 다른 스트레스 요인에 대한 유기체의 반응을 향상시키기 위해 가정된 물리적인 스트레스 요인이며(Sothmann et al. 1996), 이때 강제적인 수영은 스트레스 요인으로 간주된다. 기억에 영향을 미칠 수 있는 호르몬인 글루코코티코이드(glucocorticoid)를 증가시키는 강제 수영에 대한 반응 차이는 과제 수행 차이를 설명할 수 있다.

스트레스에 대한 반응의 차이로 인한 잠재적 혼입(confound)을 피하기 위해, 운동과 연관된 공간 학습의 향상을 검사하기 위해서 식욕 공간 학습 과제(appetitive spatial learning task)도 사용했다. 이 과제에서 물에 대한 접근이 제한된 쥐들은 8개 갈래의 끝에서 물방울을 얻었다. 하나의 시행을 하는 동안 쥐는 물을 효율적으로 얻기 위해 길의 어느 갈래로 가야 하는지를 자연스럽게 학습한다. 결과적으로 물방울을 이미 마신 갈래로 반복해서 들어가는 것은 오류로 간주된다. 수중 미로와는 달리, 이 과제에서 쥐들은 혐오 자극을 제거하려는 노력에 의해 동기 부여되지 않으므로 쥐들은 시간적 압박을 받지 않는다. 따라서 8갈래 미로에서 신체적 능력의 차이가 수행과 주의집중에

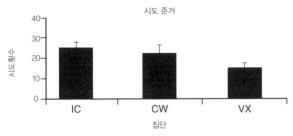

그림 5.1 8갈래 방사형 미로에서 운동(VX) 쥐는 통제 조건(IC) 혹은 잠긴 바퀴(CW)에 있는 쥐들에 비해 수행 능력 기준치에 도달하기 위한 시행 횟수가 적다. 수행 기준치는 5일 동안의 시도 중에서 4일째의 첫 번째 8 시도에서 7개를 맞추는 것으로 정의했다.

영향을 미칠 가능성은 수중 미로에 비해 낮다. 이 패러다임에서, 7주 동안 우리에 부착된 쳇바퀴를 자발적으로 돌린 암컷 쥐들은 한 배에서 난 대조군에 비해 심장이 더 무거웠으며, 8갈래 미로에서 수행 능력이 기준치에 도달하기까지 걸린 시간이 유의미하게 더 짧았다(Anderson et al., 2000b). 두 집단은 미로에서 각 갈래를 가로지르는 데 걸리는 시간에 차이가 없었다. 우리에서의 부가적인 공간 경험이 공간 처리에 영향을 미치는지를 알아보기 위해 후속 연구에서 우리에 부착된 바퀴가 잠긴(locked) 집단을 하나 더 추가하였다. 이 연구에서 바퀴가 잠긴 쥐들은 통제 집단의 쥐와 마찬가지로 기준 수준의 수행에 도달하기 위해서 운동 쥐보다 유의하게 더 많은 시도를 해야 했다(출판되지 않음, 〈그림 5.1〉 참고). 두 연구 모두에서 수행 능력이 기준치에 도달하면, 그 두 집단의 수행 능력은 더 이상 차이 나지 않았다. 이 데이터는 운동이 자발적인 달리기 집단에게 초반에는 이익을 주지만 후에는 이익이 없는 것을 시사한다. 운동 집단이 물방울을 얻으려는 동기 부여가 더 클 수 있다는 우려가 있어 차등 박탈(differential deprivation)의 가능성을 통제하기 위해 연구를 통해 물 제한 식이요법(water restriction regimen)이 변경되었다. 기준치에 도달한 후 집단 간 수행 능력의 유사성은 두 집단의 쥐가 동등하게 과제를 수행하도록 동기 부여되었다는 것을 시사한다. 방사형 미로(radial maze)에서 얻은 학습 데이터는 모리스 수중 미로에서 얻은 결과와 일치한다.

운동은 참조기억에도 영향을 미치는 것으로 나타났다. 이러한 유형의 기억을 측정하는 한 검사에서 피험자들은 모리스 수중 미로에서 며칠에 걸쳐 실시된 시행에서 동일한 목표 위치를 찾아야 한다. 러닝머신을 사용한 포다이스와 베너(Fordyce and Wehner, 1993)와 자발적 운동을 사용한 반 프라흐 외(van Praag et al., 1999a, 1999b)는 운동을 한 설치류들이 공간 참조기억의 오류가 적은 것을 발견했다. 두 연구 모두 집단 간 수영 속도에서의 차이는 없었다. 이러한 결과는 여러 연구에서 반복 검증되었다(Rhodes et al., 2003; Adlard et al., 2004; Griesbach et al., 2004; Vaynman et al., 2004). 이전 연구에서 쳇바퀴가 사용되었을 때, 설치류는 매일 24시간 동안 쳇바퀴에 접근할 수 있었다. 하지만 쳇바퀴 접근이 3주에서 6주 동안 하루에 3시간으로 제한되었을 때, 운동은 작업기억을 향상시켰으나 참조기억을 향상시키지는 않았다(Lambert et al., 2005). 작업기억보다 참조기억을 향상시키기 위해 더 많은 운동이 필요한지는 분명하지 않다. 두 유형의 공간 학습은 부분적으로 해마에 의존한다고 여겨진다. 그래서 만약 운동이 공간 학습에 영향을 미친다면, 그 학습은 해마에 영향을 주었을 수 있다.

한 연구는 운동이 공간기억에 영향을 미친다는 것을 발견하지 못했다. 어린 쥐(6개월)와 늙은 쥐(27개월)를 사용한 반즈와 그의 동료들의 연구(Barnes et al., 1991)는 운동이 공간 학습 능력에 영향을 미치는지를 검사했다. 훈련 조건에서 쥐들은 10주에 걸쳐서 일주일에 5번씩 매일 1시간 동안 러닝머신에서 달리도록 훈련시켰다. 쥐들은 최대 산소 소모량이 75%가 되는 속도로 달렸는데 이 요법은 심장-체중 비율을 증가시킨 것이다. 훈련이 끝난 후, 동물들은 운동 훈련을 하기 전에 비해 최대 용량으로 더 빨리 달릴 수 있었다. 이 쥐들은 반즈 미로(Barns maze)에서 검사를 받았는데. 이 미로는 주변에 구멍이 있는 원형의 플랫폼이다. 어두운 목표 상자는 미로에 있는 하나의 구멍 아래에 두었다. 또한 모리스 수중 미로의 표준판처럼 쥐들은 참조기억을 활용하여 이 하나의 목표의 위치를 찾아야 한다. 수중 미로와는 달리 반즈 미로는 그 동물들이 어둡고 안전한 목표 상자 안에 들어가도록 유인하기 위해서 밝게 불이 켜진 방과 하얀색 플랫폼을 가벼운 혐오 자극(aversive stimuli)으로 사용했다. 이 연구에서 연구자들은 첫 번째부터 13회 시도까지는 동일한 목표 위치를 사용했으며, 그 후에 14에서 17회 시도까지는 목표 위치를 바꾸었다. 그들은 11회부터 13회까지의 시도 그리고 잘 학습된 반응을 반영하는 17회 시도에서 발생한 평균 오류 횟수만을 보고했다. 그들은 운동의 효과를 발견하지 못했다. 이러한 결과는 8갈래 방사형 미로에서 동물들이 기준치의 수행 능력을 성취한 후에 운동의 효과를 찾지 못한 결과와 일치한다(Anderson et al., 2000b). 이는 반즈 미로에서 운동이 도달해야 하는 기준치 수행에 도달하기까지 필요한 시행 횟수에 영향을 미치는지를 조사한 흥미로운 연구 결과일 것이다. 왜냐하면 이 과제들은 신체적인 노력이나 박탈 없이 공간기억을 검사하기 때문이다.

쳇바퀴에서 달리기를 한 쥐에 관한 최근 연구는 놀라운 결과를 보였다. 달리기를 잘하는 쥐는 25-27세대에서 선택적으로 사육되었다(Rhodes et al., 2003). 암컷 쥐는 출생 후 29일부터 69일까지 쳇바퀴 훈련을 받았다. 마지막 6일 동안 쥐들은 모리스 수중 미로에서 훈련을 받았다. 이전 연구에서 보여 주었던 것처럼 통제 집단에 있는 쥐들 가운데 달리기를 한 그룹이 달리기를 하지 않은 그룹에 비해 성과가 더 좋았다. 하지만 달리기를 잘하는 집단으로 선정된 쥐들 가운데 달리기를 하지 않은 집단과 비교해 유의미한 차이가 없었으며, 수행 능력이 떨어지는 것을 발견했다. 달리기와 학습 사이의 일관된 관계를 찾지 못한 것은 이들의 인과관계에 의문을 제기하게 하는 한편, 이 결과는 또한 선택적으로 사육된 쥐들이 모집단의 쥐를 대표하지 못했기 때문일 수 있다.

다른 연구자들은 신체 및 심혈관계에 영향을 미칠 가능성이 훨씬 적은 행동이 운동에 미치는 효과를 조사하였다. 예를 들면, 조건반사 검사는 수영이나 미로를 걷는 것보다 적은 에너지를 필요로 하는 급성 반응(acute response)

을 조사할 수 있는 기회를 제공한다. 잘 설계된 연구에서는 통제 집단의 쥐와 30일 동안 쳇바퀴에서 자발적으로 운동을 한 쥐들의 청각과 환경적 (contextual) 공포 조건화를 측정하였다(Baruch et al., 2004). 두 집단은 청각 자극과 충격이 쌍으로 된 제시를 받는 동안 유사한 비율로 몸이 굳는(frezzing) 현상을 보였다. 훈련이 끝난 후, 두 집단은 청각 자극이 제시되었을 때 유사한 몸이 굳는 반응을 보였지만, 운동 쥐는 환경 자극에서 몸이 굳는 비율이 더 큰 것으로 나타났다. 환경적 공포 조건화인 후자 조건화는 해마에 의존한다. 종합하면, 이러한 결과는 운동 쥐는 충격이나 청각 자극에 민감하지는 않지만 공포 맥락의 연합을 더 잘 하는 것을 보여 준다. 모든 형태의 학습이 운동에 의해 향상되는 것은 아니며, 단지 해마에 의존하는 형태에 의존하는 유형만이 운동에 의해 향상된다는 것은 흥미롭다. 반 후미센과 그의 동료들(Van Hoomissen et al., 2004) 역시 운동이 환경 공포 조건화에 미치는 영향을 조사했다. 이 연구에서 운동용 쳇바퀴에 접근할 수 있었던 쥐들은 처음 3분 동안 충격과 연관된 상황에서 더 많이 굳었다. 두 연구의 결과는 운동하는 쥐는 해마에 의존하는 공간 학습과 같이 조건화의 한 형태인 공포와 관련된 상황에서 더 많이 몸이 굳는다는 사실을 뒷받침한다.

비록 바루크와 그의 동료들(Baruch et al., 2004)이 운동이 자극에 대한 반응률에 영향을 미치지 않는다는 것을 발견했지만, 스퍼두소와 패러(Spirduso and Farrar, 1981)의 데이터는 운동이 반응속도에 영향을 미칠 수 있다는 사실을 암시한다. 운동이 반사적인 회피(reactive avoidance)를 향상시키는지를 조사하기 위해 스퍼두소와 패러는 쥐들이 8주간 매일 60분씩 1분에 30미터 속도로 달리게 했다. 젊거나 나이가 많은 쥐들이 통제 집단에 있는 쥐들에 비해 근육의 산소 활용이 증가했다는 결과가 훈련 프로토콜의 효율성을 뒷받침한다. 러닝머신 훈련은 충격 후에 지렛대를 놓는 대기시간과 충격을 피하기 위해 지렛대를 놓는 대기시간을 줄였다(Spirduso and Farrar, 1981).

행동은 나이가 들면서 변하며, 운동은 이러한 나이와 연관된 변화를 약화시킬 수 있다. 반응성 회피 과제에 대한 올바른 회피 반응률이 통제 집단은 나이가 들면서 감소했지만 운동 쥐들은 그렇지 않았다(Spirduso and Farrar, 1981). 자발적 활동(spontaneous activity)은 생후 10개월 이후부터 감소해서 지속적인 감소를 보였다. 5에서 23개월 동안의 러닝머신 훈련은 나이와 관련이 있는 자발적 행동의 감소를 줄였다(Skalicky et al., 1996). 또 다른 연구는 나이와 관련된 감퇴를 줄이는 데 낮은 강도의 운동을 자주하는 것이 높은 강도의 운동을 간헐적으로 하는 것보다 효과적이라는 것을 보여 주었다(Skalicky and Viidik, 1999).

요약하면, 동물을 대상으로 한 연구들은 운동이 학습 및 기억 과제, 반응성 회피 속도 및 자발적인 활동에 영향을 미칠 수 있다는 것을 보여 준다. 동기 부여의 차이, 스트레스에 대한 반응, 그리고 주의와 경계의 변화에 대한 잠재적 차이는 통제하기 어렵다. 이러한 모든 요인들이 배제될 때까지 운동이 학습 그 자체에 영향을 미치는지 혹은 학습에 간접적으로 영향을 미치는 요인들인지에 대한 의문을 가질 수 있다. 결과적으로 운동이 학습을 향상시킨다는 가장 설득력 있는 증거는 운동이 환경 공포 조건화에 영향을 미친다는 것을 보여 주는 보고서에서 나온다. 우리가 가정한 바와 같이, 만약 환경 공포에 대한 학습을 일으키는 생물학적 메커니즘이 복잡한 학습된 반응(예를 들어, 공간 학습)에 사용되는 메커니즘과 동일하다면, 운동 후에 보인 공간 학습 향상이 운동에 의한 향상이라고 결론 내리는 것이 더 안전하다. 다음으로, 움직임과 공간 학습과 관련된 뇌 영역에서 어떠한 유형의 가소성이 나타나는지, 그리고 운동과 관련된 학습 향상의 중재 역할을 할 수 있는 가소성의 형태에는 어떤 것이 있는지를 살펴보고자 한다.

운동 중에 활성화되고 운동에 의해 영향을 받는 뇌 구조

특정 운동은 소뇌(cerebellum), 선조체(striatum) 및 운동 피질(motor cortex) 등 뇌

의 운동 영역에 의해서 통제된다. 이 장은 운동이 이 세 운동 영역에 미치는 영향에 초점을 맞춘다. 공간 학습은 해마에 의존한다. 이 구조는 운동과 연관된 신경 활성화를 갖지만, 공간 학습 및 기억과 같이 복잡한 행동 과제와 보다 밀접하게 관련되어 있다.

운동이 운동 계획(movement planning) 및 자기 수용적 피드백(proprioceptive feedback)과 연관이 있는 특정 신경계에 선택적으로 영향을 미칠 수 있는 가능성뿐만 아니라 다른 시스템들의 활성화 및 적응을 통해서도 뇌에 영향을 미칠 수 있다는 것을 고려해야 한다. 혈류, 심장박동 수 및 포도당 가용성을 증가시키는 교감신경계(sympathetic nervous system)와 내분비계(endocrine system)의 활성화는 근육이 필요로 하는 에너지를 공급한다. 운동은 뇌와 면역 체계와 양방향으로 상호작용을 하는 부신호르몬(adrenal hormone)을 증가시킨다(Samorajski et al., 1987; Kjaer, 1998). 또한 운동은 면역 체계에 영향을 미친다(Fleshner et al., 2003). 이러한 운동 효과에는 중추신경계(central nervous system)의 면역 시스템 요인(factor)을 변화시키는 것도 포함된다(Campisi et al., 2003). 마찬가지로, 뇌가 체중의 2%만을 차지하는데도 불구하고 유입된 산소의 20%를 소비한다는 사실을 고려해 볼 때, 심혈관 체계(cardiovascular system)에서 나타나는 운동 효과(Marsh and Coombes, 2005; Tousoulis et al., 2005)는 뇌 기능에도 영향을 미친다는 사실을 시사한다. 따라서 신체에 나타나는 운동 효과는 여러 경로를 통해서 뇌에 영향을 미치게 된다.

지속적인 운동 후에 나타나는 향상된 인지 기능은 다음 방법 중 하나 이상을 통해 매개될 수 있다. 간접적으로는 호르몬, 면역 또는 심혈관의 변화(cardiovascular alteration), 직접적인 방법으로는 운동 생성과 연관되어 있는 신경 활동, 또는 움직임으로 인한 체감각적이고(somatosensory) 자기수용적인(proprioceptive)것이 있다. 만약 인지 기능의 향상이 일반적으로 심혈관 및 호르몬 변화에 의해서만 조정된다면, 우리는 운동과 관련된 뇌 가소성이 광범위하게 분포되어 있을 것이라고 예상할 수 있다. 운동 중에 활발한 뇌 구조의 가소성에 관한 다음 논의는 그 변화가 광범위하게 분포되지 않고, 그 대신 뇌의 특정 영역에만 국한될 수 있다는 증거를 제시한다.

운동이 인지 기능에 영향을 미치기 위해, 운동이 뇌에 미치는 효과는 오래 지속되어야 한다. 운동 때문에 나타나는 뇌 가소성 연구는 6가지 형태의 측정치를 사용한다. ① 수용체 밀도(receptor density) 및 신경전달물질의 밀도(neurotransmitter concentration), ② 성장인자(growth factor) 발현, ③ 세포분열 속도, ④ 신진대사, ⑤ 유전자 발현, ⑥ 손상 후의 세포 생존(cell survival). 가능하면, 이 검토에 포함된 각 뇌 영역에서 각 가소성 형태에 대한 증거가 논의된다. 각 구조에서 연구된 가소성의 형태는 조금씩 차이가 있다. 그 이유는 각 구조에서의 신경전달물질 체계와 운동이 뇌의 각 구조에 미치는 영향이 당시 가장 관심 많았던 주제였기 때문이다. 마찬가지로 어떤 구조는 다른 구조보다 더 많이 연구되었다. 해마는 운동과 연관된 직접적인 효과보다는 비교적 단순한 해부학적 구조와 기억과의 관련성으로 인해 최근 많은 연구의 관심사로 자리잡았다. 결과적으로 누락된 데이터를 채워서 어떤 결론을 이끌어내는 것도 옳지 않고 또한 충분치 않은 연구 데이터를 기반으로 운동과 관련된 뇌 영역 간의 관련성을 설명하는 것도 무리가 있다. 어느 정도 결론을 이끌어낼 수 있을 만큼의 충분한 연구 자료를 기초해서 논의하는 것이 의미가 있다고 생각한다.

소뇌

운동 구조인 소뇌는 자세와 신체 동작의 협응(coordination)을 조절(control)한다. 또한 소뇌는 움직임에 영향을 미치는 체성감각(somatosensory)과 전정(vestricular) 정보를 통합하는 것으로 보인다. 운동을 하는 동안 발생하는 소뇌의 활성화는 개가 러닝머신을 달리는 동안 이 영역의 소뇌 혈류량이 증가한다는 연구 결과는 소뇌가 운동 조정에 중요한 역할을 담당한다는 사실을 지지한다(Gross et al., 1980). 시각 피질과 마찬가지로 소뇌는 풍부한 환경

(enriched)에 대한 반응으로 구조적 변화를 겪게 된다(Greenough, 1984). 풍부한 환경은 신체 활동 기회를 증가시키기 때문에, 연구자들은 운동과 기술 학습이 별개로 소뇌에 영향을 미치는지의 여부를 조사해 왔다. 학습과 신체 활동 효과를 구별하기 위해 블랙과 그의 동료들(Black et al., 1990)은 운동 기술 학습과 운동이 소뇌의 해부학적 구조에 미치는 영향을 연구했다. 한 집단의 쥐는 새로운 운동 기술을 습득해야 하는 장애물이 있는 코스를 횡단했다. 과제 수행과 관련된 활동량을 통제하기 위해 운동 집단을 둘로 나누었다. 한 집단의 쥐들은 우리에 부착된 쳇바퀴를 자발적으로 달리도록 했다. 또 다른 그룹의 쥐들은 매일 최대 1시간 동안 러닝머신에서 달리도록 훈련시켰다. 이러한 전략은 두 가지 다른 차원에서 매우 강력한 훈련을 만든다. 만약 운동이 아닌 기술 학습이 시냅스 수와 같은 변인에 영향을 미친다면, 운동 조건보다 기술 학습 조건이 단순히 더 많은 신체 활동을 포함한다고 주장하기 어려울 것이다. 마찬가지로 상대적으로 기술 학습이 적은 단순 반복적인 과제인 운동이 시냅스 수와 같은 변인에 영향을 미친다면, 이것은 단순히 운동하는 쥐들이 기술을 배우는 쥐들보다 더 많은 것을 배웠기 때문이라고 주장하기는 어려울 것이다. 앞다리와 뒷다리에서 체성감각 입력(input)을 받는 정중옆소엽(paramedian lobule, PML)의 구조적 변화가 조사되었다. 이 영역에서 장애 코스를 횡단한 기술 학습 그룹은 통제, 자발적 운동 및 강제 운동 그룹들에 비해 두꺼운 분자층과 뉴런당보다 많은 수의 시냅스를 가지고 있었다(Black et al., 1990). 비록 이 기술 학습 그룹은 새로운 기술을 학습하는 데 매일 15분만 할애했지만, 하루 24시간 동안 쳇바퀴 접근이 가능한 조건을 포함한 운동 조건보다 더 많은 시냅스를 가지고 있었다. 학습과 더 많은 수의 시냅스와의 선택적 연관성은 시냅스 수의 변화가 소뇌에서 학습을 위한 메커니즘일 수 있음을 시사한다.

운동은 기술 학습과 마찬가지로 구조적 변화를 가져왔다. 하지만 그 변화는 기술 학습 후에 관찰된 변화와는 다른 형태를 취했다. 자발적 운동과 강제 운동 조건 모두에서 기술 학습 후에는 나타나지 않았던 PML에서 모세혈관의 밀도 증가를 야기했다(Isaacs et al., 1992). 이러한 데이터는 달리기와 연관된 부가적인 신경 활성화가 더 많은 산소와 포도당의 필요를 만들어 냈으며, 이는 모세혈관의 밀도 증가에 의해 충족되었다는 것을 시사한다.

운동은 성인 쥐의 신경세포의 수를 증가시키지는 않을 것으로 예상되지만 노화가 진행되는 과정에서 신경세포를 보존할 수는 있다. 생후 5개월에서부터 23개월까지 수평 러닝머신을 1분에 20m 속도로 달렸던 수컷 쥐는 앉아 있었던 통제 집단에 비해 푸르키니에(Purkinje) 세포가 11%가 더 많았다(Larsen et al., 2000). 운동을 한 늙은 쥐와 젊은 쥐 사이에는 푸르키니에 세포 수 차이가 없었다. 이러한 연구 결과들은 운동이 소뇌의 세포 손실을 막거나 지연시킨다는 것을 시사한다.

요약하면, 하루 15분씩만 기술을 익히면 소뇌 피질에 있는 시냅스의 연결 수를 증가시키지만, 운동은 하루 24시간 분포되어도 아무런 효과가 없다. 대신 운동은 모세혈관 밀도를 증가시킨다. 마찬가지로 운동은 나이와 연관된 세포 손실을 줄일 수 있다. 그렇지만 기술 학습이 나이와 연관된 세포 손실을 감소시킬 수 있는지 여부에 대한 연구는 없다.

운동 피질

달리기를 하는 중에 쥐의 운동 피질(Motor Cortex) 활성화는 신진대사 정도로 측정되었다. 트레드밀에서 달리기는 개의 감각 운동 피질의 국부적인 뇌 혈류량을 증가시킨다(Gross et al., 1980). 쥐의 경우 운동이 국소 대뇌 포도당 활용을 일시적으로 증가시키는 것으로 나타났다(Vissing et al., 1996).

소뇌와 마찬가지로, 쥐 운동 피질은 기술 학습에 대한 반응으로 장기적인 변화를 겪는다. 운동 피질은 운동 학습 후에 시냅스 생성(synaptogenesis)을 겪는다(Kleim et al., 1996, 2004). 운동과 기술 학습 모두 운동 피질의 두께를 증가시켰다(Anderson et al., 2000a). 비록 시냅스가 이 연구에서 계산되지 않았지만,

많은 연구에서 시냅스 추가가 피질의 두께 증가에 해당하는 것이기 때문에 운동 그룹에서 나타난 더 두꺼운 피질은 시냅스가 추가되었을 가능성을 시사한다(Greenough, 1984; Black et al., 1990). 신경세포 활동 증가는 신경세포의 수를 증가시키기에 충분하다는 가설은 반복해서 주어진 전기 충격이 시냅스 수, 수상돌기(dendritic) 및 축삭돌기분지(axonal arborization)를 증가시키기에 충분했다는 연구 결과를 통해 뒷받침된다(Rutledge et al., 1974; Keller et al., 1992).

신경세포 변화 외에도 운동은 소뇌에 그랬던 것처럼 운동 피질의 혈관 기능에 영향을 미친다. 많은 연구들은 운동이 신진대사 능력을 변화시키는지 여부를 다루었으며, 그 결과는 서로 일치하지 않는다. 한 연구에서 운동은 소뇌의 모세혈관 밀도를 증가시키는 강제 운동 조건과 일치했다(Isaacs et al., 1992). 쥐들을 11미터/분의 속도로 처음 30분을 걷게 한 후, 10분 휴식을 주는 방식으로 30일간 매일 1시간씩 강제로 걷게 했을 때, 운동 피질에서 뒷다리 모세혈관 밀도는 증가하지 않았다(출판되지 않은 관찰). 그러나 대조적으로 클림과 그의 동료들(Kleim et al., 2002)은 30일 동안 쥐들에게 쳇바퀴를 돌릴 수 있게 했을 때, 운동 피질에서 앞다리 모세혈관 밀도가 더 큰 것을 발견했다. 스웨인과 그의 동료들(Swain et al., 2003)은 운동이 운동 피질의 앞다리 영역의 모세혈관 밀도를 증가시키는지의 여부를 검사하기 위해서 3가지 간접 측정법을 사용하였다. 두 가지 유형의 기능성 자기공명영상(fMRI)을 사용하여 그들은 대조군 쥐와 비교해서 운동 쥐의 신호 변화를 발견했으며, 이는 자발적인 운동이 모세관 관류(capillary perfusion) 혹은 혈액량(blood volume)을 증가시킬 수 있다는 가능성과 일치한다. 세 번째 측정 방법으로 그들은 혈관이 형성되는 동안 높은 수치로 발현되는 단백질에 대해 더 높은 항체 표지(antibody labeling)를 보여 주었다. 종합하면, 이 데이터는 자발적인 운동은 적어도 운동 피질의 앞다리 영역 모세혈관 밀도를 증가시킨다는 것을 시사한다.

모세혈관 밀도의 증가는 혈액량을 증가시킬 것으로 예상된다. 이는 산소와 포도당의 가용성을 증가시킬 것이다. 혈액 흐름과 신진대사와 밀접하게 결합되어 있는 것으로 비추어 볼 때, 이러한 결과들은 신진대사량을 증가시킨다는 가설로 이어진다. 만약 이것이 사실이라면, 뇌는 유산소 대사(aerobic metabolism)에 압도적으로 의존하기 때문에 그 증가는 시토크롬 산화효소(cytochrome oxidase) 활성화 증가로 나타나야 한다. 시토크롬 산화효소의 활동은 아데노신 3인산염(adenosine triphosphate)의 생성과 결합되어 있다. 공간적인 분포에 관심이 있을 때, 이것은 조직화학적인(histochemical) 방식으로 시토크롬 산화 활동을 간접적으로 측정할 수 있다. 이 방법을 사용하여 맥클로스키와 그의 동료들(McCloskey et al., 2001)은 우리에 부착된 쳇바퀴에서 6개월 동안 운동을 할 수 있었던 쥐들(생후 5-11개월)은 운동 피질에서 대사 능력이 큰 것으로 나타났지만 뇌의 통제 부위에서는 그렇지 않았다.

결론적으로, 소뇌와 마찬가지로 운동 피질은 운동과 운동 기술 학습의 영향을 받는다. 두 구조 모두 운동은 신진대사와 관련된 변인들을 변화시킨다. 소뇌에서는 기술 학습만이 축색돌기 바깥층의 두께를 증가시켰지만(Black et al., 1990), 운동 피질에서는 운동도 기술 학습과 마찬가지로 피질의 두께를 증가시킬 수 있었다.

선조체

선조체(Striatum)는 기저핵을 구성하고 있는 세 개의 핵(미상, 경막, 담창구) 중 2개에 해당하는 미상(caudate)과 경막(putamen)으로 이루어져 있다. 선조체는 운동 피질 및 기타 피질 부위의 입력(input)을 처리한다. 선조체는 자발적 운동의 계획과 시작에 영향을 주려고 운동피질 영역으로 뻗어 있다. 선조체 기능장애는 파킨슨병의 증상과 유사하다. 파킨슨병은 도파민성 입력의 감소로 가만히 있을 때 근육이 떨리는 증상, 느리고 흔들리는 보행, 수의적 움직임 시작의 어려움 등을 보인다. 선조체가 움직이는 동안 활동한다는 증거는 인간과 설치류 모두에서 입증되었다. 인간의 경우, 자발적 운동을 할 때 선조체 내의 국소적인 부분에서 뇌 혈류량이 증가한다(Roland et al., 1982). 쥐의 경우, 러닝머신에서 달리기를 하면, 최대 산소 소비량의 85%까지를 소비하는 정도로 달리게 하면, 선조체에서 국소 뇌 포도당 섭취가 증가한다(Vissing et al., 1996). 이 영역에 대한 전기생리학 기록은 운동을 하는 동안 신경세포 활동과 생성된 행동 사이의 기능적 관계에 대한 자세한 정보를 제공할 수 있다. 쥐가 러닝머신 위를 걸을 때, 선조체 신경세포의 61%가 20초 동안 계속해서 흥분했다(Shi et al., 2004). 소규모 개체군이 보행 중 지속적으로 억제를 보이는 반면, 다른 개체군은 보행 개시 또는 종료 시에만 활동했다. 소수의 쥐는 걷기를 하는 중 지속적으로 억제(inhibition)를 보이는 반면, 다른 쥐들은 걷기를 시작할 때, 또는 마칠 때에만 억제를 보였다. 데이터는 기저핵(basal ganglia)에 있는 선조체 및 다른 영역이 사지 움직임의 실행(execution)과 관련이 있음을 시사한다.

운동은 선조체 전달물질(transmitter) 결합에 영향을 미치는 것으로 나타났다. 6개월 동안 매일 1시간씩 1분에 27미터의 속도로 최대 산소 소비량 80%인 0% 경사의 러닝머신을 달리게 한 것이 성인 쥐들의 도파민 타입2(D2) 수용체 밀도를 증가시킨 것으로 보고되었다(MacRae et al., 1987a). 러닝머신에서 달린 쥐들은 통제 집단의 쥐에 비해 최대 산소 소비량이 크게 증가했다. 유사한 연구에서 고령 쥐들의 D2 수용체 결합을 조사하였다(MacRae et al., 1987b). 이 연구에서 쥐들은 12주 동안 일주일에 5일 동안 매일 60분씩 분당 20미터 속도로 러닝머신에서 달리도록 훈련받았다. 러닝머신에서 달리기를 한 고령 쥐들(생후 21개월)의 비복근-족저(gastrocnemius-plantaris)의 대사량이 훈련을 받지 않은 어린 쥐(생후 6개월)들에 비해 27%까지 증가했다. 대조군의 경우 6개월에서부터 12개월까지 D2 수용체 결합 부위가 감소했지만, 러닝머신 훈련을 받은 쥐들은 이러한 노화와 관련된 감소가 줄었다. 운동은 도파민 대사 산물(metabolic)인 DOPAC에도 영향을 미쳤다. DOPAC는 나이가 들수록 증가했지만, 러닝머신 훈련은 이러한 노화의 영향을 예방했다. 이러한 연구는 강제 운동이 성인 동물의 수용체 발현(recepter expression)을 변화시킬 수 있으며, 운동이 연령과 관련된 도파민 전달물질의 변화를 완화시킬 수 있다는 것을 보여 준다.

도파민 시스템(dopaminergic system)이 운동의 영향을 받는 선조체 내 유일한 신경전달물질 체계는 아니다. 어린 쥐의 경우, 러닝머신 훈련(8주 동안 매주 6일씩 60분 동안 0% 경사에서 분당 25-30미터의 속도)과 쳇바퀴에서의 자발적 운동의 달리기를 한 쥐들의 선조체에서 억제 신경전달물질 GABA의 농도가 달리기를 하지 않은 쥐들에 비해 높아졌다(Dishman et al., 1996). 쳇바퀴에서 달리기를 한 경우 수용체 결합을 감소시킨 반면에 러닝머신에서 달린 경우는 그렇지 않았다(Dishman et al., 1996). 러닝머신 훈련이 아니라 쳇바퀴에서 달리는 것이 야외 활동(open-filed activity)을 증가시켰기 때문에 이러한 결과는 특히 흥미롭다. 야외 활동과 밀도와의 관련성은 수용체를 차단하는 것이 야외 활동을 증가시킨다는 이전 연구 결과에 의해 뒷받침되고 있다(Plaznik et al., 1990). 따라서 수용체의 밀도 증가에 대한 자발적인 운동의 효과는 증가된 야외 활동에 의해 설명될 수 있다.

운동이 선조체 신경세포의 구조를 변화시킬 수 있는지 여부를 실험한 연구는 아직 없지만, 풍부한 환경의 영향을 조사한 연구들은 선조체의 신경 구조가 바뀔 수 있다는 사실을 시사한다. 우리(cage)의 풍부한 환경은 배외측 선조체에 있는 중간 가시 신경세포(medium spiny neuron)의 가시 수 혹은 흥분성 시냅스 접촉 부위를 증가시킨다(Comery et al., 1995). 이러한 형태 변형을 가진 신경세포는 도파민 수용체로 발현하는 것으로 알려진 신경세포이다. 풍부한 환경 제공은 도파민 수용체 결합을 변화시킨다. 풍부한 환경에 노출된 두 살배기 쥐는 무스카린 아세틸콜린(muscarinic acetylcholine, ACh) 수용체에 대한 도파민 1형 수용체(D1) 비율이 높지만 D2 수용체에는 변화가 없다(Anderson et al., 2000a). 운동이 나이와 관련된 D2 수용체 결합의 감소를 줄일 수 있다는 이전의 연구와 함께, 이 연구는 D2 수용체 결합을 증가시키기 위해 풍부한 환경에서의 활발한 신체 활동은 D2 수용체 결합을 증가시킨다.

전반적으로 이 연구들은 행동 조건이 선조체의 신경 구조와 수용체 결합을 변화시킬 수 있다는 사실을 제시한다.

운동을 하는 중에 신경 활동이 변하면, 증가한 신진대사의 수요를 따라잡기 위해 선조체가 신진대사 능력을 증가시킬 수 있다. 6개월 동안 운동한 쥐는 대조군에 비해 선조체(배측 미상, dorsolateral caudate)의 사지 담당 영역의 신진대사 능력이 상대적으로 더 높았다(McCloskey et al., 2001). 이러한 결과는 운동 쥐들의 선조체의 사지 부위에 있는 신경세포들이 대조군에 있는 쥐들에 비해 6개월 동안 운동을 한 후 대사 능력이 더 큰 것뿐만 아니라, 운동 효과는 달리기 움직임을 담당하는 특정 부위의 신진대사 능력을 증가시킨다는 것이다.

신경 세포는 많은 양의 에너지를 필요로 하지만 신경 세포는 비교적 적은 양의 자유 에너지를 저장하고 있다. 그 때문에 신경계는 산소와 포도당을 지속적으로 공급받아야 한다. 국소빈혈(ischemia)은 혈액 공급이 중단되는 것을 말하는데, 이것은 폐쇄성(obstructive)과 출혈성(hemorrhagic) 뇌졸중 발병 시기에 발생할 수 있다. 만약 운동이 선조체의 사지 담당 영역의 신진대사 능력을 변화시킨다면, 운동은 뇌 세포를 손상시킬 수도 있는 국소빈혈로부터 뇌를 보호할 가능성도 있다. 이 가설은 다른 연구 결과를 보면 옳다. 쥐들은 15분간의 경동맥 폐쇄로 혈류 공급을 차단하는 시술을 받았다. 운동 게르빌루스쥐 집단은 이 시술 전에 2주 동안 쳇바퀴에서 달리기를 하였다. 이 집단은 선조체의 사지 운동을 담당하는 뇌 영역에서 50%의 세포 손실을 입었다 반면에 운동하지 않은 집단은 90% 세포 손실을 입었다. 또한 운동하지 않은 집단은 경동맥 폐쇄로 21%만이 살아남았다. 그러나 경동맥 폐쇄 시술 전에 20분 동안 달리기를 한 게르빌루스쥐는 트라우마에서 모두 살아남았다(Stummer et al., 1994). 마찬가지로 중간 대뇌동맥 폐색 전에 러닝머신에서 달리기를 한 쥐들은 경색 부피가 감소되었다(Ding et al., 2005). 국소빈혈 후에 따라오는 재관류(refusion)가 일어날 때, 운동이 신경을 보호하는 효과가 있다는 가설을 지지하는 증거이다(Li et al., 2004). 그러나 어떤 운동 효과가 이러한 보호를 중재하는지를 밝히기 위해서는 더 많은 연구가 필요하다.

손상 후의 운동도 선조체의 손상을 줄이고 기능을 유지하는 데 도움이 된다. 선조체 내 출혈 후 10일 동안 하루에 30분씩 러닝머신을 달리는 쥐의 경색부(infract)의 크기는 앉아 있었던 통제군의 쥐에 비해 줄어들었다(Lee et al., 2003). 또 다른 연구에서는 파킨슨병의 설치류 모델인 도파민 감소 이후 쥐들을 10일 동안 하루에 두 번씩 15분 동안 분당 15미터의 속도로 달리거나 앉아 있게 하였다. 그 결과 앉아 있었던 조건에 비해 러닝머신에서 달리는 조건이 좌측 도파민성 전달(dopaminergic transmission)과 사지 사용을 상대적으로 감소시켰다(Tillerson et al., 2003). 하지만 유사한 연구에서 다른 결과를 보이는 경우도 있었다. 도파민 감소 이후 30일 동안 매일 40분간 러닝머신에서 달리는 것이 도파민 감소를 완화시켰지만, 움직일 수 있는 운동 능력을 보전하지는 못했다(Poulton and Muir, 2005).

요약하면, 운동을 하는 동안 선조체에서 신경 활동과 포도당 섭취가 증가한다. 규칙적인 운동은 신진대사와 전달물질의 농도 변화뿐만 아니라 일부 전달 수용체의 밀도 변화도 가져온다. 마찬가지로 운동은 사지와 연결된 부위의 신진대사 능력을 증가시킨다. 신진대사를 방해하는 사건 또는 독소 노출 전후에도 운동은 선조체를 세포 손상으로부터 보호하고 경우에 따라서는 사지 움직임을 보전하게도 한다. 손상 후 운동은 손상 부위의 회복을 촉진시킨다.

많은 연구들은 선조체 전체를 측정했기 때문에 그 효과가 사지 담당 영역에 국한된 것인지 혹은 선조체 전체에 분포되어 있는지에 대해 의문을 갖게 한다. 선택적인 분포는 움직임 생성과 직접적으로 관련이 있는 신경 활동의 가소성을 유도한다는 가능성을 뒷받침한다. 이는 가소성이 좀 더 광범위한 운동 효과(예를 들어, 호르몬 또는 심혈관 효과)에 기인한다는 가능성과 대조적이다. 오직 하나의 연구에서만 운동을 하는 동안 활성화되어야 하는 부위와 활성화되지 않아야 하는 부위를 구분하였다(McCloskey et al., 2001). 이 연구의 결과는 적어도 대사 가소성(metabolic platicity)은 사지 담당 영역에 국한된 운동 효과가 나타난다는 것을 시사한다.

해마

이미 논의한 바와 같이, 운동이 공간 학습에 미치는 중재 효과는 해마(Hippo-campus)에서 일어난다. 이런 사실은 해마에 병변이 있으면 공간 학습을 저해하는 연구 결과에 기초한 것이다. 공간 위치에 상응되는 해마의 세포가 활성화되며(Czurko et al., 1999), 이들 세포의 활성화는 공간 인지도를 형성하기 위해서 함께 작용하는 것으로 보인다. 해마는 이런 방법으로 복잡한 공간 정보를 표상하고 처리하는 구조이다.

주로 해마 기능이 인지와 관련되지만, 또한 운동 정보와 공간 정보를 통합하여 공간의 위치에 대한 정보를 부호화한다. 뛰기, 달리기 및 걷기는 해마의 전기생리학적 활동(electrophysiological activity)을 증가시킨다(Bland and Vanderwolf, 1972; Vanderwolf, 1988). 마찬가지로 신경 활동의 간접적인 측정은 이 영역에 있는 신경이 운동(locomotion)을 하는 동안 활성화된다는 것을 시사한다(De Bruin et al., 1990; Vissing et al., 1996). 공간의 위치를 입력하는 것 외에도 신경 발화(nneuronal firing) 속도는 움직임의 속도를 부호화한다(Czurko et al., 1999). 러닝머신에서 달리는 것은 해마에서 아세틸콜린 분비를 증가시킨다(Dudar et al., 1979). 반대로 아세틸콜린이 해마에 주입되면 쥐들은 움직이기 시작한다(Mogenson and Nielsen, 1984). 이러한 결과는 해마가 자발적인 운동을 동기화하는 데 중요한 역할을 한다는 것을 시사한다. 해마는 내적 운동 정보를 사용하여 이동한 거리, 따라서 환경에서의 위치를 입력하는 방법을 사용한다(Wallace et al., 2002; Wallace and Whishaw, 2003).

이 구조가 인지와 관련되어 있다는 점을 감안한다면, 해마에서 운동으로 유도된 가소성의 어떤 형태가 학습과 관련이 있을 수 있는지가 관심사이다.

그러나 운동 후에 해마에서 확인된 가소성의 형태가 학습의 증진과 어떻게 관련될 수 있는지에 대해서는 많은 논의가 없었다. 마찬가지로 학습과 일부 가소성 형태와의 밀접한 관련성 말고도 다른 형태의 가소성이 있을 수 있는 가능성에 대해서도 많은 논의가 없었다.

일시적인 고강도 운동과 마찬가지로 지속적인 운동(chronic exercise)은 해마의 신경 화학작용(neurochemistry)에 영향을 미친다. 14개월 동안 매주 5일씩 반복해서 달리는 것은 콜린(choline)의 흡수를 감소시키는 반면 고강도 러닝머신 달리기는 해마에서 고친화성(high-affinity) 콜린 흡수를 증가시킨다(Fordyce and Farrar, 1991a). 지속적인 달리기와 공간기억 과제를 함께 수행했을 때, 고친화성 콜린 흡수량이 증가했다. 장기 훈련만 수행하거나 또는 공간 기억 과제와 함께 수행한 경우, 해마에서 아세틸콜린 수용체 결합이 증가했다(Fordyce and Farrar, 1991b). 연령에 따라 아세틸콜린 수용체 밀도 역시 감소했지만, 고령 동물들의 지속적인 운동은 그 감소를 완화시켰다(Fordyce et al., 1991). 후자의 결과는 운동이 노화를 지연하거나 또 나이를 거꾸로 먹게 만들 수 있다는 생각과 일치한다.

신경전달물질 시스템(transmitter system)에 미치는 영향 외에도, 운동이 뇌를 보호하는 것으로 보이는 분자 신호 메커니즘(molecular signaling mechanism)에 미치는 효과에 대해 최근 상당한 관심이 모아지고 있다. 뇌 유도 신경자극 인자(brain-derived neurotrophic factor, BDNF)와 신경성장 인자(nerve growth factor, NGF)는 신경성 인자(neurotrophin)라 불리는 성장 인자군에 속한다. 이들은 성장기 동안 처리과정의 성숙을 지원하며 노화와 손상으로부터 뇌를 보호하는 것으로 나타났다. 2일, 4일 또는 7일 동안 쳇바퀴를 자유롭게 돌 수 있도록 한 쥐들은 통제 쥐에 비해 해마 및 꼬리 대뇌피질(caudal cerebral cortex)에 있는 BDNF와 NGF에 대한 mRNA의 양이 빠르게 증가했다(Neeper et al., 1995, 1996). 적지만 유의미한 BDNF의 증가가 소뇌와 전두엽 피질에서 나타났다. 운동에 의해 영향을 받을 수 있는 해마 내의 분자 시스템의 수를 감안하면,

BDNF와 NGF의 상향조정(upregulation)이 유전자 발현의 보다 일반적인 상향 조정의 일부인지의 여부가 관심의 대상이다. 이 문제를 해결하기 위해 수백 개의 유전자 발현을 한 번에 측정하는 새로운 방법을 사용할 수 있게 되었다 (Tong et al., 2001; Molteni et al., 2002). 몰테니와 그의 동료들(Molteni et al., 2002)은 유전자 미세배열(microarray)을 사용하여 운동이 BDNF를 만드는 유전자 발현을 증가시키며, BDNF와 상호작용하는 단백질의 유전자도 증가시킨다고 결론지었다. BDNF의 유전자 발현은 3일, 7일, 28일 후에 상향 조정된 것에 반해 NGF의 유전자 발현은 운동을 한 3일 후에만 상향 조정되고, 7일과 23일 후에는 상향 조정되지 않았다. mRNA의 상향 조정이 기능을 변경하려면 성장 요인 단백질을 증가시켜야 한다. 뇌 유도 신경자극 인자 단백질의 농도는 쥐가 자발적으로 달리기를 할 기회가 주어지는 한 지속적으로 상승하는 것으로 보인다(Adlard et al., 2004).

뉴로트로핀(neurotrophin)이 운동에 의해 유도된 공간기억력 향상을 중재할 수 있을까? 신경 성장 인자를 해마에 주입하면, 공간 학습은 향상된다 (Fischer et al., 1987; Markowska et al., 1996; Pelleymounter et al., 1996; Jakubowska-Dogru and Gumusbas, 2005). 그러나 이러한 모든 연구에서 피실험자들은 이미 학습 능력이 부족했다(예를 들어, 그들은 나이가 들었거나 젊었지만 학습 장애가 있었다). 운동과 관련된 NGF의 증가는 BDNF의 증가에 비해 그 수명이 짧다. 운동으로 유도된 NGF는 단지 이틀 동안만 유지된다(Neeper et al., 1996). 그래서 NGF는 운동 후 긴 시간이 지난 후에는 영향을 미칠 것 같지 않다. NGF와 달리, BDNF 단백질 표현은 쥐가 달릴 수 있는 기회가 있는 한 높게 유지되는 것으로 보인다(Adlard et al., 2004).

공간 학습 과제(Mizuno et al., 2000) 및 해마 의존적인 억제 회피 과제(Alonso et al., 2002b)를 훈련하는 동안 BDNF mRNA 발현이 증가한다. 이런 사실은 BDNF는 해마에서의 학습 향상을 유도한다. 해마에 BDNF를 주입하면 공포 자극에 대한 장기기억이 용이해진다(Alonso et al., 2002b). 더 나아가 BDNF

단백질 생산을 차단하면 공간 학습을 저해하고(Misuno et al., 2000), BDNF가 그의 수용체와 결합하는 것을 차단하면, 해마 의존적 억제 회피 과제 수행이 방해되는 것으로 나타났다(Alonso et al., 2002a, 2002b). 이런 증거는 BDNF가 해마에서의 기억 형성에 절대적인 영향을 미친다는 사실을 지지하는 것들이다. 베인먼과 그의 동료들(Vaynman et al., 2004)은 운동 유도 BDNF 수준과 학습 향상 간의 인과 관계를 조사한 결과, BDNF의 작용이 차단되었을 때 모리스 수중 미로에서 운동으로 인한 참조기억 과제의 향상이 차단된다는 것을 발견했다. 지금까지의 연구결과를 검토해 볼 때, 운동으로 유도된 학습 개선에서 BDNF가 중재자 역할을 하는 것은 분명한 사실인 듯하다.

　운동으로 유도된 공간기억력 개선에서 BDNF의 중재자 역할에 대해 의구심을 갖게 하는 결과를 보고한 두 가지 연구가 있다. 한 연구는 BDNF 주입이 고령의 인지 장애가 있는 쥐의 학습을 개선하지 않았지만, NGF 주입은 학습을 개선했다는 것을 보여 주었다(Pelleymounter et al., 1996). 하지만 고령의 인지 장애가 있는 쥐의 경우, 그 결손은 BDNF(예를 들어, 너무 적은 수용체)의 후속 효과의 기능 장애로 인해 발생한 것일 수도 있다. 또 다른 연구에서 로즈와 그의 동료들(Rhodes et al., 2003)은 쳇바퀴 달리기 속도가 높은 쥐들만 선별해서 키운 집단을 비교했을 때, 공간 학습과 BDNF 수준 사이에는 관련성이 없다는 것을 발견했다. 통제 쥐들 또는 달리기 속도가 높은 쥐들로 선택적으로 사육된 쥐들이든 관계없이, 달리기를 한 집단은 달리기를 하지 않은 집단의 쥐들(통제 및 선택적으로 사육된 쥐들)에 비해 BDNF가 증가했다. 하지만 통제 집단 달리기 쥐들만 더 나은 공간 학습을 보였다. BDNF의 상승에도 불구하고, 선택적으로 사육된 쥐들의 경우에는 달리기가 또 다른 학습 시스템을 활성화시켰고, 이 학습 시스템이 비효율적인 공간 학습 전략을 사용하도록 편향시켰을 가능성이 있다(White and McDonald, 2002). 이러한 가능성이 존재하는 한, 위의 상반되는 두 연구 데이터는 BDNF, 운동 및 학습 사이의 관계를 반증하기에는 부족함이 있다. 현재 문헌상 BDNF의 중재자 역할에 대해 상반된 결과가 있지만, 매우 보수적으로 말하더라도 적어도 과제가 해마를 필요로 할 때에는 BDNF는 운동에 의해 유도된 인지 기능 개선의 중재자의 유력한 후보이다.

성장 요인 발현의 증가는 연구하면서, 운동이 해마에 있는 수상돌기의 길이 또는 시냅스 수에 영향을 미치는지 여부를 조사한 사람은 없었다. 한 연구에서 소수포(vesicle) 수의 척도인 신경접합 단백질(synaptophysin)이 6주 동안 러닝머신에서 매일 3시간씩 달리기를 한 쥐들에게서 더 높은 것을 보고하였다(Lambert et al., 2005). 이러한 효과는 해마에만 국한되었고, 소뇌나 선조체에서는 상승하지 않았다. 운동한 쥐들에게서는 해마에서 신경접합 단백질 수준이 증가하였고 또한 모리스 수중 미로에서도 작업기억 오류가 적은 반면, 다른 조건(예를 들어 풍요 환경 조건)에서는 신경접합 단백질 수치는 증가하였지만 작업기억은 개선되지 않았다. 결과적으로 신경접합 단백질 수준과 작업기억 간의 관련성은 인과적이지는 않다는 것을 의미한다.

해마에서 신경세포 분열과 새로운 신경세포(신경발생)의 생존율은 풍요로운 환경에서 자라는 것(Kempermann et al., 1997)과 자발적인 달리기(van Praag et al., 1999a)로 증가할 수 있다. 후자의 연구에서 운동은 동일한 동물의 공간 학습, 시냅스의 장기적 전위(potentiation) 및 신경발생(neurogenesis)을 향상시키는 것으로 나타났다. 신경발생(neurogenesis)이 학습의 원인이라면 운동이 새로운 신경세포 생성을 증가시키고 그래서 운동이 학습에 영향을 준다고 설명할 수 있을 것이다. 유감스럽게도 운동에 의해 향상된 기억은 신경발생에 의한 것이 아니다. 해마 의존적인 추적 눈 깜빡임 조건화(eye-blink conditioning)만이 새로운 신경세포 증가와 관련되어 있다(Shors et al., 2002). 이런 결론은 운동으로 신경발생이 증가해도 공간기억이 향상되지 않는(Rhodes et al., 2003) 결과와, 그리고 신경 생성 증가 없이도 상황 공포 조건화가 이루어진다는 사실(Feng et al., 2001) 등에 기초한 것이다. 공간기억이나 상황 공포 조건화는 새로운 신경 생성과 직접적으로 관련된 것 같지 않다(Shors et al., 2002). 이런 연구 결과에 기초하여 운동으로 눈 깜빡임 조건화가 가속화될 것이라고 예측해 볼 수 있지만, 지금까지는 검증되지 않았다.

해마에서 신경발생이 억제되면 우울증이 나타난다(Duman, 2004). 이 가설은 신체 활동으로 우울증을 경감시킬 수 있을 가능성을 제시하는 것이기에 흥미롭다(Martinsen et al., 1985; Goodwin, 2003). 운동은 성인 및 고령자의 우울증 증상을 감소시키고(Blumenthal et al., 1999; Dimeo et al., 2001) 재발률을 줄인다(Babyak et al., 2000). 운동이 신경발생을 증가시키는 것으로 나타났기 때문에(van Praag et al., 1999a), 만약 우울증이 억제된 신경발생에 의해 유발된다면, 운동은 우울증을 경감시킬 수 있다. 이런 이유로 가설에 대한 연구 결과를 검토할 필요가 있다. 우울증에 걸리면 감소하는 세로토닌은 신경발생을 증가시키며, 세로토닌의 고갈은 신경발생을 감소시킨다(Banasr et al., 2004). 종종 우울증 발병에 앞서 나타나는 스트레스는 신경발생의 강한 억제제다(Tanapat et al., 2001). 항우울제는 스트레스 유발 신경발생 억제를 차단한다(Czeh et al., 2001; Malberg and Duman, 2003; Santarelli et al., 2003). 항우울제(antidepressant)가 신경발생을 증가시키는지 조사할 필요가 있다. 한 연구에서 항우울제가 한 종류의 설치류 모델의 우울증을 치료하는 데는 성공적이었지만, 방사선에 의해 신경발생이 차단되었을 때는 효과가 없었다(Santarelli et al., 2003). 그러나 또 다른 우울증 모델에서 나온 결과는 이 결과와 달랐다. 쥐들에게 피할 수 없는 전기 충격(inescapable shock)을 가하면, 그래서 매우 강한 스트레스를 유발시키면 해마의 일부인 치상회(dentate gyrus)에서의 세포 증식률을 감소시킨다. 신경발생률의 감소가 우울증을 유발하는 원인이라면, 신경발생을 억제시킨 모든 동물들은 우울증 증상을 보여야 한다. 그러나 단지 일부 동물만이 우울증 증상을 보였다(Vollmayr et al., 2003). 억제된 신경발생과 우울증 사이의 인과관계가 견고하게 확립될 때까지 신경발생이 운동을 통해 우울증 증상을 감소시키는 메커니즘인지 여부는 두고 봐야 한다.

BDNF가 우울증에 어떤 역할을 하는지도 고려되었다(Russo-Neustadt and

Chen, 2005). 운동과 항우울제는 모두 해마에서 BDNF mRNA 발현을 증가시킨다(Russo-Neustadt et al., 2001). 복합 요법은 BDNF mRNA 수준을 기준치보다 높인다. 자발적 운동은 스트레스에 기인한 BDNF 발현 감소를 예방할 수 있다(Adlard and Cotman, 2004). 비록 해마의 한 영역에서 BDNF mRNA 발현 수준과 설치 동물의 우울증 척도 사이에 상관관계가 있지만, BDNF가 우울증 증상을 감소시킬 수 있을지는 아직 명확하지 않다(Russo-Neustadt et al., 2001).

운동에 의해 변화되는 해마의 변수의 수, 운동 중 신경 활동의 증가, 그리고 신경 활동과 신진대사 간의 긴밀한 결합을 고려하면, 운동은 해마의 신진대사에 영향을 미칠 수 있는 것 같다. 몰테니와 그의 동료들(Molteni et al. 2002)의 연구에서는 7일간의 운동 끝에 시토크롬 산화 효소 13개 하위요소 가운데 IV, V, VI, VIII 4개 하위요소에 대한 유전자의 발현량이 미미하게 증가한 것으로 나타났다. 이와는 대조적으로, 시토크롬 산화 효소 13개 하위요소 가운데 I, II, III 3개 하위요소는 3주 동안 운동한 수컷 쥐에서 발현량이 감소하였다(Tong et al., 2001). 13개의 하위요소의 기능 효소를 형성하기 위해 조정된 방식으로 증가해야 한다. 효소의 증가 여부를 조사하기 위해 우리는 시토크롬 산화 효소 반응성(reactivity)을 측정했다. 6개월 동안 쳇바퀴 돌기가 선조체의 운동 피질과 사지 부위의 대사량을 증가시켰지만, 해마에서 시토크롬 산화제 반응도를 변화시키지는 않았다(McCloskey et al., 2001). 운동 후에 짧지만 길지 않은 해마의 신진대사량 증가 또는 일부 하위요소의 유전자 발현 변화가 효소 농도의 변화를 나타내지 않는다. 우리는 또한 운동이 해마 모세혈관 밀도를 증가시키는지 조사하기 위해 러닝머신 훈련을 사용해 왔다. 민감한 측정뿐만 아니라 소뇌의 모세혈관 밀도를 증가시키는 매개변수와 유사한 러닝머신 훈련 매개변수를 사용(Isaacs et al., 1992)했지만, 우리는 러닝머신 보행 후 해마에서 모세혈관 밀도에 변화를 발견하지 못했다(출판되지 않은 관찰). 비록 운동은 신진대사와 관련된 유전자의 발현을 변화시키지만, 유전자 발현의 변화가 해마의 신진대사 속도 변화를 반영한다는 증거는 없다.

운동은 해마를 여러 위험요소로부터 보호할 수 있다. 앞에서 우리는 운동이 국소 빈혈증으로 인한 죽음으로부터 선조체의 신경세포를 구했다고 언급하였다(Stummer et al., 1994). 동일 연구에서, 15분 동안 국소 빈혈이 지속된 후에 운동을 한 게르빌루스쥐는 해마의 CA3 하위 지역에 있는 신경세포의 50%가 생존한 반면, 통제 게르빌루스 쥐에서는 단지 10%의 신경세포만이 살아남았다. 국소 빈혈의 피해를 모면한 부위는 CA3으로 제한되었고, 특히 국소 빈혈에 취약한 해마의 하위 지역인 CA1에서는 볼 수 없었다.

국소 빈혈 손상의 메커니즘처럼 발작(seizure)은 과도한 칼슘 유입과 같은 해로운 사건을 유발하는 세포 탈분극(cellular Depolarization)으로 이어진다. 장기간의 운동은 발작을 일으킬 수 있는 전기 자극에 대한 저항력을 키운다(Arida et al., 1998). 한 달 동안 달리기를 많이 한 쥐들은 적게 달린 쥐들과 달리지 않은 쥐들에 비해 흥분독소(excitotoxin)인 카인닌산(kainic aicd)을 전신 주사(systemic injection)한 후 간질 지속 상태가 될 가능성이 낮았다(출판되지 않은 관찰). 이러한 연구들은 운동이 발작 저항력을 만든다는 것을 시사한다. 발작 이후 운동을 한 동물들은 운동 이후 자발적 발작의 빈도가 낮았고, 그 효과는 운동이 중단된 후 적어도 45일 동안 지속되었다(Arida et al., 1999). 몇몇 연구는 흥분독소에 노출되어도 살아남는 해마 세포의 수를 조사했다. 도모산(domoic acid)을 주입한 후 러닝머신에서 달리도록 훈련된 쥐들은 해마에서 세포 손실을 덜 입었다(Carro et al., 2001). 그러나 카인산이 해마에 직접 주입되자 암컷 쥐의 운동이 세포 손실을 악화시키는 것으로 나타났다(Ramsden et al., 2003). 만약 서로 상이한 실험 결과가 약물 투여(drug administration) 경로의 차이와 관련이 있다면, 발작으로부터 보호하는 운동의 체세포 효과를 일부 설명할 수 있다.

요약하자면, 운동이 해마 의존적인 공간 학습에 영향을 미친다는 연구 결과들은 연구자들로 하여금 해마의 많은 다른 변수에 대한 운동의 영향을 조사하게 했다. 운동 효과로는 전달물질 수용기의 변화, 성장 인자 발현, 세포 증식 및 생존, 국소 빈혈 후의 신경세포 생존 등이 있지만 신진대사 능력의 상향 조절이나 모세혈관 밀도 증가는 없다. 운동에 반응하여 변화하는 것으로 나타나는 변수 중, BDNF 증가는 운동이 공간 작업 및 참조기억 개선에 하는 역할을 뒷받침하는 가장 실험적인 증거라 할 수 있다.

어떤 조건이 통제조건인가?

많은 연구자들은 운동보다는 통제가 오히려 실험 처치 조건(treatment condition)일 수도 있다고 생각한다. 실험실은 야생 쥐의 전형적인 생활을 모방하지 않는다. 야생 쥐는 자유롭게 돌아다닐 수 있고, 위험에 직면하고, 먹이를 찾아다니고, 무리를 지어 군집 생활 등을 하고, 이러한 활동들 중 다수는 격렬한 육체 활동을 수반한다. 통제 집단 대조군 설치류는 대신 운동이나 학습의 기회가 없는 크고 깨끗한 통에 산다. 앞에서 설명한 연구 결과를 운동 효과 또는 운동 부족의 영향이라고 설명할 수도 있다. 그렇지만 분명한 것은 뇌가 신체 활동의 수준에 반응한다는 것이다. 현대 사회의 사람들은 대부분 앉아 있고 신체 활동이 많지 않다. 현대인의 생활 패턴은 마치 실험실의 통제 집단 쥐들의 환경과도 유사하다. 그래서 어쩌면 움직임이 많지 않은 통제조건이 오히려 실험 조건이어야 하지 않을까도 생각하게 한다.

노화에 대처하는 제언

운동이 신경조직에 미치는 효과에 관한 많은 연구가 뇌를 대상으로 이루어졌다. 단지 몇몇 연구만이 나이와 운동이 말초신경에 미치는 영향을 조사하였다. 생후 17개월에서 27개월 사이의 쥐들은, 즉 나이가 들은 쥐들은 비복근을 자극하는 말초신경의 축삭 섬유(axonal fiber)의 수, 축삭 직경(diameter) 및 섬유 밀도가 감소했다(Kanda and Hashizume, 1998). 10개월 동안 일주일에 세 번 하루에 30분씩 수영하는 동물에서는 나이와 관련된 말초신경의 감소를 볼 수 없었다. 생후 3개월에서 24개월 사이의 생쥐에서는 하루에 2시간씩 쳇바퀴를 달리는 것이 감각 신경인 후경골(posterior tibial) 신경의 유수 섬유(myelinated fiber)의 수를 변화시키지 않았고, 이 수는 앉아 있는 늙은 생쥐에서 감소하는 것과 비교하면 엄청난 수의 말초신경이 유지되고 있는 것이다 (Samorajski and Rolsten, 1975). 따라서 노화에 있어서, 운동은 체성감각 말초 신경을 보호하는 데에 중요한 역할을 하고, 결국은 중추신경계에 의해 처리될 체성감각 입력의 질에 영향을 준다.

많은 연구를 통해 운동은 나이 먹어감에 따른 중추신경계에서의 변화를 예방하거나 그 변화의 속도를 늦출 수 있다는 사실을 알 수 있다. 운동은 노화와 관련된 소뇌의 세포 손실, 선조체에서 대사물인 도파민 수용체에서의 노화와 관련된 변화 및 해마의 아세틸콜린 수용체 밀도의 변화를 감소시키거나 예방하는 것으로 나타났다. 마찬가지로 운동은 자발적인 활동에서 나이와 관련된 감소를 줄이는 것으로 밝혀졌다. 비교적 적은 수의 연구들이 장기간의 비교를 수행했지만, 장기간 수행한 연구들은 일반적으로 운동이 뇌의 노화를 지연시킨다는 점을 시사한다.

최근 원숭이의 피질 두께에 대한 조직적 측정과 함께 젊은이와 노인의 자기공명영상 체적 측정(magnetic resonance imaging volumetric measures, Salat et al., 2004)은 주요 피질과 연관된 피질 모두 나이가 들면서 얇아진다는 것을 시사한다(Peters et al., 1996, 2001). 심혈관 건강은 전두엽, 두정엽, 측두엽의 뇌 조직 손실과 관련되는 것으로 나타났다(Colcombe et al., 2003). 운동이 풍부한 감각과 운동 경험, 혈류 개선 및 신경 통합의 보존을 지원한다면, 피질 두께는 나이가 들어도 운동으로 유지될 수 있다. 아직 충분히 연구되지는 않았지만, 운동은 피질 두께를 증가시키고, 연령에 따른 뇌 변화를 예방하고, 좋은 방향으로 뇌 기능을 향상시킬 가능성이 매우 높다(Greenough, 1984; Anderson et al., 2002).

결론

운동으로 유도된 뇌의 가소성은 뇌 영역 여러 곳에서 나타난다. 이것은 해마뿐만 아니라 많은 운동 영역에서 발생한다. 게다가 우리는 운동이 근육과 심혈관계에 영향을 미친다는 것을 알고 있다. 이러한 이유로 운동이 학습률에 미치는 효과가 특정 관련 뇌 기능에만 영향을 주기 때문이라고 단언적으로 결론을 도출할 수 있는 연구를 수행하기란 매우 어렵다. 신체 단련(physical fitness) 차이가 서로 다르게 뇌에 영향을 준다는 연구도 있지만, 이런 연구에서 모든 잠재적 혼입 변인이 제거된 것은 아니라서 이런 결론을 그대로 받아들이기는 쉽지 않다. 예를 들어 수영하는 동안 쥐가 에너지 수요에 반응하는 용이성(ease)은 과제를 해결하기 위해 이용할 수 있는 인지 자원 또는 선택한 전략에 영향을 미칠 수 있다. 학습에 있어 운동과 관련된 향상에 대한 가장 설득력 있는 연구는 운동이 조건반사(conditioned reflex)에 영향을 미친다는 보고이다(Baruch et al., 2004). 운동은 자극에 대한 일반적인 반응이나 민감도에 영향을 주지 않았고, 모든 종류의 학습에도 영향을 미치지 않았다. 단지 해마에 의존하는 조건화의 일종인 환경 공포 조건화만이 강화되었다.

앞에서 우리는 운동이 걷기와 달리기 관련 신경 활성화 증가를 통해 뇌에 영향을 미친다는 내용을 다루었다. 이 가설은 운동에 대한 반응으로 가소성이 국지화(localized)될 수 있다고 가정한다. 소수의 연구만이 동물들 내의 여러 영역을 측정하였다(Stummer et al., 1994; Neeper et al., 1996; Chennaoui et al., 2001; McCloskey et al., 2001; Lambert et al., 2005). 비록 확인되지는 않았지만, 가소성 데이터는 운동에 의한 가소성은 심혈관 및 호르몬 시스템에 대한 운동 효과의 간접적인 결과로만 생성되는 것이 아니라 개별 뇌 구조에서 신경 활동이 증가한 직접적인 결과라는 가설과 일치한다.

앞서 검토한 연구로부터 우리는 운동이 두뇌 내의 많은 다른 변수들을 변화시킨다고 결론지을 수 있다. 게다가 운동은 영역별로 선별적인 방식으로 많은 변인들을 변화시킨다. 논의된 연구의 대부분은 고령 동물이 아닌 성인 동물에서 나온 것이었다. 운동의 일반적인 호르몬과 심혈관 효과는 기술된 모든 효과를 설명할 수 없고, 따라서 성인 동물에서 운동으로 인한 인지적 이익만을 설명할 가능성은 없어 보이지만, 일반적인 효과는 노화 중에 보이는 인지적 효과에 더 두드러진 역할을 할 수 있다. 노화가 진행되는 동안 혈관 건강, 내분비 조절, 온도 조절 및 말초신경 등이 모두 변화한다. 따라서 특정 신경계에 대한 운동 효과는 노화에 따른 운동의 인지적 효과를 뒷받침하기 위해 더 광범위한 연령 관련 변화와 상호작용할 수 있다. 이러한 점을 염두에 두고, 운동이 나이 든 동물에게 미치는 영향에 대한 더 많은 연구가 이 개체군에서 운동이 인지적 개선에 영향을 미치는 메커니즘을 이해하는 데 도움이 될 것이다.

6

일생에 걸쳐서 나타나는 신체 활동과
인지신경기능의 관련성

찰스 H. 힐먼Charles H. Hillman, PhD | 일리노이 대학교 어바나–샴페인, 운동 및 지역보건학과
사라 M. 벅Sarah M. Buck | 시카고 주립 대학교, 보건 체육 및 레크레이션학과
제이슨 R. 테만슨Jason R. Themanson | 일리노이 웨슬리언 대학교, 심리학과

최근 몇 년 동안 신체 활동(physical activity)과 인지(cognition) 사이의 관계에 대한 관심이 증가하고 있다. 연구자들은 건강 증진 및 효과적인 기능과 관련된 요소들을 잘 이해하기 위해 이 관계의 정확한 본질을 밝히기 위해 노력하고 있다. 인지 건강과 기능의 문제는 특히 생의 후반기에 있는 개인과 관련이 있다. 현재, 나이가 들어감에 따라 생기는 인지기능의 일반적이고 선택적인 감소를 보여 주는 많은 증거들이 있다. 노화가 진행되는 동안 생기는 인지기능 손실을 개선하거나 보호할 수 있는 생활방식 요인에 대한 연구는 다양한 건강 관련 분야에서 연구자들과 실무자들 사이에서 관심을 얻고 있다.

신체 활동 개입(intervention)을 특히 잘 받아들이는 인지의 한 측면은 집행 통제이다(Colcombe & Kramer, 2003 참조). 연구자들은 많은 인지 과정들이 유산소 운동 참여에 의해 영향을 받는다고 설명하고 있다. 흥미롭게도 노인들은 다른 유형의 인지에 비해 집행 통제에서 불균형적인 감소를 보인다. 집행 통제의 감소를 예방하는 생활방식 요인을 밝히는 것이 특히 중요하다. 따라서 이 장의 한 가지 목적은 집행 통제와 관련된 문헌을 검토하고 이러한 인지 측면에서 노화의 관계를 설명하는 것이다.

인지의 행동적 측정방식을 넘어, 신체 활동 참여에 의해 영향을 받는 정보처리와 관련된 기능적 신경해부학(neuroanatomy)과 특정 인지 처리를 보다 자세히 알아보기 위해 신경 영상법(neuroimaging)을 기반으로 하는 문헌이 점점 더 늘어나고 있다. 이러한 척도 중 하나는 특정 인지 처리와 관련된 신경전기(neuroelectric) 활성화를 나타내는 사건 관련 뇌 전위(event-related brain potentials, ERPs)이다. 이 장의 주요 초점은 신체 활동이 인지의 ERP 색인(index)에 미치는 영향을 조사하는 것이다. 이러한 관계를 검토하기 위해 많은 다른 신경 영상 및 행동 기법들이 사용되고 있지만, 이 기법들은 이 장의 범위를 벗어나므로 광범위하게 자세히 논의되지 않는다(다른 신경 영상법은 Kramer & Hillman, 2006 참조).

신체 활동이 뇌와 인지기능에 미치는 영향에 관심을 돌리기 전에, 우리는 신체적 활동이 노년기에 개인의 인지 건강 및 효율적인 기능을 증가시키는 데 적합할 수 있는지에 대한 근거를 제공하기 위해 집행 통제, 인지 노화 및 신경전기 체계를 다룬 문헌적 배경을 다루고자 한다. 그 다음 우리는 신체 활동 참여가 사춘기 이전의 어린이들의 인지 건강 및 기능과 관련이 있다는 증거를 최근 우리 실험실에서 얻었기 때문에, 신체 활동 개입이 생애 초기에 제공되어야 한다는 주장을 제기한다. 이 장에서는 지금까지 행해진 실증연구(empirical research)의 한계에 대한 논의와 향후 연구에 대한 몇 가지 방향을 제시하고 마무리하고자 한다.

집행 통제

'집행 통제(Executive Control)'라는 용어는 지각, 기억 및 행동을 담당하는 계산 과정(computa-tional processes)의 선택(selection), 계획(scheduling) 및 조정(coordination)과 관련된 하위 과정을 설명하기 위해 사용되었다(Meyer & Keiras,

1997; Norman & Shallice, 1986). 집행 과정은 의식 선상에서 이루어지며, 이들이 조직하는 과정과 기능이 구별되고, 이용 가능한 자원이 제한되어 있다 (Rogers & Monsell, 1995). 이러한 특성 때문에, 집행 과정이 필요한 과제는 시간이 지나도 습관화되거나 자동화되지 않는다.

집행 통제의 이론적 모델 중 하나(Norman & Shallice, 1986)는 인지 처리 및 행동 집행에 대한 하향식 접근법을 가정한다. 이 모델은 여러 하위 시스템들이 상호작용하고, 경쟁 계획(contention scheduling)과 주의 감독 시스템 (supervisory attentional system, SAS)이라는 두 가지 별개의 메커니즘의 통제하에 있다고 제안한다. 경쟁 계획은 낮은 수준의 거의 자동적으로 일어나는 하위 시스템으로 목표를 달성할 때까지, 혹은 경쟁 도식(schema), 혹은 감독 통제에 의해 억제될 때까지 활성화되어 있는, 매우 능숙하도록 학습된 활동 도식을 자동으로 선택한다. 따라서 과제(과제 세트 또는 과제 도식)에 대한 적절한 대응의 채택에는 일반적으로 집행 메커니즘이 개입되지 않는다. 대부분의 경우, 적합한 과제 세트는 경쟁 계획 과정을 통해 자동적으로 선택된다. 그러나 과제가 새로운 과제이거나 복잡할 경우, 원하는 행동을 제어하기 위해 과제 도식 또는 과제 세트를 사용할 수 없는 경우도 있다. 이러한 경우 추가적인 제어를 위해 SAS를 사용한다(Norman & Shallice, 1986). SAS는 경쟁 계획을 통해 자동적으로 선택된 도식을 버리고 다른 경쟁 도식을 선택하기 위해 특정 경쟁 도식을 억제 또는 활성화를 증가시키는 방식으로 작동한다. 이러한 방법으로 개별적인 하위 인지 처리는 과제의 현재 요구와 목표를 충족시키기 위해 재구성될 수 있다. 그러므로 SAS는 선택 과정을 조절(modulate)하거나 편향(bias)시키거나, 심지어 다시 시작하는 주의 통제 과정이며, 주로 집행보다는 시작(initiation)과 관련이 있다(Norman & Shallice, 1986).

인지 통제

집행 통제의 틀 안에서 자신의 생각, 행동, 감정의 실시간 구현(online imple-mentation)이 이루어지는데, 이를 흔히 인지 통제(Cognitive Control)라고 일컫는다. 즉 인지 통제는 지각, 선택, 편향적인 반응 및 상황 정보의 실시간 유지 관리(online maintenance)를 담당하고 있는 집행 과정의 하위 집합이다 (Botvinick et al., 2001). 그러므로 인지 통제 과정은 종종 이론적 모형의 "중앙 집행(central executive)"과 관련된다. 이 중앙 집행부는 인지 시스템의 적응성(adaptability)을 담당하며, 종종 SAS와 유사하게 설명된다(Baddeley, 1996; Norman & Sallice, 1986).

그러나 인지 통제 과정은 단일 시스템이 아니다. 인지 시스템이 환경에 적응한다는 의미는 두 가지로 해석할 수 있다. 첫 번째 의미는 개인이 환경과 상호작용을 할 때 통제의 영향을 증가시키는 측면이다. 두 번째 의미는 강화된 통제가 적절한 상황에서 실행되거나 개입하게 되는 방식에 대한 것이다. 이러한 문제를 해결하기 위해 연구자들은 기능적으로 연결되지만 분리할 수 있는 인지 제어 시스템(system of cognitive control)이 적어도 두 가지가 있다고 제안했는데, 이는 평가(evaluative)와 조절(regulative) 시스템이다 (Botvinick et al., 2001 참조).

인지 통제의 평가 체계는 정보처리 과정 중 발생하는 충돌 사례를 모니터한다. 보다 구체적으로 평가 체계는 정보처리 과정 중 발생하는 충돌 사례를 모니터해서 정보처리 기관(processing center)에 신호를 보낸다(Botvinick et al., 2001). 이를 통해 해당되는 정보처리 기관은 과제의 요구에 대해 잘 반응하기 위해 필요한 보상적 조정(compensatory adjustment)을 하향식 제어의 방식으로 실행한다. 뇌영상 연구는 전대상피질(anteior cingulate cortex, ACC)이 평가 시스템과 충돌 신호 및 감지에 관여한다고 제시한다. 가장 주목할 만한 것은 ACC 활성화는 인지 통제가 약할 때 가장 크게 나타난다는 점이다(Botvinick et al., 1999; Carter et al., 2000). 더 나아가 약한 인지 통제와 더불어 ACC 활성화 증가는 후속 행동의 개선에 필요한 전략적 처리 과정을 보다 강하게 끌어들이려는 통제 조정 신호를 보여 주는 것일 수 있다(MacDonald et al., 2000).

조절 체계는 진행 중인 정보처리에 하향식 통제를 가한다. 즉, 자극 환경 내에서 과제 관련 상호작용을 전략적으로 지지할 수 있는 유연한 조정(flexible adjustment)이 가해진다. 이런 조정을 통해 과제 요구에 따른 개선된 표상과 활성화된 주의를 유지하고 관리하는 것이 가능하게 된다. 뇌영상 연구들은 이러한 조절적 지원이 부분적으로 배측 전두엽 피질(dorsolateral prefrontal cortex, DLPFC)에 의해 제공될 가능성이 있음을 보였다(MacDonald et al., 2000). 따라서 인지 통제와 관련된 이 두 구성 요소는 성능을 최적화하기 위해 부분적으로 부적 피드백 루프(negative feedback loop)를 통해 상호작용한다(MacDonald et al., 2000). 이 루프에서 DLPFC는 과제 관련 행동에 대한 인지를 통제한다. ACC는 과제 실행 중 발생하는 충돌을 관찰하고 충돌이 발생할 경우, 통제가 필요하다는 신호를 관련된 정보처리 기관에 보낸다. 또한 DLPFC는 충돌 신호에 대해 이후 환경과의 행동에 대한 상호작용을 개선하기 위해 통제를 상향 조절하기도 한다.

인지 노화

노화와 함께 뇌 구조와 기능에 변화가 온다. 신경생물학(neurobiology)에서 연령과 관련된 변화와 함께 영향을 받는 뇌 구조는 관련된 인지기능에 변화가 일어난다. 연령과 관련된 뇌 구조 변화의 원인은 뇌 부피 감소와 심실(ventricular)의 확대이다(Davis & Wright, 1977). 뇌의 부피 감소는 회백질(gray matter)의 부피 감소 때문이다(Salat et al., 2004). 그러나 시냅스 수 감소와 수상돌기(dendritic process)의 위축과 관련이 있는 백질(white matter)의 감소 또한 나이가 들어감에 따라 명백하다(West, 1996). 노화에 따른 신경전달물질 기능의 변화도 관찰되었다. 최근 증거는 연령과 관련된 감소가 성인기 초기에 시작되며, 성인기 후반에는 이러한 손실이 가속화된다는 점을 시사한다(Fotenos et al., 2005). 연령과 관련된 쇠퇴가 여러 뇌 구조에서 관찰되었지만(Raz, 2000), 두 개의 뚜렷한 해부학적 회로(anatomical circuit)에서 상당한 감소가 확인되었다. 첫 번째는 전두엽 피질(frontal cortex)과 기저핵(basal ganglia)을 포함하고 있으며, 다른 하나는 해마의 형성과 그와 관련된 중앙 측두엽(medial temporal lobe) 구조를 포함한다(Buckner, Head, & Lustig, 2006). 따라서 이러한 뇌 구조에 의해 유지되는 기능은 특히 인지 노화(Cognitive Aging)에 취약하다는 것이 밝혀졌다.

젊은 성인에 비해 노인들은 시공간 및 언어기억(Park et al., 2002), 작업기억(Hasher & Zacks, 1988), 장기기억(Zacks & Hasher, 2006), 주의력(Kramer & Kray, 2006) 및 집행 통제(Kramer et al., 1994)와 같이 많은 인지 처리 과정을 요구하는 다양한 과제에서 수행 결손(performance deficit)을 보인다. 따라서 나이와 관련된 뇌 구조와 기능의 변화는 생애 후반기에 일반적인 인지기능 감소로 이어지는 것으로 보인다. 그러나 크레이머와 그의 동료들(Kramer et al., 1994)은 과제 구성 요소에서 집행 통제를 요구하는 경우, 인지능력의 결손이 불균형적으로 더 큰 것을 지적하였으며, 따라서 인지 노화는 모든 하위 인지 기능에서 동일한 수준으로 수행결손이 일어나지 않는다고 지적했다. 더 나아가 특정 집행 기능은 다른 집행 기능들보다 나이와 관련된 감소에 더 취약하다. 전두엽이 다른 뇌 부위보다 나이 듦에 따라 더 큰 기능 손실을 보이는 것을 고려해 보면(Haug & Egers, 1991), 이 부위의 영향을 받는 처리 과정들이 나이가 들면서 더 심하게 손실을 보일 것이라는 사실을 쉽게 짐작할 수 있다. 뎀스터(Dempster, 1992)는 인지 발달에서 전두엽의 역할을 고찰했는데, 생애 후반기에 전두엽은 혈류 감소, 무게 및 피질 두께의 현저한 감소 등을 보인다고 지적하였다.

구체적으로는 크레이머와 그의 동료들(Kramer, Hahn, & Gopher, 1999; Kramer et al. 1994)은 노화가 억제 과정에 미치는 영향을 더 잘 이해하기 위해 여러 가지 집행 통제 검사(예를 들어, 과제 전환, 위스콘신 카드 분류 과제, 부적 점화, 반응 일치, 정지)를 사용했다. 그들의 결과는 특정 과제(예를 들어, 반응 일치, 정지)에서 젊은이들과 성인들에 비해 노인들의 수행 능력(예를 들어, 반응시간 [response time, RT], 오류율)이 떨어진다는 것을 보여 주었으나, 다른 과제(예를 들어 부적 점화)에서는 동일했다. 이는 나이와 관련된 집행 통제 감소가 단일하지 않다는 것을 보여 준다. 이 연구자들은 그들의 결과를 연령과 관련된 수행 결손이 전반적인 억제 통제의 일반적인 실패가 아닌 특정 억제 처리의 실패 때문인 것으로 해석했다. 흥미롭게도 연령과 관련된 가장 큰 수행 능력 차이를 야기하는 과제들은 대부분 전두엽에 의해 영향을 받는 반면 연령과 관련된 차이가 관찰되지 않는 과제들은 뇌의 다른 영역에 의해 영향을 받는다. 노화는 특히 전두엽에 의해 영향을 받는 억제 작용을 손상시킬 수 있다 (Kramer et al., 1994).

　비록 많은 다른 자료들도 전두엽에 의해 유지되는(집행)과제에서 선택적으로 연령과 관련된 감소가 더 크다는 것을 지적하고 있지만, 이 장에서의 목적은 인지 노화에 대해 철저히 검토하고자 하는 것이 아니다. 그러나 노년기에 나타나는 인지 수행 능력의 감소, 그리고 더 나아가 특정 뇌 영역에 의해 영향을 받는 과제들에서 불균형하게 나타나는 감소는 이번 장과 밀접하게 관련되어 있다. 따라서 여기서 설명한 것과 같이, 신체 활동이 인지 노화에 미치는 영향을 조사한 문헌에 대한 한 가지 지침은 전두엽이 관여하는 과제(또는 과제 구성 요소)는 다른 뇌 영역에 의해서도 영향을 받으며, 인지 노화 징후가 적은 과제와 비교하여 특히 건강 및 기능 증진를 촉진하는 생활방식 요인에 의해 반응할 수 있다는 것이다. 우리가 기술하는 연구는 신경전기 체계에 국한되어 있다. 인지기능에 대한 일반적이고 선택적인 신체 활동 영향을 다루는 문헌(Colcombe & Kramer, 2003 참조)과 비교해 신경전기 시스템을 다룬 문헌은 상당히 적다. 따라서 본 장의 목표는 다양한 양의 집행 통제가 필요한 과제를 수행하는 중 신체 활동 참여와 신경전기 인지 결합체 사이의 관계를 자세하게 고찰하여 신체 활동이 인지 노화에 미치는 일반적이고 선택적인 영향에 대해 잘 이해할 수 있도록 하는 것이다.

신경전기 측정

뇌파 전위 기록(electroencephalographic)의 활성화는 두피의 여러 영역 사이의 전위 차이를 기록한 것이다. 전극이 두피에 부착되면, EEG는 많은 수의 신경세포들이 동시에 발화하는 활동을 반영한다(Hugdahl, 1995). 개별 신경세포의 양극은 수직에 위치하도록 두피에 부착되어야 검출된다(Luck, 2005). 따라서 EEG 측정은 피질 표면에 수직으로 정렬된 외피 추체골 세포(cortical pyramidal cell)에서 발생할 가능성이 가장 높다(Luck, 2005). 이러한 유형의 측정은 인지기능 평가에 오랫동안 사용되어 왔으며, 최근에는 신체 건강과 인지기능 사이의 유익한 관계에 바탕을 둔 잠재적인 생리적 메커니즘을 식별하기 위해 사용되고 있다. 특히 EEG 활성화의 한 종류인 ERPs는 운동의 효과에 민감한 것으로 나타나며(Polich & Lardon, 1997), 자극이나 사건 발생과 관련된 신경전기 활동의 변동을 나타낸다. 사건 관련 전위(event-related potential)는 외생적(exogenous, 예, 자극을 유도하는 물리적 특성에 의해 결정되는 의무적인 반응) 또는 내생적(endogenous, 예, 피험자의 적극적인 참여를 요구하는 경우가 많지만 자극 환경의 물리적 특성과는 독립적인 상위 수준의 인지 과정)인 것으로 분류될 수 있다. 신체 활동과 신경인지에 관한 이전 연구의 방향을 고려할 때, 이 장은 ERP의 내생적 요소에만 초점을 맞춘다.

자극에 고정된(stimulus-locked) ERP 성분은 파형을 따라 극성(부적 또는 정적으로 편향된 파형)과 파형이 나타나는 순서에 따라 이름이 지정된다. 시각 자극에 대한 일반적인 ERP는 공간주의(spatial attention)의 측면에 관련된 조기 성분(P1, N1, P2)과 인지기능의 다양한 측면과 관련된 후기 성분(N2, P3 또는 P3b)과 함께 몇 가지 성분의 복합체로 구성된다(예를 들어, 이상 자극 탐지, 작업 기억: Luck, 2005). 자극에 고정된 ERP 성분에 대한 자세한 설명은 콜스와 러그(Coles and Rugg, 1995)의 리뷰 논문를 참조하기 바란다.

오류와 관련된 부적 파형의 뇌파인 ERN(error-related negativity)과 오류 긍정(error positivity, Pe)을 포함하는 반응에 고정된 뇌파 구성 요소는, 각각 행동 감시와 오류 인지의 신경적 상관과 관련이 있는 것으로 여겨진다. ERN은 잘못된 반응이 발생한 직후에 전면 및 중앙 전극 부위에서 나타나는 부적 파형이다. Pe는 잘못된 반응 후 약 300ms 후에 중앙두정(centralparietal) 위치에서 발생하는 정적으로 편향된 파형이다. 신체 활동, 신체 건강 또는 둘 다 P3, ERN 및 Pe를 포함한 ERP 파형의 다양한 구성 요소의 변화와 관련이 있는 것으로 보인다.

노년기에 집행 통제의 불균형적인 손실에 대한 간략한 설명뿐만 아니라 인지 노화를 개선하거나 보호할 수 있는 요인들을 더 잘 이해할 필요가 있는 근거를 제공하기 위해 우리는 이 장의 나머지 부분에서 신체 활동과 신경인지 간의 관계를 검토하고자 한다. 우리는 먼저 자극-고정 ERP에 관한 문헌을 검토한 후 이를 통해 신경전기 시스템에 초점을 맞추고자 한다. 끝으로, 우리는 인지 개선을 위한 확장된 연구에 대해 논하고자 한다.

신체 활동이 자극-고정 ERP에 미치는 영향

이 부분에서 우리는 간단한 변별 과제(discrimination task)를 사용하여 연구에서 가장 일반적으로 조사된 P3 성분(P300 또는 P3b라고도 함)에 초점을 맞춘다. 신경전기와 관련된 문헌은 P3에 나타난 노화 관련 쇠퇴를 강하게 뒷받침해 주었다. 그러나 성인 모집단을 통한 많은 연구가 신체 활동과 P3 지속시간 감소, 그리고 신체 활동과 P3 진폭 증가 간의 정적인 관계를 보여 주었다.

P3 성분

P3는 과제의 복잡성 및 실험 집단의 개별 특성에 따라 자극이 제시된 이후 약 300-1000ms에서 최고점에 정적으로 편향되는 ERP 성분이다(Sutton et al., 1965). 정보처리 측면과의 관련성 때문에 이 내생적인 성분은 문헌에서 상당한 관심을 끌었다. P3는 다양한 과제와 패러다임을 사용하여 기록될 수 있지만, P3는 일반적으로 오드볼 과제(Oddball task)와 같이 길고 무작위순으로 제시되는 두 자극을 구분해야 하는 단순한 변별 과제를 이용해 측정한다. 피험자는 서로 다른 확률로 발생하는 한 가지 또는 두 가지 자극 모두에 반응해야 한다(Polich, 2004 참조).

ERP 구성 요소인 P3는 신경 회로 및 생성기(generator)의 네트워크를 반영할 가능성이 있기 때문에 P3 반응을 매개하는 정확한 신경 조직(neural tissue)은 알려져 있지 않다. 그러나 드물거나 경고 자극에 반응하여 더 큰 전두엽 활성(frontal lobe activity)을 보여 주는 ERP(예, P3a)와 기능적 자기공명영상(fMRI) 연구(Polich, 2004)를 통해, 주의집중을 요하는 변별 과제는 전두엽 활성화(Posner, 1992; Posner & Petersen, 1990)를 유도하는 것으로 추정된다. ACC는 자극 환경의 작업기억 표상이 변화할 때 활성화되며, 이는 자극 유지(예, 기억 저장)를 위해 하측두엽(inferotemporal lobe)에 신호를 보낸다. P3(예, P3b) 성분은 자극 평정(stimulus evaluation) 후 후속 기억을 갱신(update)하기 위해 주의력 자원을 배정할 때 나타난다. 이는 해마 형성(hippocampal formation)에서 시작된 기억 저장 작업이 일반적으로 P3가 두피에서 최대 진폭을 보이는 두정엽 피질로 옮겨갈 때 발생하는 것으로 생각된다(Squire & Kandell, 1999; Knight, 1996). 따라서 P3 발생의 기저에 있는 신경전기 사건은 작업기억에 있는 내용에 대한 주의 통제를 조종하기 위해 전두엽과 해마/측두-두정엽 기능

(Knight, 1996; Polich, 2004) 간 상호작용에서 발생한다(Polich, 2004).

P3는 자극 관여(stimulus engagement)와 관련된 정보처리(information processing) 측면을 조사하기 위해 광범위하게 이용되었다. 즉, P3는 일단 감각 정보가 분석되면 자극 환경의 맥락을 갱신하는 동안 작업기억 작동에 관련된 주의 자원의 배정을 나타낸다고 가정되었다(Donchin, 1981; Donchin & Coles, 1988). P3 성분의 진폭은 자극 환경의 신경 표상에 일어나는 변화를 반영한다고 간주되며, 환경 및 주어진 자극이나 과제를 수행하는 데 필요한 주의 자원의 양에 비례하므로 주의력 할당이 커지면 P3 진폭이 증가한다(Polich & Heine, 1996). P3 성분의 지속시간(latency)은 자극 평정 또는 인지 처리 속도를 측정하는 것으로(Duncan-Johnson, 1981), 지속시간이 길어지는 것은 처리 시간이 증가하는 것을 의미한다.

보다 광범위한 집행 통제가 필요한 과제 또는 과제 조건 중 자극 간격이 짧은 패러다임에서 P3 진폭의 감소가 관찰되었다. 예를 들어, 플랭커(Flanker) 과제 조건에서 젊은 성인과 노인 모두 일치 조건에 비해 불일치 조건에서 P3 진폭이 더 작은 것으로 나타났다(Hillman et al., 2004; Hillman, Snook, & Jerome, 2003). 이는 불일치 조건에서 간섭 통제(interference control)의 필요성이 증가하고 P3 성분의 생성을 담당하는 메커니즘의 기저가 되는 회복기(recovery cycle)에 가해지는 추가적인 요구 때문이다(Gonsalvez & Polich, 2002). 플랭커 과제에서 피험자는 일렬로 정렬된 자극에서 표적 자극을 구분해야 하는데, 이때 자극들은 각기 다른 반응과 연관되어 있다. 일치(예, HHHHH)와 불일치(예, HHSHH) 조건 간 반응 정확도와 속도의 차이가 관찰되었으며, 전자가 후자보다 빠르고 정확한 반응을 보인다(Eriksen & Schultz, 1979). 불일치 과제는 과제와 관련이 없는 자극들을 억제하고 정확한 반응을 실행하기 위해 더 많은 억제 통제(집행 통제의 한 측면)를 필요로 한다. 구체적으로, 플랭커 자극은 잘못된 반응을 활성화시키고, 이것은 자극의 중앙 배치된 목표 자극에 의해 유도된 정확한 반응과 경쟁한다(Spencer & Coles, 1999).

다른 연구는 자극 확률(stimulus probability)을 조작하고 다양한 반응 억제를 요구하는 'Go/NoGo' 과제를 수행할 때 P3 진폭의 위치적(topographic) 차이를 입증했으며, 최대 진폭은 Go 조건에서는 두정(parietally)에서, NoGo 조건에서는 앞쪽 중앙(frontocentrally)에서 관찰되었다(Tekok-Kilic, Shucard, & Shucard, 2001). NoGo 조건이 우세한 반응을 억제해야 하기 때문에 더 많은 양의 억제 통제(inhibitory control)를 요구한다는 점을 감안할 때, 이러한 결과는 P3 진폭이 다양한 집행 통제를 요구하는 과제 조건에 민감하다는 것을 재강조한다. 더 나아가 이러한 연구 결과는 더 큰 집행 통제를 요구하는 과제 중에 주의와 관련된 신경전기 자원을 할당하는 데 있어서 결손이나 비효율성(예, 두피에서 줄어든 진폭 또는 변화)을 반영한다. 젊은 성인과 노인에게서 더 많은 집행 요구가 필요한 과제에서 P3 지속시간이 더 긴 것으로 나타났기 때문에 P3 지속시간은 집행 통제를 실행하는 중 정보처리에서 나타나는 신경인지 결손을 표시(index)하는 데 사용할 수 있다(Hillman et al., 2004, 2006). 이러한 강력한 결과는 P3 지속시간이 과제 요구와 관련된 인지 처리 속도의 변화를 측정한다는 것을 보여 주며, 더 많은 양의 집행 통제가 필요한 과제에서 신경전기 체계의 효율성이 감소한다는 것을 시사한다(Hillman et al., 2006; Zeef et al., 1996). 이러한 결과를 고려할 때, 실험 조작 전반에 걸친 수행 능력에 명시적인 변화가 없는 경우에도 P3는 정보처리에서 암묵적 변화(covert alteration)를 이해하는 데 유용한 도구로 간주된다.

노화와 P3

신경전기에 관한 문헌에서 가장 강력한 발견은 P3 성분 표현에 있어서의 연령 관련 결핍(deficit)이다(Fabiani & Friedman, 1995; Fabiani, Friedman, & Chen, 1998; Picton et al., 1984; Polich, 1997). 픽턴과 그의 동료들(Picton et al., 1984)은 연령대가 다른 피험자들(20-79세, 10년마다 12명씩)로부터 P3를 유도하기 위해 청각 자극을 이용했다. P3 진폭은 연령에 따라 매년 0.18마이크로볼트(μV) 속도로 감소하였고, 두피의 정점(vertex)에서 연령과 관련된 진폭의 감소를 보이는 부위는 전두엽이었다. 따라서 노화를 수반하는 두피에서 전극 부위 전반에 걸친 유사성은 인지기능의 기저가 되는 신경전기 처리의 비효율성과 관련이 있을 수 있다. 다른 연구자들은 P3의 신경 활성화 위치를 알아내기 위해 양극 모델링(dipole modeling) 기법을 사용하였으며, 그 결과 노화가 진행되는 동안 전두엽 관여가 증가한다는 것을 뒷받침했다(Friedman, Simpson, & Hamberger, 1993). 이러한 결과는 젊은 성인들에게는 일반적으로 광범위한 하향식 집행 통제가 필요하지 않는 과제를 수행할 때, 노인들은 보다 많은 양의 집행 통제를 행사할 수 있다는 사실을 시사한다. 따라서 P3 두피 분포에 의해 표시된 인지 처리에서 연령 관련 감소는 신경생물학적 통합성(neurobiological integrity)의 변화를 시사한다. 즉, 노화를 수반하는 두피의 전극 부위에서 관찰된 유사성은 처리의 효율성 감소와 관련이 있을 수 있다. 젊은 성인에 비해 노인의 P3 진폭이 전반적으로 감소한다는 점을 고려하면, 위치적 분포에서 관찰된 유사성 증가는 노인들이 당면한 과제의 요구를 충족시키는 데 도움이 되는 일부 보상(compensatory) 메커니즘으로 인해 생긴 것일 수 있다. 이러한 노화 차이는(전두엽에 의해 유지되는 것으로 나타난) 더 많은 양의 집행 통제가 필요할 때 보다 자주 나타날 것으로 예상된다.

뇌 병변 데이터(brain lesion data)는 노화가 진행되는 동안 전두엽의 차등 활성화(differential activation)를 더욱 뒷받침한다. 구체적으로, 나이트(Knight, 1984, 1997)는 DLPFC에서 병변이 있는 환자와 비병변 대조군 사이의 두피 분포 차를 조사하기 위해 일반적(common: 주로 무시됨), 희귀한(rare: 피험자의 반응이 요구됨), 새로운(novel: 지시를 받지 않음, 과제와 관련성이 없음) 자극을 사용했다. 그 결과는 새로운 조건(novelty condition)에서 대조군 피험자들은 P3 반응이 전두엽(frontally)에 분포되어 있고, 반면에 병변 환자는 다르게 두정엽(parietally)에 분포되어 있는 것을 보여 주었다. DLPFC가 정향 행동(orienting behavior)(Luria, 1973)과 관련이 있기 때문에 나이트의 연구 결과는 DLPFC가 새로운

P3(예, P3a)의 조정이나 생성에 관여하고 있음을 시사한다. 더 나아가 이러한 데이터는 자극 평가 과정에서 전두엽의 중요성을 뒷받침하며, 노화가 진행되는 동안 이 영역이 쇠퇴하면, 자극 관여(stimulus engagement) 및 반응 선택에 편향이 발생할 수 있음을 시사한다.

픽턴과 그의 동료들(Picton et al., 1984)은 P3의 지속시간이 성인 초기부터 매해 1.36밀리초(ms)씩 증가한다고 보고했다. 다른 실험에서도 이러한 결과를 확증했고 유사한 지속시간 증가를 발견했다(O'Donnell et al., 1992). 오도넬과 그의 동료들(O'Donnell et al., 1992)은 P3 지속시간을 통해 측정된 인지 처리 속도는 노인들의 저하된 과제 수행 능력(예, RT)에 의한 것이라고 주장했다. 간섭 통제 조건을 조작하는 플랭커 과제를 수행하는 중 측정된 P3 지속시간은 젊은 피험자에 비해 노인 피험자가 또 일치 조건에 비해 불일치 조건에서 더 길었다. 그러나 연령 및 자극 일치성에 따른 지속시간의 차이에는 상호작용 효과가 없었기 때문에 간섭 통제가 필요한 과제를 수행하는 중 관찰되는 연령과 관련된 처리 속도 감소는 자극 평가와는 관련이 없을 수 있다. 오히려 연령과 관련된 지속시간의 차이는 진행 중인 다른 집행 과정이 원인일 수 있다(Zeef et al., 1996). 종합하면, P3 성분과 관련된 인지 노화 데이터는 자극을 정보처리하는 데 긴 시간으로 표현되는 인지 처리 속도에서뿐만 아니라 진폭의 양과 위치 변화로 나타나는 신경전기 자원의 할당의 결함이 있다는 사실을 나타낸다. 이와 같이 인지기능의 연령과 관련된 결손은 자극 환경의 특성이 성인기 초기에는 일반적으로 하향식 통제를 요구하지 않는 경우에도 집행 통제 관여 정도를 증가시킨다.

성인 인구에서의 신체 활동과 P3 성분 간의 관련성
현재, 많은 증거는 신체 활동 특히 유산소 운동이 세포(cellular), 시스템, 행동 수준에 대한 인지기능에 도움이 된다는 것을 보여 주며, 노인들의 인지기능이 특히 신체 활동 중재로 효과가 있다는 것을 보여 준다(Colcombe &

Kramer, 2003; Bashore, 1989; Dustman et al., 1990; Kramer et al., 1999). 심호흡 향상 (cardiorespiratory improvement)을 가져오는 규칙적인 유산소 운동은 노인과 젊은 성인 사이의 인지 기능 수행 능력 차이를 감소시키는 것으로 밝혀졌다. 이는 운동이 전반적인 인지 건강을 유지하는 데 도움이 될 수 있음을 보여 준다 (Dustman, Shaerer, & Emmerson, 1993; Hillman et al., 2002, 2004, 2006).

P3 지속시간

유산소 운동이 ERP에 미치는 효과를 조사한 가장 초기의 연구는 더스트먼과 그의 동료들(Dustman et al. 1985, 1990)에 의해 수행되었으며, 그들은 정적인(sedentary) 생활을 하는 남성 노인에 비해 유산소 운동을 한 노인들이 오드볼 과제를 수행할 때 P3 지속시간이 짧은 것을 관찰했다. 지속시간의 감소는 운동 노인들과 젊은 성인들 사이에 유의미한 차이를 보이지 않았지만, 정적인 생활을 하는 노인들은 유의미하게 더 긴 P3 지속시간을 보였다. 이러한 데이터는 유산소 운동이 인지 처리의 속도를 향상시키거나 남성 노인들에게 나타나는 처리 속도의 연령과 관련된 감소를 예방한다는 것을 보여 주었다. 다른 연구자들은 집행 통제가 필요한 과제를 사용하여 더스트먼의 결과를 확증하거나 확장했다(Bashore, 1989; Hillman et al., 2002).

전두엽에 의해 유지되는 집행 통제 처리에서 불균형적으로 더 크게 나타나는 연령과 관련된 결손을 보여 주는 최근 결과를 고려할 때, 노년기에 인지 노화를 방지하고 인지 건강을 유지하기 위한 방법을 결정하는 관점에서 이러한 처리들과 신체 활동과의 관계를 연구한 결과는 매우 흥미롭다. 따라서 힐먼과 그의 동료들(Hillman et al., 2004, 2006)은 신체 활동과 노년기의 신경인지 수행 능력 간의 관계를 결정하기 위해 다양한 집행 통제 과제를 사용하였다. 그 결과, 더 많은 양의 신체 활동이 더 빠른 P3 지속시간과 연관되어 있었다(Hillman et al., 2004, 2006). 앞선 연구들은 두 가지 중요한 사실을 함의한다. 첫째, 노인들의 많은 유산소 활동은 P3 지속시간의 선형적인 감소와 관련이 있었다. 구체적으로, 중간 및 낮은 활동성을 보이는 노인들에 비해 활동성이 높은 노인들에게서 더 빠른 지속시간이 관찰되었다(Hillman et al., 2004). 둘째로, 신체 활동과 P3 지속시간 사이의 관계는 보다 많은 집행 통제가 필요한 과제 구성 요소에서 선택적으로 더 큰 것으로 나타났다(Hillman et al., 2006). 즉 개인에게 작업기억에 두 가지 규칙을 수용하고 두 규칙 사이를 유연하게 이동해야 하는 과제를 수행하는 동안 활동성이 높은 개인은 활동성이 낮은 개인에 비해 더 빠른 P3의 지속시간을 보인다. 그러나 작업기억에 규칙 간 이동 없이 한 가지 규칙만 요구하는 과제의 조건을 수행하는 중에는 신체 활동과 관련된 차이를 발견하지 못했다(Hillman et al., 2006). 요약하면, 이러한 결과들은 집행 통제 과제를 수행할 때 신체 활동과 인지 처리 속도 사이에 큰 연관성이 나타나며, 신체 활동 참여와 노인의 인지 처리 속도의 이득 사이에는 선형 관계가 있다는 것을 시사한다.

P3 진폭

인지 처리 속도 향상과 더불어 신체 활동은 노년기 신경전기 자원의 차별적인 할당과 관련이 있다. 가장 주목할 만한 것은, 활동적인 노인은 정적인 노인과 비교했을 때, 큰 P3 진폭을 보였으며, 이러한 결과는 신체적 활동 참여로 인해 보다 많은 주의력 자원이 할당되는 것을 의미한다. 초기 연구자들은 P3 진폭에 대한 신체적 활동의 영향을 조사하기 위해 오드볼(Polich & Lardon, 1997)과 그 밖의 다른 속도 지각(Bashore, 1989) 과제를 수행했으며, 그 결과 두 요소 간 정적인 관계가 있음을 확인했다. 보다 최신 연구들은 이러한 결과들을 확증했으며(McDowell et al., 2003), 참가자들의 집게손가락에 전기 자극을 주는 체성감각 오드볼 과제를 포함시켜 이러한 결과들을 확장시켰다(Hatta et al., 2005). 하타와 그의 동료들(Hatta et al. 2005)은 활동성이 낮은 노인들에 비해 활동성이 높은 노인 피험자들이 중간 두피(midline scalp) 영역 전반에 걸쳐 더 큰 이질성(heterogeneity)을 관찰했으며, 이는 신체 활동량이 증가함에 따라 신경전기 자원 할당이 증가한다는 특징을 시사한다. 그러나 다른 연구에서는 단순 자극 변별처럼 단순한 과제를 사용한 경우에는 신체 활동과 노인들의 P3 진폭 간에 상관이 없었다(Dustman et al., 1990; Hillman et al., 2002).

　신체 활동이 노년기에 P3 진폭 및 위치 분포에 긍정적인 효과가 있거나 효과가 없는 것으로 나타나는 일관되지 않은 결과들에 근거하여 우리의 실험실 연구는 전두엽에 의존하는 과제를 사용하여 신체 활동과 P3(그리고 P3에 포함된 처리)의 관련성을 연구하였다. 왜냐하면 노화가 진행되는 동안 이 전두엽 부위의 구조와 기능이 불균형적인 손실을 보이기 때문이다. P3 지속 시간과 관련하여 앞에서 설명한 바와 같이, 우리는 가변적인 집행 통제가 필요한 과제 조건을 사용한 두 가지 연구를 수행했다. 신체 활동 참여가 P3에 미치는 효과뿐만 아니라 그 관계가 성인기에 나이가 들어감에 따라 변하는지 여부를 알아보기 위해 두 연구 모두 젊은 피험자와 노인 피험자를 포함시켰다. 예상한 바와 같이 활동성이 높은 노인들은 두피의 전두엽 영역의 전극에서 P3 진폭이 증가하였다(Hillman et al., 2004, 2006). 구체적으로, 활동성이 중간 및 높은 노인들은 더 많은 양의 집행 통제가 필요한 과제(즉, 더 큰 간섭 통제를 필요로 하는 불일치 플랭커 조건)를 수행하는 동안 젊은 성인에 비해 P3 진폭이 더 컸다. 이러한 관련성은 활동성이 낮은 노인 피험자들에게는 관찰되지 않았으며, 간섭 통제가 좀 더 적은 과제를 수행하는 동안에는 그러한 영향이 관찰되지 않았다(Hillman et al., 2004). 이러한 결과는 신체 활동이 과제를 수행하는 동안 주의력 자원의 할당 증가와 관련이 있으며, 이 관련성은 전두엽 쪽으로 조정된 집행 통제 기능의 증가를 필요로 하는 과제를 수행하는 동안에 선택적으로 더 크다는 것을 시사한다.

　이러한 발견에 대한 추가적인 뒷받침은 앞에서 설명한 바와 같이 작업기억 부하(load)를 조작하고 규칙 간 전환을 하는 동안 인지 유연성이 요구되는 과제 전환 패러다임(task-switching paradigm)을 통해 얻었다. 신체 활동 참여가 다양한 노인과 젊은 성인의 비교는 우리의 초기 노력을 확증했으며(Hillman et al., 2004) 이는 집행 통제의 추가적인 측면으로 확장됐다. 특히 활동적인 노인들은 정적인 생활을 하는 노인들과 신체적으로 활동적이고 정적인 젊은 성인 모두에 비해 전두엽 부위의 P3 진폭이 더 컸다. 그러나 나이와 신체 활동 참여 둘 다 연관이 있을 경우 이에 따라 두피 위치의 변화가 나타나, 활동적인 노인과 젊은 피험자들 모두 중앙 두피 부위에서 정적인 생활을 하는 동년배들보다 더 큰 P3 진폭을 보인다는 사실을 발견했다. 또한 활동적인 젊은 피험자들은 다른 세 집단에 비해 두정엽 두피 부위에서 더 큰 진폭을 나타냈다. 젊은 성인들이 두정엽 최대치(예, 두정엽 부위에서 가장 큰 진폭을 보이는 P3)를 포함하는 고전적이고 강력한 P3 파형을 보여 주었다는 점을 감안할 때, P3 진폭의 증가는 활동성이 높은 노인들의 향상된 과제나 이를 유지하기 위한 자극 관여로 보상적인 신경 기능을 반영할 수 있다. 과제 수행 데이터는 연령에 상관없이 정적인 피험자에 비해 신체적 활동성이 높은 피험자들의 반응속도가 더 빠른 것으로 나타났기 때문에 이 가설을 뒷받침했다. 해당 두피 위치에서 작은 진폭과 이질성 감소를 보이는 비활동 피험자들로부터 추가적인 증거를 얻었다. 비활동 피험자는 가변적인 양의 집행 통제가 필요한 과제를 수행하는 동안 가용할 수 있는 신경전기 자원이 적고 이 자원을 비효율적으로 할당한다는 것을 나타낸다.

이 두 연구에서 얻은 데이터는 신체 활동이 자극 관여와 반응 산출 사이에 발생하는 정보처리에 관련 과정의 일부에 도움을 줄 수 있음을 보여 준다. 더 나아가 신체 활동이 이러한 신경전기 과정에 미치는 영향은 이 시스템 내에서 인지 처리 효율성과 할당에 도움을 주는 것으로 보이며 과제 수행에 영향을 미친다. 이러한 연구 결과를 종합하면, 신체 활동이 인지 노화를 개선하거나 예방하는 데 도움이 될 수 있으며, 인지 노화를 위한 암묵적인 중재자(potential mediator)로서 신체 활동의 중요성을 나타내는 것이다. 마지막으로, 앞선 데이터는 또한 신체 활동이 젊은 성인기의 사람들의 인지기능에 도움이 된다는 사실을 나타내는데, 이는 활동적인 생활방식을 채택하는 것이 생애 초기 단계에서부터 인지 건강 및 기능 향상과 관련이 있을 수 있음을 시사한다.

신체 활동이 반응-고정 ERP에 미치는 영향

이 절에서는 신체 활동과 신체 건강이 행동 감시 및 오류 수정 처리에 미치는 영향 그리고 이와 신경적으로 상관관계를 갖는 ERN과 Pe를 다룬 연구를 살펴본다. ERN은 정적인 생활을 하는 노인에 비해 신체적으로 활동적인 노인들에게서 더 효율적인 것으로 보이며, 체력이 좋을 경우 낮을 때에 비해 작은 ERN 진폭과 큰 Pe 진폭을 보인다.

행동 감시

사람들은 일반적으로 그들의 행동이 가져올 결과에 대해 알고 있다. 구체적으로, 사람들이 인지 과제에서 잘못된 판단이나 오류를 범할 때, 그들은 종종 오류를 인식하고 눈에 보이거나 귀에 들리는 방식으로 좌절을 표현함으로써 반응한다(Yung, Cohen, & Botvinick, 2004). 또한 피험자는 종종 결과적으로 적절한 반응을 제시함으로써 오류가 발생했다는 것을 표현한다(Rabbitt, 1966). 래빗(Rabbitt, 2002)에 따르면, 오류에 대한 명시적 감지(explicit detection)와 설명(specification)은 대부분 정확하며(79%의 오류가 젊은 성인에 의해 감지됨) 종종 의도적이고 노력을 기울인다(오류 후 700ms의 지속시간). 그러나 오류에 대한 행동 수정은 빠르고 비교적 자동적이다(Yeung, Cohen, & Botvinick, 2004). 피험자들은 오류 반응 후 20밀리초(Rabbitt, Cumming, & Vyas, 1978)와 250밀리초(Rabbitt, 2002) 사이에 수정 반응(corrective response, 피험자의 과제 수행을 위해 처음에 해야 할 반응)을 취한다. 따라서 오류는 환경과의 후속 상호작용과 수행 개선을 위해 일어나야 하는 수정 행동(corrective action) 혹은 처리와 관련된 중요한 정보의 자원을 개인에게 제공한다. 이러한 수정 반응은 빠르고 자동적이거나 보다 의식적이며 오류에 대한 의식적인 인식과 관련이 있을 수 있다.

이러한 행동 데이터에서 얻은 결과와 행동 감시(Action Monitoring) 및 오류 수정 과정과 관련된 조사는 최근 몇 년간 행동 감시의 신경적 상관관계가 발견되면서 관심을 끌고 있다. 특히 ERP 연구는 빠르고 비교적 자동적인 행동 감시 과정(예, ERN)과 보다 의도적이고 오류에 대한 인식과 관련된 수정 행동(예, Pe)에 대한 신경적 지표를 모두 밝혀냈다.

오류 관련 부적 ERP

오류 이후 나타나는 하나의 신경 반응(neural response)은 오류와 관련된 부적 ERP 성분(error-related negativity, ERN)이다(Gehring et al., 1993; 또는 Ne, Falkenstein et al., 1991). ERN은 오반응의 반응-고정 ERP 평균에서 관찰된 부적 성분이다. ERN은 앞면 중앙(frontocentral) 부위에서 최대를 보이며 빠른 반응시간 과제에서 오반응 직후 정점으로 나타난다(Falkenstein et al., 1991; Gehring et al., 1993). ERN은 오류에 대한 피험자의 인식과 관계없이 분명하게 나타나며(Nieuwenhuis et al., 2001), 간헐적인 자극(infrequent stimuli)에 대한 오류 반응 후에 감소한다(Holroyd & Coles, 2002). 또한 연구자들은 양극 위치 측정법(dipole localization techniques)을 사용하여 배측 ACC 또는 배측 ACC에 가깝게 위치한 곳이 ERN 발생 위치이며(Dehaene, Posner, & Tucker, 1994; van Veen & Carter, 2002), 뇌신경 영상(neuroimaging)(Carter et al., 1998) 및 자기뇌파검사(magnetoencephalography) 연구(Miltner et al., 2003)를 통해 이 영역들을 다시 한 번 확증하는 증거를 얻었다. 뇌신경 영상 결과는 ACC 활성화의 기능적 중요성이 광범위한 집행 통제가 필요한 과제를 수행하는 동안 활동 관찰 및 평가와 관련이 있음을 확인했다(Carter et al., 2000). 더 나아가 게링과 나이트(Gehring & Knight, 2000)는 ACC가 활동 관찰 과정 및 오류 반응 후 보상 혹은 수정 반

응을 하는 동안 전전두엽 피질(prefrontal cortex)과 기능적인 상호작용을 한다는 것을 보여 주었다.

ERN은 일반적으로 그 다음에 오는 환경적 상호작용 과정에서 개인의 반응을 수정하기 위해 사용되는 인지 학습 메커니즘을 반영한다고 여겨지지만 특정 기능의 측면에서 ERN의 중요성은 해결되지 않은 채로 남아 있다. ERN 활성화와 관련된 과정에서 두 가지 구분되는 이론이 제시되고 있다. 한 가지 이론은 ERN이 오류 감지 및 감시를 나타내는 측정치라는 이론이다(Berstein, Scheffers, & Coles, 1995; Falkenstein et al., 1991; Scheffers et al., 1996). 보다 구체적으로 이 강화 학습 모형은 ERN이 오류의 발생을 감지하고 이 정보를 사용하여 과제 수행을 향상시키기 위해 사용되는 시스템의 일부라고 제안한다(Holroyd & Coles, 2002). ERN은 오류 시행에서 ACC를 억제하는 도파민 활성화의 감소를 통해 입증되며, 이에 기초하여 과제를 성공적으로 끝내기 위해 적절한 운동 제어기(motor controller)를 선택한다(Holroyd & Coles, 2002).

다른 이론은 ERN이 충돌 감시 과정(conflict monitoring process)을 반영한다고 제안한다(Botvinick et al., 2001). 이 과정은 반응 충돌 수준을 감지(혹은 모니터)하는 ACC 관련 시스템의 일부다. 그 다음 이 정보는 ACC에서 처리 통제 센터로 전송되며, 이는 제어 센터 간의 처리에 대한 상대적 효과 조정을 촉발한다(Botvinick et al., 2001). ERN의 기능에 관해서는 논란의 여지가 있지만, ACC는 ERN 신호를 구동하는 일차 구조라는 데 의견이 일치한다(Carter et al., 1998; Miltner et al., 2003).

오류 관련 정적 ERP

오류 반응 후 행동 감시 과정과 관련된 두 번째 ERP 성분은 오류 관련 정적 ERP 성분(error positivity, Pe)(Falkenstein et al., 1990, 2000)이다. Pe는 반응-고정 ERP에서 관찰된 오류 반응의 정적 파형 성분(positive-going component)이다. Pe는 가운데 정수리 부위에서 최대값이 나오며, ERN 후에 정점을 보인다(오류 반응이 나타나고 300ms 이후 최고점에 도달한다). 또한 양극 위치 측정법(dipole localization techniques)을 이용한 연구에서 두측(rostral) ACC에서 Pe의 발생이 확인되었다(van Veen & Carter, 2002). ERN과 Pe는 모두 ACC의 신경 처리(neural process)와 연관되어 있지만, 두 성분은 별개의 신경 발생(neural generator)을 가지고 있으며, 서로 독립적인 것으로 여겨진다(Herrmann et al., 2004).

Pe는 오류에 대한 사후 반응(postresponse) 평가(Davies et al., 2001; Falkenstein et al., 1990) 및 오류 반응 후 오류에 대한 주의 자원의 배분(Mathewson, Dywan, & Segalowitz, 2005)으로, 오류에 대한 정서 반응으로 묘사되어 왔다(Falkenstein et al., 2000; van Veen & Carter, 2002). 보다 구체적으로 데이비스와 그의 동료들 (Davies et al., 2001)은 Pe와 P3 진폭 사이에 강한 상관관계를 발견했다. 이는 Pe가 P3와 유사하게 오류의 내적 탐지에 대한 반응을 할 수 있음을 시사하며, 오류 반응은 주의 자원이 할당되는 핵심적인 자극이 될 수 있다. 또한 매튜슨과 그의 동료들(Mathewson et al., 2005)은 비록 이러한 관련성이 연령에 따라 차이가 나타났지만, 다양한 인지 과제에서 P3 및 Pe 진폭 증가가 더 나은 과제 수행(적은 오류)과 연관되어 있다는 것을 발견했다. 증가된 Pe 진폭과 향상된 과제 수행 사이의 연관성에 대한 발견은 독립적으로 검증되었으며 (Falkenstein et al., 2000), Pe가 오류 후에 주의 통제 증가를 통한 보상 작용의 신경전기 지표가 될 수 있다는 생각을 뒷받침한다(Themanson & Hillman, 2006).

신체 활동과 행동 감시

현재, 출판된 두 개의 연구만이 신체 활동 및 신체 건강과 반응-고정 ERP와의 상관관계를 다루고 있다. 초기 연구(Themanson, Hillman, & Curtin, 2006)는 53명의 젊은 성인과 노인 피험자에게 다양한 집행 통제가 요구되는 과제(예, 과제 전환)에 가능한 빠르게 반응하도록 지시하고, 그 과제를 수행하는 동안 신체 활동에 대한 자기 보고식 검사와 ERN 진폭 및 오류 후의 행동 간의 관계를 평가했다. 신체 활동은 노인을 위한 예일 신체 활동 조사(Yale Physical

Activity Survey, YPAS; DiPietro et al., 1993)를 사용하여 평가되었으며, 이는 일상 생활의 활동을 측정하고 총 활동 시간, 킬로칼로리 소비, 예일 요약 지표(Yale Summary Index, YSI)와 같은 세 가지의 하위 척도로 구성되어 있다. YSI는 전월 평균 신체 활동량을 추정하며 노인들의 최고 산소 공급량(VO₂Peak)과 상관이 높다(Young, Jee & Appel, 2001). 이 초기 연구의 결과는 노인들이 젊은 성인들에 비해 블록을 변경하는 과제를 수행하는 동안 반응시간이 상대적으로 느려지고 ERN 진폭이 더 작다는 것을 보여 주었다. 이 두 가지 결과는 모두 이전의 노화 연구를 확증했다.

그러나 신체적으로 활동적인 노인들은 상대적으로 전환 비용(switch cost; 예, 전환 시도 반응시간-비전환 시도 반응시간)이 더 적으며, 이는 작업기억에 더 많은 부하를 가하는 과제를 수행할 때 더 나은 수행 능력을 나타내는 지표이다. 또한 정적인 생활을 하는 대조군과 비교했을 때, 신체 활동이 많은 젊은 성인과 노인 피험자들은 오류 후 ERN 진폭의 감소와 상대적으로 오류 후에 이어지는 반응에서 속도가 더 둔화되었다(Themanson, Hillman, & Curtin, 2006). 오류 후 반응속도 둔화가 후속 환경 상호작용에 대한 수행 능력을 향상시키기 위한 하향식 주의 통제 실행과 주의집중(recruitment)의 행동적 지표라는 점을 감안할 때(Gehring et al., 1993; Kerns et al., 2004), 이러한 결과는 연령과 관계없이 신체적으로 활동적인 사람은 주의 통제가 증가한다는 사실을 의미한다(Themanson, Hillman, & Curtin, 2006). 이러한 하향식 주의 통제의 증가는 행동적 수행 능력을 개선할 뿐만 아니라, 속도 과제를 수행하는 중 행동 감시 과정의 평가 요소와 관련된 활성화도 감소시킨다. 따라서 반응 관찰을 나타내는 신경전기 신호(예, ERN)의 결과는 신체 활동이 활발한 성인들에게 더 효율적이라고 설명할 수 있으며, 오류 반응 후 행동을 수정하기 위해 사용되는 하향 처리의 증가와 관련 있을 수 있다.

심폐 운동과 행동 감시

두 번째 연구는 심폐 건강 상태에 큰 차이를 보이는 두 집단의 젊은 성인을 대상으로 심폐 건강(cardiorespiratory fitness)이 행동 감시와 관련된 ERP 구성 요소에 미치는 영향을 조사했다(Themanson & Hillman, 2006). 이 연구는 상위 혹은 하위 수준의 건강 상태로 분류된 28명의 피험자가 가능한 한 빠르게 반응해야 하는 플랭커 과제를 수행하는 중에 얻은 행동 감시 과정의 신경전기(예, ERN, Pe)와 행동 지표(예, 오류 후 반응속도 저하)에 초점을 맞추었다. 피험자들은 최대 산소 소비량(VO₂max)을 측정하여 심폐 건강을 평가하기 위해 등급별 운동 검사를 완료했다. 추가로 개별 참가자는 두 개의 서로 다른 인지 검사를 역균형화를 통해 수행했다. 각 개인에게 한 번은 30분간의 휴식 후, 그리고 또 한 번은 힘들지만 최대 83.5%의 심박수를 유도하는 30분간의 러닝머신 운동 후 상쇄된 두 조건에서 인지 검사를 실시하였다(Themanson & Hillman, 2006). 그 결과는 심폐 건강 수준과 활동 관찰 지표 간 상관이 있다는 것을 보여 주었으며, 상위 집단이 하위 집단에 비해 작은 ERN 진폭을 보였다. 이는 오류 반응과 관련된 행동 감시의 충돌과 관련된 신경전기 지표의 상대적인 감소를 시사한다. 또한 상위 집단은 하위 집단에 비해 더 큰 Pe 진폭과 오반응 후 반응속도 감소가 크게 나타났다. 이는 하향식 주의력 통제에서 신경 및 행동 모두 오반응 후 조정(adjustment)이 증가하는 것을 의미한다.

종합하면, 이 두 연구들은 높은 신체 활동 참여 혹은 건강 상태를 보이는 개인은 과제 수행 중 더 높은 하향식 주의력 통제 수준을 보인다는 것을 의미한다. 이와 같은 하향식 주의력 통제의 증가는 과제 수행 시 예측되는 충돌에 대응하도록 설계된 신경전기 체계의 활성화의 감소와 관련되어 있고, 이는 전반적으로 ERN 진폭의 감소로 나타난다(Themanson & Hillman, 2006; Themanson, Hillman, & Curtin, 2006). 끝으로, 하향식 주의력 통제의 실행에 있어 오반응 후에 나타나는 반응속도 감소를 행동 지표(Gehring et al. 1993; Kerns et al., 2004)로 Pe 진폭을 오반응 후 반응을 평가(Davies et al., 2001; Falkenstein et al.,

1990)하거나 오류 또는 주의력 자원을 오류에 할당(Mathewson et al., 2005)하는 신경전기 지표로 보는 현재의 관점을 고려하여, 테만슨과 힐먼(Themanson & Hillman, 2006)은 이러한 하향식 주의력 통제의 증가는 건강한 피험자에게서 나타난 오반응 후에 수정 반응과 오반응 후 반응속도 저하 및 Pe 진폭의 증가와 관련이 있다고 주장한다.

건강 상태가 더 좋거나 신체 활동 참여와 관련된 ERN 진폭 감소 및 Pe 진폭 증가는 유산소 훈련과 ACC 활성화 간의 관계에 대한 연구를 뒷받침한다(Colcombe et al., 2004). 콜콤과 그의 동료들(Colcombe et al., 2004)에 의하면, 뇌신경 영상 측정법을 사용하여 유산소 운동을 한 노인이 유산소 운동을 하지 않은 대조군에 비해 과제와 관련된 전두엽과 억제 기능과 관련된 두정엽의 활성화가 더 크게 나타났다. 이와 같이 건강 상태가 더 좋은 피험자들에게서 나타나는 관련 뇌 영역의 증가된 활성화는 "피질의 후두 영역(posterior region)에서 과제 관련 활성화를 편향시키는 전두엽의 주의 순환(circuit) 능력의 증가"를 시사하며, 이는 Pe 진폭의 증가를 의미할 수 있다(Colcombe et al., 2004, p. 3320).

또한 정적인 생활을 하는 노인에 비해 유산소 운동을 하는 노인에서의 ACC 활성화가 감소된 것이 관찰되었으며, 이는 행동갈등(behavioral conflict)이 감소했음을 시사한다(Colcombe et al., 2004). 보트비닉과 그의 동료들(Botvinick et al., 2001)이 제안한 갈등 관찰 가설(conflict monitoring hypothesis)에 따르면 유산소 운동으로 훈련된 노인들의 ERN 진폭의 감소가 두드러지게 나타난다. 또한 ERN 활성화의 강화 학습 모형(Holroyd & Coles, 2002)도 심혈관 건강 상태가 좋은 피험자들에게서 나타나는 ERN 진폭의 상대적 감소를 예측할 수 있다. 이 모형에 따르면, 도파민 활동에서 단계적 감소(phasic reduction)는 ERN 진폭의 조절(modulation)과 관련이 있다. 흥미롭게도 동물과 인간을 대상으로 한 연구 모두 규칙적인 유산소 운동이 도파민 활성화의 증가를 이끈다는 것을 보여 주고 있다(Farrell et al., 1986; Gullestad et al., 1997; MacRae et al., 1987;

Meeusen et al., 1997; Van Loon, Schwartz, & Sole, 1979; Wang et al., 2000 참조). 이 모형에 따르면, 유산소 운동은 ACC의 억제를 높이고, 이는 ERN 진폭의 상대적 감소와 관련이 있을 수 있다고 제안한다.

청소년기의 신체 활동이 신경인지기능에 미치는 영향

노인층에서 체력과 인지기능 사이에 정적인 관계가 성립한다는 점을 고려하여(Colcombe & Kramer, 2003 참조), 생애 초기의 신체 건강과 인지 건강 사이에 유사한 관련성이 있는지를 조사하는 데 더 많이 관심이 옮겨 가기 시작했다. 비록 영향을 받는 특정 유형의 인지기능과 이와 같은 결과의 기저가 되는 메커니즘에 관련하여 문헌 간에 차이가 있지만, 학령기 아동을 대상으로 한 예비 조사 결과는 비슷한 연관성을 보여 준다(Sibley & Etnier, 2003). 비활동적인 생활(inactive lifestyle)을 하는 어린이들의 비율이 증가함과 더불어 유년기의 인지에 대한 신체 건강의 이득에 대한 보다 폭넓은 이해는 시기 적절하다고 할 수 있다.

시블리와 에트니어(Sibley & Etnier, 2003)는 학령기 아동들의 신체 활동과 인지기능 사이의 관계에 대한 메타 분석(meta-analysis)을 실시했다. 설계가 다른 44개 연구(진실험설계, 준실험설계, 교차분석설계), 피험자 연령(4-18세), 신체 활동 행동 유형(급성, 만성), 훈련 특성(저항, 유산소, 지각-운동, 체육 교육 프로그램), 인지 평가(지각 능력, 지능지수, 성취도, 언어 검사, 수학 검사, 기억, 발달 수준 혹은 학업 준비도 및 기타)가 분석에 포함되었다. 신체 활동과 인지기능 사이에 유의미한 정적인 관계가 발견되었는데, 신체 활동의 증가는 8가지 측정 범주에서 인지 수행과 관련이 있었으며, 모든 범주에서 그 관련성은 이득이 되었다(Sibely & Etnier, 2003). 이러한 관련성은 모든 연령층에서 볼 수 있었지만, 8-10세 및 14-18세 그룹에 비해 4-7세 및 11-13세 사이의 어린이들에게 더 강하게 나타났다(Sibely & Etnier, 2003).

어린이들에서 관찰된 인지기능 개선에 기초가 되는 몇 가지 잠재적 메커니즘을 좀 더 이해하기 위해 힐먼, 카스텔리와 벅(Hillman, Castelli, & Buck, 2005)은 시각적 오드볼 과제를 수행할 때 나타나는 주의력 분배의 신경전기 지표(P3-ERP)를 조사하였다. 51명의 중간 또는 낮은 건강 상태(그룹당 12-15명, 그룹당 대략 비슷한 남녀 비율)를 보이는 사춘기 이전 아동들(M=9.5세, SD=0.9년)과 젊은 성인들(M=19.3세, SD=1.4년)을 대상으로 하여 신경전기 데이터가 수집되었다. 피험자들의 유산소능력(aerobic capacity)은 학생체력평가 시스템(fitnessgram)의 하위 검사인 점증유산소심폐지구력달리기(Progressive Aerobic Cardiovascular Endurance Run, PACER)로 측정했으며(Welk, Morris, & Falls, 2002), 이 검사는 유산소성, 강도 및 유연성을 평가하는 현장 검사(field test)이다. 인지기능은 ERP와 행동 반응(정확성, RT)을 사용하여 측정하였다. 피험자들이 오드볼 과제를 수행하는 동안 간헐적인(20% 비율) 목표 자극(예를 들어, 고양이 클립 아트)에는 반응하고, 빈번하게(80% 비율) 제시된 비목표 자극들(예를 들어, 개 클립 아트)에는 반응하지 않도록 지시했다. 그 결과는 체력과 P3 전위로 측정한 사춘기 이전 아동의 작업기억에 주의력 자원 분배와 관련된 인지기능과 신체 건강 간 정적인 관계가 있음을 나타냈다. 즉, 체력이 좋은 어린이들은 서로 차이가 없는 다른 세 그룹에 속한 어린이들에 비해 더 큰 P3 진폭이 더 큰 것으로 나타났다(Hillman, Castelli, & Buck, 2005).

또한 연령에 관계없이 유산소 운동을 한 피험자들은 정적인 피험자들에 비해 더 빠른 P3 지속시간을 보였다. 이는 체력과 인지 처리 속도 간의 정적인 관계가 있음을 의미한다(Hillman, Castelli, & Buck, 2005). 특히 신체 건강이 좋지 않은 그룹에 비해 좋은 그룹은 더 짧은 반응시간이 더 관찰되었기 때문에 체력은 과제 수행 능력과도 관련이 있다고 할 수 있다. 건강 상태가 나쁜 아동에 비해 체력이 좋은 아동의 반응 정확도가 더 높았으며, 이는 성인 그룹에서도 다르지 않았다. 이러한 연구 결과는 유산소 운동이 사춘기 이전의 아동들이 자극 변별 과제를 수행할 때, 주의력 분배와 관련된 인지 처리의 향상과 연관되어 있을 수 있고, 신체 건강이 피험자 집단의 인지기능에 미치는 효과를 담당하는 기본 메커니즘에 대한 향후 연구를 뒷받침할 수 있다.

비록 이 데이터는 체력과 인지기능 사이의 정적인 관계를 시사하지만, 인지 발달 과정에서 신체 건강과 집행 통제와의 관계를 다룬 연구는 적다. 피아제(Piaget)에 따르면, 목표 지향적인 행동이 분명해지는 감각 운동기 (sensorimotor stage)에 해당하는 생후 약 8-9개월에 집행 기능이 형성되기 시작된다(Siegler, 1998). 2세가 되면, 어린이들은 추상적인 규칙의 개념을 이해하기 시작한다. 추상적인 규칙의 이해는 작업기억, 처리 속도 및 간섭 제어에 대한 수행을 성공적으로 할 수 있게 한다(Diamond, Towle, & Boyer, 1994). 유아기(3-7세)는 전두엽의 발달(예를 들어, Miyake et al., 2000; West, 1996)로 인한 억제, 인지 유연성과 같은 특정 집행 통제 기능의 두드러지는 향상이 특징이다(Diamond, 2006). 비록 집행 통제 수행 능력은 젊은 성인들에 비해 떨어지지만, 작업기억, 선택적 주의 및 억제 통제를 포함하는 집행 통제 과정은 유년기와 청소년기에 걸쳐 발달한다(Luciana & Nelson, 1998; Klenberg, Korkman, & Lahti-Nuuttila, 2001; Zelazo, Craik, & Booth, 2004).

집행 통제를 연구하기 위해 자주 사용되는 과제 중 하나는 스트룹 색상-단어 과제(Stroop Color-Word Task)이며, 이 과제는 선택적 주의, 반응 억제, 간섭 제어 및 신속한 반응을 포함하는 여러 인지 처리가 요구되는 과제이다 (Adleman et al., 2002). 스트룹 과제 수행의 기본 원칙은 피험자들은 단어를 읽기 위해 우세 반응(prepotent response)을 억제해야 하고, 목표 단어가 아닌 해당 단어의 글자색으로 사용된 색상을 말하기 위해 일반적으로 일반적으로 억제되는 반응을 활성화함으로써 단어 읽기와 관련된 간섭을 해결해야 한다는 것이다(Adleman et al., 2002; Demetriou et al., 2002; MacLeod, 1991). 따라서 피험자들은 반응 경쟁(response competition)으로 인해 단어-색상 불일치 조건 (incongruent word-color condition)에서 다른 조건에 비해 단어를 더 적게 읽었다.

체력과 집행 통제 사이의 잠재적인 관계를 이해하기 위해 고안된 한 연구에서는 74명의 7-12세 사춘기 이전의 어린이들(그중 37명이 남성, M=9.4세)에게 스트룹 색상-단어 과제를 필기시험 방식으로 수행했고 학생체력평가 시스템(Fitnessgram)을 완성했다(Buck, Hillman, & Castelli, 2008). 세 조건의 스트룹 과제(단어, 색상, 색상-단어)에서 피험자에게 45초 동안 가능한 한 많은 단어를 소리 내어 읽도록 지시했다. 그 결과 세 가지 스트룹 조건의 수행 능력은 나이, 지능지수(IQ) 및 체력과 관련이 있는 것으로 나타났다. 특히 나이가 많은 어린이들과 IQ가 높은 어린이들은 세 가지 조건 모두에서 더 많은 단어들을 정확하게 읽었다. 또한 높은 수준의 유산소 체력을 나타내는 PACER 검사에서 더 많은 횟수를 수행한 어린이들은 모든 조건에서 다른 조건의 아이들에 비해 더 많은 단어를 정확하게 읽었다.

이러한 결과는 성장하는 동안 체력이 향상되는 것이 인지기능에 도움이 될 수 있으며, 체력은 일생 동안 인지기능과 전체적인 관계(global relationship)를 가질 수 있다는 것을 암시한다. 흥미롭게도 이 결과는 체력과 인지기능 사이에 일반적이고 선택적인 관계가 있다고 제안한 성인 대상 선행 연구와는 모순된다(Colcombe & Kramer, 2003; Kramer et al., 2005). 즉 성인에 대한 연구는 많은 유산소 운동이 일반적인 인지기능을 개선한다는 것을 보여 주었지만, 집행 통제가 필요한 과제를 수행하는 경우에는 그 관련성이 더 불균형적으로 나타났다(Colcombe & Kramer, 2003). 그러나 어린이와 성인 모두에 대한 유산소 운동과 인지기능 향상 사이의 관계에 뒷받침하는 메커니즘에 대해서는 잘 알려져 있지 않다. 어쨌든 이러한 예비 연구 결과는 고무적이며, 생의 다른 주기의 체력과 인지기능 사이의 관계를 더 잘 이해하기 위해서는 보다 민감한 조사가 필요하다.

따라서 우리 실험실의 두 번째 연구는 사춘기 이전의 아동을 대상으로 다양한 양의 집행 통제가 필요한 과제를 수행하는 동안 도출되는 인지의 신경전기적 부산물을 조사했다(Hillman et al., 2009). 신경전기 데이터는 38명의 사춘기 전 아동에게 수집되었으며, 이 피험자들은 학생체력평가 시스템의 PACER 검사를 통해 측정한 유산소 용량에 따라 상위(n = 19, 남성 10명) 또는 하위(n = 19, 남성 10명) 집단으로 분류되었다(Welk, Morris, & Falls, 2002). 피험자들은 일치(HHHH 또는 SSSS) 및 불일치(HHSHH 또는 SSHSS) 조건의 에릭센 플랭커 과제(Eriksen flanker task)를 수행했다. 이 과제에서 피험자들은 컴퓨터 모니터에 나타나는 문자 배열에 신속하게 반응하도록 하였다(Eriksen & Eriksen, 1974). 그 결과 두 조건 모두 건강 상태가 더 좋은 어린이들은 좋지 않은 어린이들에 비해 두정 부위에서 P3 진폭이 더 큰 것으로 나타났다(Hillman et al., 2009). 또한 두 조건 모두 건강 상태가 좋은 어린이들은 좋지 않은 어린이들에 비해 정답률이 높은 것으로 나타났다. 반면 두 그룹 간 RT 지속시간에 대한 차이는 관찰되지 않았다. 이러한 결과는 어린이들의 체력이 더 나은 간섭 통제와 관련이 있을 수 있으며, 또한 이 결과는 다양한 양의 간섭 통제가 필요한 과제의 조건에서 얻은 것이기 때문에 사춘기 이전 아동기에 이러한 인지적 이점들은 사춘기 아동기에는 선택적으로 발생하는 것이 아니라는 것을 의미한다.

실험실에서 관찰된 유산소 운동과 인지적 수행 능력의 정적인 관계에 대한 한 가지 해석적 영향(translational ramification)은 학령기 아동의 인지 수행 능력의 일반적인 척도가 되는 학업 성취도 시험과 관련이 있을 수 있다는 것이다. 카스텔리와 그의 동료들(Castelli et al., 2007)은 3, 5학년 초등학생 259명(M = 9.5세, 여학생 = 127명)을 대상으로 체력의 구성 요소(유산소, 근력, 유연성)과 학업 성취도(일리노이 주 학생 학업 성취도 검사, ISAT)와의 관계를 조사했다. 연구의 참가자인 학생들은 학생체력평가 시스템(Welk, Morris, & Falls, 2002)을 배정된 체육 시간에 정기적으로 실시하였다. 이 연구를 위해서 모집된 어린이들은 인종, 사회경제적 지위 및 학군의 학업 성취도 측정을 통해 지역사회 인구를 대표했다. 매년 봄 3-8학년 학생들에게 시행되는 ISAT 점수는 학생체력평가 시스템 데이터와 함께 수집되었다. ISAT는 3, 5, 7학년에게 읽기, 쓰기 및 수학 시험을 4, 6, 8학년에게 과학 및 사회 시험을 실시한다. 그 결과 유산소 운동만이 수학 및 읽기에 대한 학업 성취도 성과에 정적인 관계가 있었고 이에 반대로 성취도 시험 점수와 체질량 지수는 다른 변수와 무관하게 부적인 관계가 있는 것으로 나타났다(Castelli et al., 2007). 힘과 유연성은 성취도 시험 결과와는 관련이 없었다. 이 데이터는 높은 유산소 운동이 학령기 아동들의 더 나은 학업 성취도와 관련이 있을 수 있다는 것을 시사하는 예비적인 증거를 제공한다. 또한 이 모집단에서 체력이 인지 건강 발달에 중요한 역할을 할 수 있다는 개념을 추가적으로 뒷받침하고 있으며, 발달 단계에서 체력과 인지기능과의 일반적인 관계에 대한 추가적인 증거를 제공하고 있다.

신체 활동과 신경인지기능 관계에 대한 잠재적 메커니즘

신체 활동이 인지기능에 영향을 미치는 기본적인 메커니즘은 잘 알려져 있지 않다. 그러나 신체 활동이 뇌 구조와 기능에 미치는 영향에 대한 우리의 이해도 인간의 뇌신경 영상과 동물 모형 연구를 통해 크게 증가했다. 인간 뇌신경 영상 연구와 관련하여, 뇌의 전두엽은 다양한 양의 집행 통제가 요구되는 과제에 대한 하향식 통제의 조절과 크게 관련되어 있다. 특히 노화에 따른 뇌 구조의 불균형적인 변화는 뇌의 전두엽 및 측두엽 영역이 관여하는 집행 통제의 변화와 관련이 있다(Robbins et al., 1998; Schretlen et al., 2000). 집행 통제 기능은 사춘기 전 시기에는 비효율적이고 가변적이며(Rueda et al., 2004), 이 시기의 전두엽의 미숙(immaturity of the frontal lobe)과 관련이 있다(Bunge et al., 2002). 그러나 신체 활동과 유산소 운동 훈련은 노년층의 전전두엽, 전두엽 및 두정부 피질의 구조와 기능의 변화와 관련이 있다(Colcombe et al., 2004). 흥미롭게도 유산소 훈련을 받은 성인에게서 집행 통제의 선택적 향상이 관찰되었다. 이는 신경 구조의 변화와 관련 있을 수 있다.

동물 연구와 관련하여 최근의 진보는 뇌의 분자, 혈관, 세포 수준에서 운동과 관련된 몇 가지 변화를 입증했다. 예를 들면, 유산소 운동은 뇌에서 유발되는 뉴로트로핀 인자(BDNF, Neeper et al., 1995), 인슐린과 유사한 성장 인자1(IGF1, Carro et al., 2001), 세로토닌(Blomstrand et al., 1989) 및 도파민(Spirduso & Farrar, 1981) 등의 신경화학물질을 증가시키는 것으로 나타났는데, 이는 성인 쥐와 신생아 쥐의 가소성 신경세포의 생존률을 향상시키고, 이는 학습과 기억의 기초가 되는 것으로 밝혀졌다(Parnpiansil et al., 2003). 다른 동물 연구는 유산소 운동으로 소뇌의 새로운 모세혈관이 형성되었다는 것을 증명했는데, 아마도 설치류(Black et al., 1990; Isaacs et al., 1992)와 영장류(Rhyu et al., 2003)의 신경 발화를 증가시키기 위한 것으로 추정된다. 중요한 것은, 신경 구조에서 일어나는 운동에 의해 유도된 변화는 정적인 생활을 하는 대조군에 비해 더 많은 안정 혈류량(resting blood flow) 및 더 많은 산소 요구량에 대응하는 능력 향상과 연관되어 있다는 점이다(Swain et al., 2003).

신체 활동에 의해 유도된 신경생물학(neurobiology)적 변화와 인간 인지의 신경전기(ERP)와의 상관관계는 미약하다. 그러나 신체 활동의 영향을 가장 많이 받는 몇몇 뇌 구조(예, 전전두엽, 전두엽, 측두엽, 두정엽)와 신경 화학물질(예, 도파민)도 ERP 구성 요소의 조절과 관련이 있다. ERP 성분은 신경 회로와 신경 생성기의 연결망을 반영할 수 있기 때문에 P3 반응을 매개하는 정확한 신경 조직은 알려진 바 없다. 그러나 주의를 집중해야 하는 변별 과제는 적절한 전두엽 활성화를 유도한다고 간주되며(Posner, 1992; Posner & Petersen, 1990), ERP(예, P3a) 및 fMRI 연구에서도 드문 자극(rare stimuli)이나 변화 자극(altering stimuli)에 대해 더 큰 전두엽 활동을 보여 주는 것으로 나타났다(Polich, 2004). 자극에 대한 작업기억의 표상이 변할 때, ACC가 활성화되는데, 이는 자극을 유지(예, 기억 저장)하기 위해 하측두엽(inferotemporal)에 신호를 보낸다. P3(예, P3b) 성분은 자극 평가 후 후속 기억을 갱신하기 위해 주의력 자원을 할당할 때 도출된다(Polich, 2004). 이러한 현상은 해마에서 시작되는 기억 저장이 일반적으로 P3가 가장 크게 나타나는 영역인 두정엽 피질로 옮겨 갈 때 발생한다는 가설이 있다(Squire & Kandell, 1999; Knight, 1996). 따라서 P3 발생의 기반이 되는 신경전기 사건은 작업기억의 내용에 대한 주의력 통제를 조절하기 위한 전두엽과 해마/측두-두정엽 기능(Knight, 1996; Polich, 2004)의 상호작용을 통해 발생한다(Polich, 2004).

반응-고정 ERN 및 Pe 성분에 기반한 신경 회로에 대해서는 더 많이 알려져 있다. 앞에서 논의한 바와 같이 ERN은 배측ACC에 국한되어 발생하며, Pe는 몇몇 영상 측정법를 통해 후측ACC로 국한되었다. Pe와 P3 성분은 강한 상관관계를 가지며 유사한 주의 처리를 반영한다고 여겨진다(Davies et al., 2001). 게링과 나이트(Gehring & Knight, 2000) 역시 ACC가 행동 감시를 처리하는 동안 전전두엽 피질과 기능적 상호작용을 나타낸다는 것을 확인했다. 또한 헐로이드와 콜스(Holroyd & Coles, 2002)는 ERN이 ACC를 탈억제(disinhibite)하는 도파민 활동의 감소를 통해 조절된다는 강화 학습 모델을 제안한다. 전두엽 구조와 기능의 초기 발달 및 연령과 관련된 변화, 사춘기 이전 및 노년기 동안의 도파민 수준 변화(Brozoski et al., 1979), ACC와 전두엽 피질 간의 기능적 상호작용을 고려할 때, 해당 뇌 영역에서 수행되는 처리는 특히 이 시기 동안 개입이 용이할 수 있다. 흥미롭게도 연구자들은 유산소 운동이 ACC(Colcombe et al., 2004)와 도파민 활동(Wang et al., 2000)의 활성화 모두에 영향을 미친다고 제안했는데, 이는 유산소 운동 훈련이 인지기능 향상과 관련된 개입 중 하나일 수 있음을 시사한다. 이는 다양한 ERP 성분의 조절을 통해 쉽게 관찰할 수 있다.

향후 연구 방향

최근 몇 년 동안 신체 활동과 인지기능의 신경전기 지표와의 관계를 다루는 연구서들이 점점 늘어나고 있음에도 불구하고 이러한 관계에 대한 보다 깊은 이해가 필요하다. 특히 신체 활동 참여가 인지기능에 도움이 되는 시기가 생애 초기, 특히 사춘기 이전의 발달 기간 동안이라는 것이 밝혀졌기 때문에 앞으로의 연구는 이러한 차이가 생애 초기 중 얼마나 이른 시기에 나타나는지에 초점을 맞추어야 한다. 또한 성숙기에 신체 활동의 효과가 인지의 전반적인 측면에서 선택적인 측면으로 변하는 것처럼 보이기 때문에 생애 주기 관점에서 시간의 흐름에 따른 관계를 밝히는 것이 중요하다. 즉 성인을 대상으로 한 연구는 신체 활동이 인지기능에 미치는 영향이 집행 통제 과제에서 불균형하게 더 크다는 것을 분명하게 보여 주는 반면, 어린이의 데이터는 그 효과가 과제와 과제 유형에 걸쳐 좀 더 전체적인 관계를 나타내는 것으로 나타났다. 또한 이러한 관계에 대한 폭넓은 이해는 인지신경 과학자에게 집행 통제와 같은 상위 수준의 인지기능 발달과 일치하는 뇌 구조와 기능의 중요한 발달 변화에 대한 정보를 제공할 수 있다.

이러한 관계의 몇 가지 다른 중요한 측면들은 철저히 조사되지 않았다. 예를 들어, 인지기능에 긍정적인 변화를 제공하는 데 필요한 신체 활동의 양, 강도 및 기간은 아직 알려져 있지 않다. 다양한 인지기능이 상이한 뇌 구조에 의해 조정된다는 점을 고려하면, 이 관계가 간단하지 않다고 결론지을 수 있다. 집행 통제는 다른 인지 유형보다 광범위하게 악화되기 때문에 이러한 인지의 측면을 개선하는 데 필요한 신체 활동의 양, 강도 및 기간을 밝히는 것은 매우 중요하다. 그러나 집행 통제는 그 자체로 단일화된 것이 아니기 때문에 집행 통제를 구성하는 하위 집합 내에서 위와 같은 관계를 밝히는 것은 어려울 것이다. 또한 이 주제에 관한 후속 실험은 이 장에서 검토한 방법보다 엄격한 과학적 방법을 포함해야 할 것이다. 즉, 지금까지 대부분의 연구는 신체 활동이나 유산소 운동의 연속체 극단에 위치하는 집단과 관련된 횡단연구 설계를 활용했다. 인과관계가 더 잘 추론될 수 있도록 무작위 통제 설계를 채택하는 추가적인 노력이 필요할 것이다.

마지막으로, 정보처리 중 발생하는 대부분의 신경전기 처리에 대해서는 거의 알려져 있지 않다. 지금까지 대부분의 연구는 P3 성분에 초점을 맞춘 반면 일부 연구는 다른 다양한 ERP 성분에 초점을 맞추고 있다. 따라서 P3에 포함된 처리에 대한 우리의 이해는 합리적이지만, 자극-반응 관계에 관련된 다른 인지 과정에 대해서는 거의 알려진 바 없다. 특정 과정이 다른 과정과 비교하여 신체 활동에 의해 불균형적으로 영향을 받는지 여부를 밝히기 위해 앞으로의 연구서에서는 이러한 부족한 부분을 해결하려는 노력이 요구된다. 이러한 요구에도 불구하고, 신체 활동과 인지 신경전기 지표에 관한 지식 기반은 지난 10년 동안 상당히 진보했다. 이러한 노력은 생애 전체에 걸쳐 보다 나은 인지 건강과 기능을 촉진하는 생활방식 요인에 대한 깊은 이해로 이어져 왔다.

7

단기간 급성 운동이 사건 관련 전위(ERP)에 미치는 영향

케이타 카미조Keita Kamijo , PhD ㅣ 일본 산업기술총합연구소 산하 인간과학 및
생명공학 연구소, 인지 및 행동 연구 그룹

지난 수십 년간 신체 활동, 특히 유산소 운동이 인간의 인지 처리에 미치는
영향에 대한 관심이 증가해 왔다. 운동이 인지 처리에 미치는 영향에 대한
대부분의 연구는 반응시간(RT)과 반응 정확도와 같은 행동 지표를 조사해
왔다(Tomporowski & Ellis, 1986; Tomporowski, 2003 참조). 그러나 최근 몇 년 동안,
운동과 인지 처리 사이의 관계에 대한 이해는 행동 반응의 연구를 넘어 행동
의 신경 전기 상관관계를 포함하는 연구로 진전했다. 우리의 실험실 연구는
운동과 신체 활동이 사건 관련 뇌 전위(ERP)에 미치는 영향을 조사하는 데
초점을 두고 있다.

ERP는 뇌의 전기적 시스템을 조사하기 위해 기본적으로 사용되는 비침
습적인 방법이다. 사건 관련 뇌 전위는 인간의 정보처리 측면을 평가하고
(Hruby & Marsalek, 2003) 인지 기능과 관련된 기본적인 메커니즘을 조사하기
위해 사용되고 있다. 단기간 급성 혹은 만성 운동이 ERP에 미치는 영향을
조사한 최근의 연구들은 운동 후 인지 처리 변화에 대한 증거를 보여 준다
(Kramer & Hillman, 2006). 본 장은 단기간 급성 운동이 ERP에 미치는 영향에
초점을 맞춘다.

단기간 급성 운동이 ERP에 미치는 영향을 조사하는 대부분의 연구는 P3 성분에 초점을 맞추고 있다(Duzova et al., 2005; Grego et al., 2004; Hillman, Snook, & Jerome, 2003; Kamijo et al., 2004b; Magnié et al., 2000; Nakamura et al., 1999; Pontifex & Hillman, 2007; Yagi, Coburn, Estes, & Arruda, 1999). P3는 자극 고정 ERP의 내인성 성분으로, 자극 환경의 정신 모형을 업데이트할 때 작업기억의 유지에 필요한 뇌 활동 지수를 제공하는 것으로 알려져 있다(Donchin & Coles, 1988). P3 성분의 진폭(amplitude)은 주어진 자극 혹은 과제에 쏟는 주의력 자원량에 비례(Kida et al., 2004; Schubert et al., 1998)하며, P3 성분의 잠재기(latency)는 자극 분류 속도 혹은 자극 평가 시간으로, 일반적으로 반응 선택 과정과는 무관한 것으로 여겨진다(McCarty & Donchin, 1981; Pfefferbaum et al., 1983).

단기간 급성 운동 효과에 관한 연구는 P3 변화가 단기간 급성 운동이 진행되는 동안, 그리고 진행 후에 모두 관찰된다는 것을 보여 주었다. 그러나 실험 논문들은 모순된 결과들로 가득하여, 몇몇 논문 저자들은 단기간 급성 운동 ERP 연구에서 세심한 통제가 필요한 다음과 같은 방법론적 요인들을 발견하게 되었다. ① 참가자의 체력, ② 신체 운동의 강도 및 기간, ③ 심리 과제의 본질, ④ 단기간 급성 운동 시합에 비교하여 심리 과제가 시행되는 시간(Collardeau et al., 2001).

본 장의 목적은 가능한 한 콜라르도(Collardeau)와 그의 동료들이 제안한 방법론적 제약 조건에 주의를 기울이면서 단기간 급성 운동과 ERP 간의 관계에 대한 개요를 제공하는 것이다. 본 장의 첫 번째 절은 P3 파형을 측정한 단기간 급성 운동 연구들 간의 방법론적 차이에 초점을 맞춘다. 두 번째 절은 이전 자극 고정 구성 요소(예, N1, P2, N2), 조건부 음의 변화(contingent negative variation, CNV), 오류관련 부적 파형(error-related negativity, ERN)과 같은 ERP 성분을 다룬다. 본 장은 단기간 급성 운동이 노인 인지 처리 ERP 지수에 미치는 영향에 대한 몇 가지를 추측해 보고 마무리하고자 한다.

단기간 급성 운동과 P3

〈표 7.1〉은 P3 성분을 측정한 단기간 급성 운동 연구들을 요약한 것이다. 보는 바와 같이, 다양한 연구들에서 얻은 결과들은 일관성이 없다. 현존하는 문헌에 대한 논의에서 여러 가지 요인을 고려할 필요가 있다. 즉 피험자들의 체력(physical fitness) 차이, 운동 강도, 운동 모드 및 운동 시간의 차이, 채택된 심리 과제 및 과제에 이용되는 인지 과정의 특성 차이, 그리고 단기간 급성 운동과 관련된 P3가 측정된 시점의 차이. 이러한 차이점들을 고려하면, 단기간 급성 유산소 운동이 P3에 미치는 효과가 서로 일치하는 경우가 거의 없는 것은 놀라운 일이 아니다. 각 방법론의 차이는 이후 논의될 예정이다.

피험자들의 체력
표면적으로는 이 분야에 대한 연구의 대다수가 젊은 성인들을 대상으로 했기 때문에 유사한 실험 표본을 사용한 것으로 보일 수 있다. 그러나 자세히 살펴보면 연구의 표본에 몇 가지 중요한 차이점들이 있다는 것을 알 수 있다. 즉 어떤 연구들은 규칙적으로 운동을 하는 개인들 혹은 운동선수들을 대상으로 하고 있으며(Grego et al., 2004; Hillman et al., 2003; Nakamura et al., 1999), 어떤 연구들은 운동을 하지 않는 사람 혹은 운동선수가 아닌 사람들을 대상으로 하고 있다(Kamijo et al., 2004b; Pontifex & Hillman, 2007; Vagi et al., 1999). 운동 후 운동선수와 운동을 활발하게 하는 사람들의 P3를 기록한 연구는 더 많은 주의력 자원 할당(큰 P3 진폭), 좀 더 빠른 인지 처리 속도(더 큰 P3 진폭 및 더 빠른 잠재기, Hillman et al., 2003; Nakamura et al., 1999), 혹은 둘 모두를 보여 주었다. 카미조와 그의 동료들(Kamijo et al., 2004b)의 연구에서도 중간 강도의 운동 후 P3 진폭이 더 커지는 것을 관찰하였다. 이러한 연구 결과는 적당한 강도의 운동을 한 후에, 젊은 성인에게서 유사한 신경 전기적 반응이 관찰된다는 것을 시사한다.

표 7.1 P3 연구의 방법론적 차이

번호	연구자	피험자	운동	심리 과제	P3 측정 시점
1	두조바 외 (Duzova et al. 2005)	• 남자 축구선수 31명 (신체 활동: 상위 11, 중위 10, 하위 10) • 나이: 18~26세 • VO₂max: 언급하지 않음	• 무산소 적력 조정 시험 (Anaerobic loading coordination test) • 강도: 최대 운동(약 190bpm) • 시간: 45초	청각 오드볼 과제 (Auditory oddball task)	운동 전, 피험자의 체온과 HR이 기준선으로 돌아온 후
2	그레고 외 (Grego et al. 2004)	• 12명의 남성 사이클 선수 • 나이: 29세 • VO₂max: 69ml·kg⁻¹·min⁻¹	• 사이클링 운동 • 강도: 66 % VO₂max • 시간: 180분	청각 오드볼 과제 (Auditory oddball task)	운동 전, 운동 중(3, 36, 72, 108, 144분), 운동 직후 및 15분 후
3	힐먼 외 (Hillman et al. 2003)*	• 남성 10명, 여성 9명 (규칙적인 신체 활동에 참여) • 나이: 20.5세 • VO₂max: 48.4ml·kg⁻¹·min⁻¹	• 러닝머신 운동 • 강도: 162.4bpm(83.5% HRmax) • 시간: 30분	에릭슨 플랭커 과제 (Eriksen flanker task)	피험자의 HR이 기준선의 10% 이내로 돌아왔을 때: 평균은 운동 후 48분 후
4	카미조 외 (Kamijo et al. 2004b)*	• 남성 12명 • 나이: 24.9세	• 사이클링 운동 • 강도: 의자식 피로감이 올 때까지(상·마지막 단계 GXT 190.2bpm), RPE 12~14(중=18.2bpm), RPE 7~9(하=84.4 bpm) • 시간: 18분	'Go/NoGo'	운동 후 즉시(3분 이내)
5	마그니에 외 (Magnie et al. 2000)	• 남성 20명(사이클 선수 10명, 비운동자 10명) • 나이: 21.2세(사이클 선수), 22.9세 (비운동자) • VO₂max: 사이클 선수 63.8, 정적인 사람 47.4ml·kg⁻¹·min⁻¹	• 사이클링 운동 • 강도: 의자식 피로감을 느낄 때까지 • 시간: 언급하지 않음	청각 오드볼 과제 (Auditory oddball task)	운동 전, 피험자의 체온과 HR이 기준선으로 돌아온 후: 평균은 운동 후 69분 후(사이클 선수), 52분 후(비운동자)
6	나카무라 외 (Nakamura et al. 1999)	• 조깅하는 남성 7명 • 나이: 34.6세 • VO₂max: 언급하지 않음	• 조깅 • 강도: 편안하고 자기 신체 리듬에 맞춤 • 시간: 30분	청각 오드볼 과제 (Auditory oddball task)	운동 전, 운동 후 10분 뒤
7	폰티펙스와 힐먼 (Pontifex & Hillman. 2007)	• 남성 15명, 여성 26명 • 나이: 20.2세 • VO₂max: 38.3 ml·kg⁻¹·min⁻¹	• 사이클링 운동 • 강도: 60% HRmax • 시간: 6분	화살표 배열이 추가된, 수정 플랭커 과제	운동 전 (피험자의 절반), 운동 중, 피험자의 체온과 HR이 기준선으로 돌아온 후: 평균은 운동 6.3분 후(피험자의 나머지 절반)
8	야기 외 (Yagi et al. 1999)	• 남성 12명, 여성 12명 • 나이: 19.9세(남성), 20.6세(여성) • VO₂max: 언급하지 않음	• 사이클링 운동 • 강도: 130~150bpm • 시간: 10분	청각 및 시각 오드볼 과제	운동 전, 운동 중, 운동 직후

* 힐먼 외(Hillman et al. 2003)와 카미조 외(Kamijo et al. 2004b)는 ERP 기준선을 운동을 한 날이 아닌 다른 날에 측정하였음

메모: 기록없음 연령은 피험자들의 평균 연령임. HR(Heart Rate)은 심박수. RPE(Rating of Perceived Exertion)는 지각된 운동 등등. RT(Reaction Time)는 반응시간임.

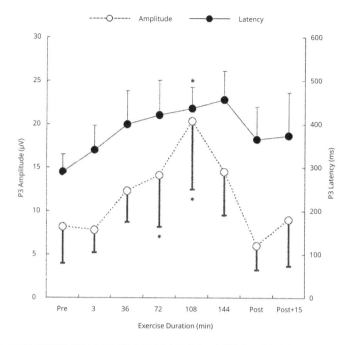

그림 7.1 180분 사이클링 운동 조건의 평균 P3 진폭과 잠재기. 3번째부터 유의한 차이가 나타남

* 출처: 〈뉴로사이언스 레터즈(Neuroscience Letters)〉 학술지 364호, 그레고(F. Grego), 밸리어(J.M. Vallier), 컬러듀(M. Collardeau), 베르만(S. Berman), 페라리(P. Ferrari), 칸디토(M. Candito), 베이어(P. Bayer), 마그니에(M.N. Magnie), 브리스월터(J. Brisswalter), "장기간의 운동이 남성 사이클리스트의 인지 기능, 혈당 및 조절 호르몬에 미치는 영향", 76-80 페이지, Copyright 2004, 엘스비어(Elsevier) 사의 허락을 받고 게재함.

한편 운동 중 ERP를 기록한 여러 연구들은 피험자의 체력(physical fitness)에 관계없이, 반응 정확도가 낮거나 P3 잠재기가 길거나, 정확도가 낮으면서 P3 잠재기도 긴 것으로 나타났다(Grego et al., 2004; Pontifex & Hillman, 2007; Yagi et al., 1999). 예를 들면, 그레고와 그의 동료들(Grego et al., 2004)은 장기간 약 66% 최대 산소 소비량($\dot{V} \cdot O_2max$)에서 사이클링 운동을 한 사이클 선수의 신경 전기 반응을 조사하였다. P3 성분은 180분의 사이클링 운동(3, 36, 72, 108, 144분)을 하는 동안 일정한 간격으로 측정되었다. P3 진폭은 72번째와 108번째 사이에서 크게 증가하는 것으로 나타난 반면, P3 잠재기는 108번째와 144번째 사이에 상당히 더 길었다(〈표 7.1〉 참조). 이러한 연구 결과는 장기간의 유산소 운동 동안 주의력 자원의 할당을 증가시키지만 인지 처리 속도가 느려진다는 것을 시사한다(Grego et al., 2004).

폰티펙스와 힐먼(Pontifex & Hillman, 2007)은 운동 중 과제(in-task), 단기간(6분), 중간 강도[최대 심박수(HRmax) 60%]의 사이클 운동이 젊은 성인의 신경 전기 반응($\dot{V} \cdot O_2$ max: 38.3 ml·kg^{-1}·min^{-1})에 미치는 영향을 조사하였다. P3 잠재기는 휴식 시간에 비해 운동 중에 P3 진폭이 더 큰 것으로 관찰되었다. 이러한 연구 결과는 인지 과업 수행 중 운동이 추가되면 피험자가 인지 과업에 의해 부과된 요구를 성공적으로 넘겨야 하고, 안정적인 상태의 운동 유지를 위해 자원을 할당해야 하는, 이중 과제 환경이 조성된다는 것을 시사한다(Pontifex & Hillman, 2007). 또한 훈련을 받지 않은 비전문 사이클 선수에게 중간 강도 사이클 운동 조건이 진행되는 동안 신경 자원 할당의 비효율성이 발생한다는 것이 제안되었다. 이와는 대조적으로 사이클 운동 중 신경 전기 자원의 비효율성은 경험이 많은 사이클 선수의 운동 초기 단계에서는 나타나지 않았는데, 이는 사이클 선수가 사이클 운동에 더 익숙하기 때문일 것이다. 그러나 장시간(1시간 이상) 운동 중 중앙 및 말초 피로가 발생할 때, 훈련된 사이클 선수에게도 인지 기능의 비효율성이 나타날 수 있다.

마그니에와 그의 동료들(Magnié, 2000)은 단기간 급성 최대 사이클링 운동 후에 P3의 차이가 나타나는지 밝히기 위해 다른 유산소 운동의 수준을 가진 개인들을 조사하였다. 유산소 운동이 단기간 급성 운동과 신경 전기 반응에 미치는 영향을 알아내기 위해 훈련된 사이클 선수($\dot{V}O_2$ max: 63.8 ml · kg^{-1}·min^{-1})와 정적인 피험자($\dot{V}O_2$ max: 47.4 ml · kg^{-1}·min^{-1})를 비교하였다. 운동 후 ERP는 격렬한 운동과 관련된 일반적인 생리적 자극의 영향을 설명하기 위해 운동 후 체온과 심박수(HR)가 운동 전 수준으로 돌아간 직후에 측정되었다. 그 결과, 체력 수준과 무관하게 모든 피험자는 최대 운동 후 P3 진폭이 더 크게 나타났고, P3 잠재기는 더 짧아지는 것이 관찰되었다. 이 연구 결과는 유산소 운동의 수준이 단기간 급성 유산소 운동과 관련된 인지 기능에 영향을 미치지 않음을 시사한다.

두조바와 그의 동료들(Duzova et al., 2005)은 축구 선수들을 세 가지 신체 활동 그룹(고활동: 5시간 이상/주 훈련, 중간 활동: 2-5시간/주 훈련, 저활동: 2시간 이하/주 훈련)으로 나누고, 약 45초(과제 중 심박수는 약 190bpm)의 최대 협조운동훈련이 ERP에 미치는 영향을 조사했다. 그들의 연구 결과 또한 신체 활동 그룹들 간에 P3 진폭이나 잠재기에 큰 차이가 없다는 것을 보여 주었다. 더 나아가 P3 성분은 운동 개입에 의해 변하지 않았으며, 운동 이전과 이후에 차이가 관찰되지 않았다. 종합적으로 이 두 연구에서 얻은 데이터는 개인의 유산소 운동은 단기간 급성 운동 후 P3의 조절과 관련이 없다는 것을 시사한다. 장기간의 유산소 운동과 유산소 체력은 지속적으로 P3에 영향을 미치는 것으로 밝혀졌기 때문에 이러한 결과는 흥미롭다.

단기간 급성 운동의 기능을 통한 수행의 변화를 다룬 연구는 인지 기능에 대한 단기간 급성 운동이 인지 기능에 미치는 효과는 피험자들의 유산소 체력에 의해 영향을 받을 수 있다는 것을 보여 주고 있다(Gutin & DiGennaro, 1968a, 1968b; Sjoberg, 1980). 그러나 모든 연구가 그런 관계를 보여 준 것은 아니다(Tomporowski, Ellis, & Stephens, 1987; Travlos & Marisi, 1995). 인용된 이전 연구들은 체력이 더 좋은 피험자들이 체력이 떨어지는 피험자들에 비해 신체적 스트레스의 해로운 영향을 더 잘 견뎌낼 수 있다고 제안하고 있다(Gutin & DiGennaro, 1968a, 1968b; Sjoberg, 1980). 우리가 아는 바로는 두 연구(Magnié et al., 2000; Duzova et al., 2005)만이 P3에 대한 단기간 급성 운동과 체력의 상호작용 효과를 다루었으며, 이러한 문제에 대한 추가적인 연구가 필요하다.

운동 강도와 기간

연구들은 사용된 단기간 급성 운동 개입의 유형에 따라 큰 차이를 보여 주고 있다. 운동 강도와 관련하여, P3 연구는 중간 강도(Grego et al., 2004; Nakamura et al., 1999; Pontifex & Hillman, 2007; Yagi et al., 1999)와 고강도(Duzova et al., 2005; Hillman et al., 2003; Magnié et al., 2000)의 운동을 사용한 연구로 두 그룹으로 나뉜다. 운동 기간의 관점에서, 대부분의 연구들은 몇 가지 예외(예, Duzova et al., 2005, 45초; Grego et al., 2004, 180분)를 제외하고 약 20-30분 정도 (Hillman et al., 2003; Kamijo et al., 2004b; Magnié et al., 2000; Nakamura et al., 1999)의 운동을 사용했다. 또한 두 개의 ERP 연구는 비교적 짧은 운동 기간을 사용하였으며, 운동 중 인지 기능을 측정하였다(Pontifex & Hillman, 2007, 6분; Yagi et al., 1999, 10분).

카미조와 그의 동료들(Kamijo et al., 2004b)은 P3를 사용하여 운동강도가 인지 처리에 미치는 영향을 조사하였다. P3 성분은 운동을 하지 않을 때 기준선을 측정하고, 운동 강도에 따라 인지 기능에 미치는 영향에 차이가 있는지를 알아보기 위해 저강도(피험자가 지각한 운동 강도: RPE 7-9), 중간 강도 (REP 12-14) 및 고강도(의지적인 피로감을 느끼는 시점) 사이클링 운동을 한 직후에 다시 측정되었다. 기준선에 비교하여 P3 진폭이 고강도 운동 이후 감소한 반면, 중간 강도 운동 후에는 증가하였으며, 저강도 운동 후에는 변화가 없었다(〈그림 7.2〉). 이 결과는 운동 강도에 따른 P3 진폭의 변화가 역U자형 분포에 의해 설명될 수 있음을 시사한다. 즉 인지의 P3 지표는 중간 강도 운동 직후에 촉진되고, 고강도 운동 직후에 저하될 수 있다. 이 연구 결과는, 중간 강도 운동이 인지 처리를 용이하게 한다는 나카무라와 그의 동료들 (Nakamura et al., 1999)의 결과를 뒷받침한다.

힐먼과 그의 동료들(Hillman et al., 2003), 마그니에와 그의 동료들(Magnié et al., 2000) 등과 같이 고강도 운동을 사용한 다른 연구는 피험자의 체온과 심박수가 기준선으로 돌아온 후(운동 후 약 50-70분)에 P3를 기록했다. 이 연구는 기준선에 비해 상대적으로 고강도 단기간 급성 운동을 수행한 후 진폭이 더 커지거나, 잠재기가 더 짧아지거나, 진폭이 더 커지면서 잠재기가 더 짧아지는 것을 보여 주었다. 이 연구 결과는 P3 성분이 반영하는 인지 처리는 고강도 운동 직후에는 악화되지만, 기준치로 돌아오거나 회복 후 강

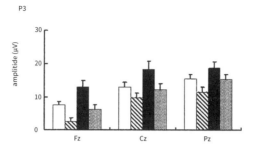

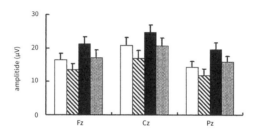

그림 7.2 고강도, 중간 강도, 저강도 운동 이후, Fz, Cz, Pz 전극 위치에서 나타난 평균 P3(위)와 No Go 조건 (아래)의 P3 진폭

* 출처:《European Journal of Applied Physiology》,〈중추 신경계에서 운동 강도 정보처리의 차별적 영향(Differential influences of exercise intensity on information processing in the central nervous system)〉, 92, 2004, 305-311 페이지, 카미조(K, Kamijo) 등의 허락을 받고 등재

화된다는 것을 시사한다. 단기간 급성(격렬한) 운동 후 P3 변화는 카테콜아민 활동에 의해 영향을 받을 수 있다고 추측되어 왔다. 즉 카테콜아민의 혈장 농도는 운동 강도와 지속시간에 따라 선형적으로 증가하다가 운동 후 점차 감소한다(예, Kjaer, 1989; Kjaer, Farrell, Christensen, & Galbo, 1986). 혈장 카테콜아민(Plasma catecholamines)이 인지 수행 능력과 관련이 있다고 제안되고 있다(Chmura et al., 1998; Chmura, Nazar, & Kaciuba-Uscilko, 1994; McMorris & Graydon, 2000). 크무라와 그의 동료들(Chmura et al., 1994)은 혈장 카테콜아민과 인지 수행 능력과의 관계를 조사했으며, 반응 속도와 혈장 카테콜아민 사이의 관계는 U형 분포로 설명할 수 있다고 제안했다.

운동 시간과 관련하여, 그레고와 그의 동료들(Grego et al., 2004)은 중간 강도로 장시간(180분) 운동을 한 후에는 P3 진폭에 변화가 없다는 것을 관찰하였다. 이는 중간 강도 운동이 특정 시점까지 인지 기능을 촉진하지만, 장시간 운동을 지속하는 것이 중앙 혹은 말초 피로 또는 둘 다로 인해 이러한 유익한 효과를 무효화할 수 있음을 시사한다. 또한 두조바와 그의 동료들(Duzova et al., 2005)은 P3 성분이 최대 및 매우 짧은 시간(45초)의 무산소운동 후 변하지 않는다는 것을 지적했다. 이 연구 결과는 P3가 운동 시간이 매우 짧을 때 고강도 운동 후에 변하지 않음을 시사한다.

톰포로프스키와 엘리스(Tomporowski & Ellis, 1986)는 이러한 일관되지 않은 연구 결과들을 설명할 수 있는 몇 가지 근거를 제시하며, 운동은 처음에는 중추신경계에 직접 영향을 줌으로써 인지 처리를 촉진할 수 있지만, 운동 강도 혹은 운동 시간이 증가함에 따라 활동의 촉진 효과는 근육 피로의 약화 효과에 의해 효력이 없어진다는 것을 시사했다. 따라서 운동 강도 및 운동 기간이 피로에 미치는 효과가 다르기 때문에 인지 처리에도 영향을 미칠 것이다. 운동 강도와 운동 기간이 인지에 미치는 영향을 좀 더 면밀히 조사하기 위해서는 추가 연구가 필요하다.

심리 과제의 본질

전통적으로, P3는 오드볼 패러다임(oddball paradigm)으로 알려진 단순한 자극 변별 과업을 이용하여 발생되어 왔다. 단기간 급성 운동의 효과를 조사하는 대부분의 P3 연구는 빈번한(표준) 자극과 간헐적인(목표) 자극이 제시되는 이 패러다임을 사용해 왔으며(Grego et al., 2004; Magnié et al., 2000; Nakamura et al., 1999; Yagi et al., 1999), 후자는 시험(trials)의 약 20%에서 발생한다. 피험자들은 목표 자극이 나타나면 일반적으로 버튼을 누르거나 조용히 목표 자극의 수를 세는 방법으로 운동 반응을 수행해야 한다. 이 과제는 응답 정확도가 높아 비교적 간단한 것으로 간주된다.

호츠코-자이코(Chodzko-Zajko, 1991)는 노력 혹은 주의의 부담이 큰 과업이 최소한의 노력을 요하는 과업보다 운동의 유익한 효과에 더 민감할 수 있다고 제안했다. 즉 단기간 급성 운동이 인지 처리에 미치는 영향은 심리 과제의 특성에 따라 다르다는 것이다. 힐먼과 그의 동료들(Hillman et al., 2003)은 이 문제를 집행 기능 통제를 조작하는 플랭커 과제를 사용하여 조사하였다. 페르너와 랭(Perner & Lang, 1999)은 집행 기능 통제를 "특정 목표를 유지하고 방해 대안에 직면했을 때 그것을 선택하는 데 필요한, 상위 수준의 통제를 담당하는 과정"으로 정의했다(p. 337). 전전두 피질은 집행 기능 통제에 중요한 구조로 여겨져 왔다(Funahashi, 2001 참조). 집행 기능 통제에는 행동을 조직하고, 정신적 유연성, 복잡한 변별, 오류 모니터링, 반응 선택 및 반응 억제 등 중요한 기능이 포함된다(Meyer & Kieras, 1997; Norman & Shallice, 1986). 집행 기능 통제 요건을 효과적으로 조작하는 것으로 보이는 하나의 패러다임은 에릭슨 플랭커 과제(Eriksen flanker task)이다(Eriksen & Eriksen, 1974). 이 과제는 중심 목표 문자가 노이즈 문자와 나란히 제시되는 두 가지 유형의 자극으로 구성된다(예, 일치 자극: HHHHH, 불일치 자극: SSHSS). 일치 자극은 더 빠르고 더 정확한 반응을 이끌어 내고, 불일치 자극은 반응속도와 정확도를 떨어뜨린다(Eriksen & Schultz, 1979). 후자의 불일치 배열은 평가가 완료되기 전 오반응이 활성화되어 반응 지연을 발생시키기 때문에 더 많은 양의 집행 기능 통제가 요구된다(Kramer et al., 1994; Kramer & Jacobson, 1991). 힐먼과 그의 동료들(Hillman et al., 2003)은 불일치 시행에서만 짧은 P3 잠재기가 관찰되었기 때문에 단기간 급성 운동은 적은 집행 기능 통제가 요구되는 과제보다 광범위한 집행 기능 통제가 요구되는 과제에서 더 큰 영향을 받을 수 있다고 제안했다(〈그림 7.3〉). 카미조와 그의 동료들(Kamijo et al., 2004b) 역시 사이클링 운동 후 반사 신경 억제 처리의 반영으로 해석되는(집행 통제의 다른 측면, Bokura, Yamaguchi, & Kobayashi, 2001; Bruin, Wijers, & van Staveren, 2001; Falkenstein, Hoormann, & Hohnsbein, 1999; Fallgatter & Strik, 1999) "NoGo" P3가 변화했음을 제안했다.

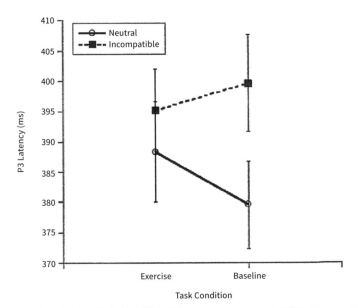

그림 7.3 기준선 세션과 운동 중 에릭슨 플랭커 과제(Eriksen flanker task)의 일치 조건(neutral)과 불일치 (incompatible) 조건의 평균 P3 잠재기(latency)

* 출처: 힐먼(C.H. Hillman), 스눅(E.M. Snook), 제롬(G.J. Jerome), 〈단기간 급성 심혈관 운동 및 집행 기능 통제(Acute cardiovascular exercise and executive control function)〉, 《International Journal of Psychophysiology》 48호, 307-314쪽, Copyright 2003, 엘스비어(Elsevier) 사의 허락을 받고 등재

종합하면 이 두 연구는 집행 기능 통제의 다양한 측면들이 단기간 급성 운동의 효과에 특히 민감할 수 있음을 시사한다.

또한 폰티펙스와 힐먼(Pontifex & Hillman, 2007)은 플랭커(Flanker) 과제를 사용하여 과제 중 중간 강도의 유산소 운동이 간섭 통제와 관련한 신경 전기적 지표 및 행동 지표에 미치는 영향을 조사했다. 그 결과 불일치 과제에서만 과제 중 운동이 휴식에 비해 더 낮은 응답률과 관련되어 있었다. 그리고 일치와 불일치 과제 모두에서, 과제 중 운동이 휴식에 비해 더 큰 P3 진폭과 더긴 잠재기가 관찰되었다. 이러한 결과는 단기간 급성 운동이 집행 기능 통제에 영향을 미친다는 것을 시사한다. 또한 P3는 과제에 의해 요구되는 집행 기능 통제 정도에 따라 변하기 때문에, 이는 단기간 급성 운동 스트레스에 대한 인지 반응에 민감한 척도일 수 있다.

이러한 데이터는 단기간 급성 운동이 인지 수행 능력에 영향을 미친다는 것을 시사하지만 심리 과제의 특정한 특성과 관련하여 여전히 몇 가지 문제가 해결되어야 한다. 예를 들어 힐먼과 그의 동료들(Hillman et al., 2003)은 단기간 급성 운동이 집행 기능 통제의 기초가 되는 신경 전기적 과정에 영향을 준다고 제안했지만 운동이 유발하는 P3의 원인이 일반적인 각성이라는 가설을 엇갈리게 지지하는 결과가 발견되었다. 구체적으로, 운동 후 더 긴 잠재기가 관찰되었기 때문에 최소한의 노력이 필요한 시행에서 P3 잠재기 효과는 나타나지 않았다. 따라서 집행 기능 통제 요구를 조작하는 과제를 사용하여 단기간 급성 운동과 심리 과제의 특성 간의 관계에 대한 추가적인 연구가 필요하다.

P3 측정 시점

P3 측정 시점의 관점에서, 운동 중 측정 여부에 따라 연구는 3개의 주요 범주로 분류되었다. 즉 운동 중(Grego et al., 2004; Pontifex & Hillman, 2007; Yagi et al., 1999), 운동 직후(Grego et al., 2004; Kamijo et al., 2004b; Nakamura et al., 1999; Yagi et al., 1999), 혹은 피험자의 체온이나 심박수 중 하나, 혹은 체온과 심박수 모두 기준선으로 돌아온 후(Duzova et al., 2005; Hillman et al., 2003; Magnié et al., 2000).

운동 중 P3를 측정한 연구에서는 휴식 중일 때에 비해 운동 중일 때 P3 진폭과 P3 잠재기가 더 길었으며, 이는 운동 중 신경 자원 할당의 비효율성을 시사한다(Grego et al., 2004; Pontifex & Hillman, 2007). 그러나 야기와 그의 동료들(Yagi et al., 1999)은 운동 중 더 짧은 반응 시간(RT)과 더 낮은 반응 정확도, 더 작은 P3 진폭을 관찰했으며, 이는 휴식에 비해 운동 중 사용 가능한 주의력 자원의 할당은 감소하지만 인지 처리 속도는 더 빨라진다는 것을 시사한다. 그러나 반응속도가 빨라질수록 오류 수의 증가는 속도-정확도 교환 효과(speed-accuracy trade-off)가 뚜렷하게 나타났다.

운동 후 P3를 측정하는 연구 결과 역시 일관성이 없다. 카미조와 그의 동료들(Kamijo et al., 2004b)은 고강도 운동 직후 보다 작은 P3 진폭을 관찰한 반면, 힐먼과 그의 동료들(Hillman et al., 2003) 및 마그니에와 그의 동료들(Magnié et al., 2000)은 고강도 단기간 급성 운동 후 피험자의 심박수 또는 체온이 기준선 수준으로 돌아온 후(운동 후 50-70분 정도) P3 진폭이 더 커지거나 P3 잠재기가 짧아지거나, 혹은 둘 모두 발생하는 것을 관찰했다. 후자의 연구는 체온과 심박수가 P3 잠재기에 미치는 영향을 시사하기 때문에 흥미롭다(Geisler & Polich, 1990). 그러나 다른 연구들은 단기간 급성 운동으로 인한 체온 증가는 운동 중과 운동 후 모두 각성 수준이 감소하는 결과를 초래하며(Nielsen et al., 2001), P3는 각성 수준의 변화에 의해 영향을 받을 수 있다고 제안한다(Polich & Kok, 1995). 따라서 단기간 급성 운동의 효과를 다룬 ERP 연구에서는 운동 전, 운동 직후, 그리고 체온과 심박수가 운동 전의 수준으로 돌아온 다음 ERP 기록을 수행할 것을 권장한다.

기준선 데이터 기록과 관련된 연구는 두 그룹으로 나눌 수 있다. 대부분의 연구는 사전-사후 연구 설계를 사용한다(Duzova et al., 2005; Grego et al., 2004; Magnié et al., 2000; Nakamura et al., 1999; Yagi et al., 1999). 그러나 P3 진폭은 자극이 반복적으로 제시된 후에 감소하거나 습관화되는데, 이는 자극 환경의 신경 모형의 업데이트가 자동화되기 때문이다(예, Ravden & Polich, 1998; Lew & Polich, 1993). 따라서 P3는 단기간 급성 운동뿐만 아니라 습관, 혹은 사전-사후 연구의 일반적인 훈련 효과에 의해 영향을 받을 수 있다. 반면 힐먼과 그의 동료들(Hillman et al., 2003) 및 카미조와 그의 동료들(Kamijo et al., 2004b)은 시간은 동일하지만 운동 세션과 다른 날에 기준 세션을 기록했으며, 습관화 효과를 없애기 위해 연구 세션을 역균형화(counterbalance)했다. 단기간 급성 운동의 효과를 조사하는 ERP 연구에서 기준 세션은 동일한 시간이지만 운동 세션과 다른 날에 수행하는 것이 좋다.

결론적으로 체온과 심박수 중 하나, 혹은 둘 모두 운동 전 수준으로 돌아간 후에도 고강도 운동 후에 P3 변화가 관찰된다는 증거가 있다(Hillman et al., 2003; Magnié et al., 2000). 그러나 단기간 급성 운동이 인지 처리에 미치는 효과가 얼마나 오래 지속되는지에 관한 자료는 부족하다. 이러한 변화는 피험자의 운동 강도, 지속시간 및 체력에 따라 다르다고 추측되지만, 단기간 급성 운동 후 행동 측정 및 ERP에 대한 일련의 평가를 포함하는 추가 연구가 필요하다.

단기간 급성 운동과 다른 ERP 구성 요소들

ERP 파형은 외적 전위(유도 사건의 물리적 특성에 의해 결정되는 의무적인 반응)와 내적 전위(뇌의 정보처리 표상은 유도 사건에 의해 호출될 수도 있고 호출되지 않을 수도 있다. Picton et al., 2000) 사이의 연속체에 걸쳐 있는 구성 요소가 포함되어 있다. ERP는 감각, 인지 혹은 운동 사건들과 연관되어 있으며, 자극 혹은 반응에 의해 유발될 수 있다. ERP는 시간 해상도가 높아 측정이 빠르기 때문에, 인간 두뇌에서 발생하는 정보처리 활동이 발생하는 시간을 정확하게 측정할 수 있다(Picton et al., 2000). 즉 ERP 파형은 정보처리의 시간적 측면에 관한 정보를 제공한다.

〈표 7.2〉는 P3 이외의 ERP 성분을 측정한 단기간 급성 운동 연구를 요약한 것이다. 이 절에서는 이러한 연구에서 얻은 결과를 요약하고 있다.

시각 유발 전위 및 뇌간 청각 유발 전위

여러 연구에서 시각 유발 전위(VEP), 뇌간 청각 유발 전위(BAEP) 혹은 둘 모두를 사용하여 단기간 급성 운동이 시각 혹은 청각 경로(혹은 둘 다)에 미치

표 7.2 타 ERP 연구의 세부 개요

번호	연구자	피험자	운동	구성 요소 (심리 과제)	P3 측정 시기
1	두조바 외 (Duzova et al., 2005)	• 남자 축구선수 31명 (신체 활동: 상위 11명. 중위 10명. 하위 10명) • 나이: 18-26세 • VO₂ max: 언급하지 않음	• 무산소 적재 협응 시험 • 강도: 최대 운동(약 190bpm) • 기간: 45초	• N2(청각 오드볼 과제, 총계)	운동 전, 피험자의 체온과 심박수가 기준선으로 돌아온 후
2	카미조 외 (Kamijo et al., 2004a)*	• 남성 12명 • 나이: 24.9세 • VO₂ max: 언급하지 않음	• 사이클링 운동 • 강도: 의지적 피로를 느낄 때까지 (상-GXT의 마지막 단계에서 190bpm). RPE 12-14(중=118.2bpm). RPE 7-9(하=84.4bpm) • 기간: 18분	• CNV('Go/NoGo' RT 과제)	운동 직후(3분 이내)
3	마그니에 외 (Magnié et al., 1998)	• 남성 16명 (사이클 선수 8명, 비운동자 8명) • 나이: 20.9세(사이클 선수), 23.5세(비운동자) • VO₂ max: 사이클 선수 64.4; 비운동자 46.4ml·kg⁻¹·min⁻¹	• 사이클링 운동 • 강도: 의지적 피로를 느낄 때까지 • 기간: 언급하지 않음	• VEP(체크보드 형태 변환) • BEAP(클릭)	운동 전, 피험자의 체온이 기준선으로 돌아온 후: 평균=운동 후 54분(사이클 선수), 72분(비운동자)
4	마그니에 외 (Magnié et al., 2000)	• 남성 20명 (사이클 선수 10명, 비운동자 10명) • 나이: 21.2세(사이클 선수), 22.9세(비운동자) • VO₂ max: 사이클 선수 63.8; 비운동자 47.4ml·kg⁻¹·min⁻¹	• 사이클링 운동 • 강도: 의지적 피로를 느낄 때까지 • 기간: 언급하지 않음	• N1, P2, N2(청각 오드볼 과제, 총계) • N400(의미 불일치 과제)	운동 전, 피험자의 체온과 HR이 기준선으로 돌아온 후: 평균=운동 후 69분(사이클 선수), 52분(비운동자)
5	나카무라 외 (Nakamura et al., 1999)	• 조깅하는 남성 7명 • 나이: 34.6세 • VO₂ max: 언급하지 않음	• 조깅 • 강도: 편안하게 자신의 신체 리듬에 맞춤 • 기간: 30분	• N2(청각 오드볼 과제, 총계)	운동 전, 운동 후 10분 뒤
6	오즈메르디벤리 외 (OzmerdiveNli et al., 2005)	• 남성 16명, 여성 16명 (각 성별 배구선수 9명, 비운동자 7명) • 나이: 20.2세(남성 배구선수), 19.6세(남성 비운동자), 21.1세(여성 배구선수), 21.4세(여성 비운동자) • VO₂max: 51.3, 44.2, 38.8, 30.4ml·kg⁻¹·min⁻¹	• 러닝머신 운동 • 강도: 최대 심박수 60-70% • 기간: 30분	• VEP(체크보드 형태 변환)	운동 전, 운동 후 피험자 체온이 기준선으로 돌아온 뒤

7	폰티펙스와 힐먼 (Pontifex and Hillman, 2007)	• 남성 15명, 여성 26명 • 나이: 20.2세 • VO₂max: 38.3 ml·kg⁻¹·min⁻¹	• 사이클링 운동 • 강도: 최대 심박수 60% • 기간: 6분	• N1, P2, N2 (수정된 플랭커 과제)	운동 전(피험자의 절반), 운동 중, 운동 후(피험자의 나머지 절반) 차이 HR이 기준선으로 돌아온 후: 평균=운동 후 6.3분 (피험자의 나머지 절반)
8	데먼슨과 힐먼 (Themanson and Hillman, 2006)*	• 남성 14명(각 성별 상위 체력 10명, 하위 체력 7명) • 나이: 20.1세(상위 체력), 20.6세(하위 체력) • VO₂ max: 상위 체력 56.3, 하위 체력 38.7 ml·kg⁻¹·min⁻¹	• 러닝머신 운동 • 강도: 161.0bpm(최대 심박수 82.8%) • 기간: 30분	• ERN, Pe, N2 (에릭슨 플랭커 과제)	피험자의 HR이 기준선의 10%에 도달했을 때: 평균=운동 후 40분
9	토마스 외 (Thomas et al., 1991)	• 남성 8명, 여성 8명 • 나이: 21-23세 • V˙O₂ max: 언급하지 않음	• 사이클링 운동 • 강도: 중간 정도의 운동(100-200W) • 기간: 20분	BAEP (삐 소리)	운동 전, 운동 직후, 마지막 측정 15분 후

메모: 카마조 외(2004a) 및 데먼슨과 힐먼(2006)은 ERP를 운동 세션과 다른 날에 측정하였다. CNV(contingent negative variation)는 사건 관련 전위. RT(reaction time)는 반응 시간. HR(heart rate)은 심박수). GXT(graded exercise test)는 단계별 운동 검사. RPE(rating of perceived exertion)는 지각된 운동 등급. VEP(visual evoked potential)는 시각적 유발 전위. ERN(error-related negativity)은 오류 관련 부정. Pe(error positivity)는 오류 관련 긍정. BAEP(brainstem auditory evoked potential)는 뇌간 청각 유발 잠재력임.

는 영향을 조사하였다(Magnié et al., 1998; OzmerdiveN1i et al., 2005; Thomas, Jones, Scott, & Rosenberg, 1991). 시각 유발 전위는 중앙 시각 경로를 평가하고 인간의 시각 기능에 대한 객관적 평가를 제공하는 데 사용된다(Walsh, Kane, & Butler, 2005 참조). 형태 변환 자극(Pattern-reversal stimuli)에 의해 유발되는 것으로는 3중 파형인 N75, P100, N145이 있다. 반면 BAEP는 5개의 피크 순서(peak sequence, I-V)를 포함한다. BAEP의 유용성은 BAEP의 다양한 파형 구성 요소가 생성되는 중앙 청각 구조에 대한 지식으로 확장될 수 있다(Biacabe, Chevallier, Avan, & Bonfils, 2001).

마그니에와 그 동료들(Magnié et al., 1998)은 최대 사이클 운동이 VEP와 BAEP에 미치는 영향을 조사했다. 그들은 운동이 끝난 후, 피험자들의 체온이 기준선 수준으로 돌아온 후에 VEP와 BAEP를 기록했다(운동 후 약 55-70분 정도). 그들은 체온이 운동 전 수준으로 돌아왔을 때 VEP와 BAEP 파가 변하지 않는다는 것을 발견했다. 반면 토마스와 그의 동료들(Thomas et al., 1991)은 중간 수준의 사이클링 운동 직후 BAEP를 기록했으며, 운동 전보다 체온이 높아지면서 파형 III과 V의 잠재기가 상당히 짧아진다는 것을 발견했다. 토마스와 그의 동료들은 단기간 급성 운동으로 인한 체온 상승이 유발 전위의 잠재기를 단축시킨다고 제안했다. 그러나 오즈메르디벤리와 그의 동료들(OzmerdiveN1i et al., 2005)은 체온 회복 후 운동 전 수준으로 VEP가 기록되었지만, 비활동적인 여성 피험자들의 러닝머신 운동(최대 심박수 60-70%) 후 VEP의 N145 잠재기가 운동 전보다 더 길다는 것을 발견했다.

N1, P2, N2

VEP 또는 BAEP 이후에 발생하는 N1, P2, N2, P3, N400의 피크(peak, 정점)는 좀 더 통합된 인지 처리를 반영한다. 일부 연구에서는 단기간 급성 운동이 오드볼 과제 또는 기타 선택 반응시간(RT) 과제 중에 수집된 초기 ERP 성분(N1, P2, N2)에 미치는 영향을 평가하였다. 일반적으로 N1, P2, N2는 P3

성분이 나타나기 전에 유도된다. N1 성분은 주의의 초점 내에서 구분 처리 (discrimination process)의 작동을 반영하는 것으로 간주되며(Vogel & Luck, 2000), P2 성분은 자극 분류 과정의 지표(Crowley & Colrain, 2004)인 것으로 추측된다. N1 피크가 자극 양식에 의존하는 것은 분명하지만, P2의 지형은 청각, 시각 및 체성감각 양식에 걸쳐 유사한 것으로 보인다(Crowley & Colrain, 2004 참조). P2에는 두 개 이상의 상이한 공급원(예, 중뇌 망막 활성화 시스템, 측두 평면)이 있다고 생각된다. 그러나 N1 및 P2 성분은 두 가지 모두 최소한 부분적으로 외적 반응을 나타내는 것으로 가정한다(Crowley & Colrain, 2004 참조). 반면 N2 는 자극 구분 및 분류와 관련된 다양한 신경 처리를 반영하는 내적 전위로 추정된다(Näätänen, 1990). 구체적으로, N2는 갈등 과제에서 반응 억제와 관련이 있으며(Kopp, Rist, & Mattler, 1996), 이는 광범위한 집행 통제가 필요한 과제를 수행하는 동안 활동의 모니터링 및 평가(Carter et al, 2000)와 관련된 전대 상피질(ACC)의 활동을 반영한다(van Veen & Carter, 2002).

마그니에와 그의 동료들(Magnié et al., 2000)은 최대 유산소 운동 후 피험자의 체온과 심박수가 기준선 수준으로 돌아간 후, 청각 오드볼 과제 중에 도출된 N1과 P2 성분이 변하지 않는다는 것을 발견했다. 또한 나카무라와 그의 동료들(Nakamura et al., 1999)은 오드볼 과제 중 N1는 보통 수준의 운동을 한 후 10분 동안 변하지 않는 것을 발견했다. 이러한 연구 결과는 ERP의 초기 외부 성분은 단기간 급성 유산소 운동 후에 변경되지 않을 수 있음을 시사한다. 이와는 대조적으로 운동 후 N2 변화는 엇갈리는 결과를 보여 준다. 데먼슨과 힐먼(Themanson & Hillman, 2006)은 N2를 통해 수정된 플랭커 과제를 수행하는 동안 단기간 급성 운동이 활동 모니터링에 미치는 영향을 조사했다. N2는 올바른 시행에서 반응을 수행하기 전에 발생하며, 이는 반응 충돌을 반영하는 것으로 여겨진다(Kopp et al., 1996; Yeung, Cohen, & Botvinick, 2004). 운동 후 자극을 업데이트 하는 중 주의 자원의 배분이 증가되는 것 (Hillman et al., 2003)은 하향 주의력 통제의 증가를 의미할 수 있다(Themanson &

Hillman, 2006). 따라서 데먼슨과 힐먼(Themanson & Hillman, 2006)은 운동 후 갈등 모니터링이 덜 필요하고, N2 진폭의 감소가 관찰될 것이라고 예측했다. 그러나 보통 수준으로 높은 유산소 운동 후 피험자의 심박수가 기준선 수준으로 돌아온 다음에도 N2는 변하지 않았다. 또한 마그니에와 그의 동료들(Magnié et al., 2000)은 최대 운동 후 피험자의 체온이 회복된 다음에도 N2가 변하지 않는다는 것을 보여 주었다. 한편, 두조바와 그의 동료들(Duzova et al., 2005)은 단기간(45초) 및 최대 무산소 운동 후 피험자의 체온이 회복된 다음에 N2 진폭이 현저히 감소했음을 보여 주었다. 이러한 결과로부터 단기간 급성 운동이 N2 성분에 미치는 효과는 운동 유형(유산소 운동 혹은 무산소 운동)에 따라 다를 수 있다고 추측된다.

폰티펙스와 힐먼(Pontifex & Hillman, 2007)은 휴식 중일 때에 비해 운동 중 더 작은 N1 및 N2 진폭, 더 큰 P2 및 P3 진폭, 낮은 과제 수행 능력(정확도) 및 더 긴 N2 및 P3 잠재기를 관찰했다. 이러한 데이터는 운동 중에 시각적 주의 저하(작은 N1), 선택적 주의 증가(큰 P2), 반응 억제를 수행하는 능력 감소(작은 N2), 주의력 자원 할당 증가(P3 진폭) 및 처리 속도 지연(더 긴 N2 및 P3 잠재기)을 관찰할 수 있다는 것을 시사한다. 그들은 또한 자극 획득의 초기 결손이 하향식 인지 통제를 증가시키려는 시도에도 불구하고 인지 처리의 비효율성을 초래할 수 있으며, 이것이 과제 수행 저하를 일으킬 수 있다고 제안한다(Pontifex & Hillman, 2007).

N400

언어 이해에 관한 연구에서도 사건 관련 전위(ERP)가 유용한데, 이는 자극 시작 후 약 400초 정도에서 음의 성분 피크가 의미 정보의 처리에 따라 체계적으로 변화하는 것으로 나타나기 때문이다(Kutas & Federmeier, 2000). 마그니에와 그의 동료들(Magnié et al., 2000)은 피험자의 체온과 심박수가 최대 사이클링 운동 후 기준선 수준으로 돌아간 다음 N400 성분을 기록하였다. 단어와 연관되어 저장되어 있는, 개념적 지식 검색의 난이도에 대한 일반적인 지표로 여겨지는 N400 진폭은 저장된 표상 그 자체와 이전 문맥에서 제시되었던 검색 단서에 의존한다(van Petten & Luka, 2006). 마그니에와 그의 동료들(Magnié et al., 2000)은 단기간 급성 운동 후 N400 진폭이 상당히 커진 것을 발견하였으며, N400의 변화는 최대 유산소 운동의 일반적인 각성효과에 의해 유발될 수 있다고 제안한다.

준비 관련 부적 파형

카미조와 그의 동료들(Kamijo et al., 2004a)은 준비 관련 부적 파형(Contingent Negative Variation, CNV)을 이용하여 운동 강도가 각성 수준에 미치는 영향을 조사했다. 준비 관련 부적 파형(Contingent Negative Variation)은 경고 자극과 명령 자극 간의 시간 간격 사이에 발생한다. 이것은 기대(Walter et al., 1964), 동기 부여(Irwin, Knott, McAdam, & Rebert, 1966) 및 주의와 각성(Tecce, 1972; Tecce, Savignano-Bowman, & Meinbresse, 1976)과 같은 정신생리학적 사건과 연관되어 있다. 많은 연구들은 CNV가 적어도 두 가지 요소로 구성되어 있다는 것을 입증했다. 즉 정향 반응을 반영하는 초기 CNV(Loveless & Sanford, 1974; Weerts & Lang, 1973), 운동(움직임) 준비를 반영하는 후기 CNV(Chwilla & Brunia, 1991; Van Boxtel & Brunia, 1994; Van Boxtel, Geraats, Van den Berg-Lenssen, & Brunia, 1993). 특히 전두엽의 초기 CNV와 각성 수준의 관련성은 광범위하게 보고되고 있다(Higuchi, Watanuki, & Yasukouchi, 1997; Higuchi, Watanuki, Yasukouchi, & Sato, 1997; Tecce, 1972; Tecce et al., 1976). 초기 CNV 생성 메커니즘은 각성 수준과 밀접한 관련이 있는 상향망상체 형성계(ascending reticular formation system)를 포함하고 있는 것으로 나타났다(McCallum et al., 1973; Picton & Low, 1971).

카미조와 그의 동료들(Kamijo et al., 2004a)은 초기 및 후기 CNV 진폭이 P3 진폭과 유사한 방식으로 고강도 운동 후 감소하고, 보통 강도의 운동 후 증가한다는 것을 발견했다(〈그림 7.4〉). 초기 CNV에 대한 연구 결과들은 각

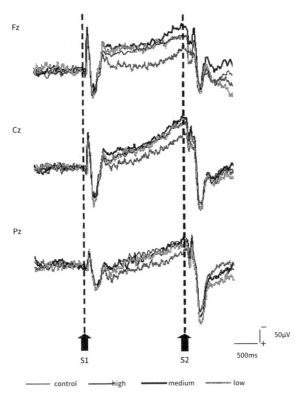

그림 7.4 모든 조건(통제 조건 및 저, 중, 고강도 운동 이후)에 대한 Fz, Cz, Pz 전극 위치에서 나타난 평균 준비 관련 부적 파형(Contingent Negative Variation, CNV)

* 출처:《Clinical Neurophysiology》115호, 카미조(K. Kamijo), 니시히라(Y. Nishihira), 하타(A. Hatta), 카네다(T. Kaneda), 키다(T. Kida), 히가시우라(T. Higashiura), 쿠로이와(K. Kuroiwa), 〈운동 강도에 따른 각성 수준의 변화(Changes in arousal level by differential exercise intensity)〉, 2693-2698 페이지. Copyright 2004, 엘스비어(Elsevier) 사의 허락을 받고 등재

성 수준이 운동 강도의 변화에 의해 영향을 받는다는 것을 보여 준다. 후기 CNV 진폭의 변화는 단기간 급성 운동이 움직임 준비에 영향을 미친다는 것을 시사한다.

오류 관련 부적 파형(ERN)과 오류 관련 정적 파형(Pe)

데먼슨과 힐먼(Themanson & Hillman, 2006)은 행동 모니터링의 행동 및 신경 전기 지수를 비교하여 플랭커 과제를 수행하는 동안 단기간 급성 유산소 운동이 인지 기능에 미치는 효과를 조사하였다. 행동 측정치뿐만 아니라 오류 관련 부적 파형(error related negativity, ERN 혹은 오류 부정성, Ne) 및 오류 양성(Pe) 측정치는 30분 단기간 급성 러닝머신 운동 중 또는 운동 후 30분 휴식 후에 측정하였다. ERN은 피험자가 반응 시간(RT) 과제에서 오류를 범했을 때 도출되는 반응-고정 ERP 성분이다. 이것은 오반응(Holroyd & Coles, 2002) 혹은 반응 충돌(Yeung et al., 2004)을 수정 시 사용되는 인지 학습 메커니즘을 통해 행동 모니터링의 신경 전기 지표를 반영하는 것으로 여겨진다. Pe는 ERN 반응 후 발생하는 후기 양의 성분이다. Pe는 오류에 대한 정서적 반응(Falkenstein, Hoormann, Christ, & Hohnsbein, 2000; van Veen & Carter, 2002), 오류에 대한 사후 반응 평가(Davies, Segalowitz, Dywan, & Pailing, 2001) 및 오류를 범한 후 따라오는 주의 자원의 배분(Mathewson, Dywan, & Segalowitz, 2005)으로 설명되고 있다.

N2와 마찬가지로 데먼슨과 힐먼(Themanson & Hillman, 2006)은 운동 후 과제 수행과 관련된 반응 충돌 감소(예, ERN 진폭 감소)가 나타나는 것은 하향식 통제가 증가하기 때문이라고 가정했다. 또한 그들은 Pe 진폭은 정확한 시도의 자극을 처리하는 동안과 유사한 방식으로 오류에 대한 주의 배분을 반영(Mathewson et al., 2005)할 수 있기 때문에 단기간 급성 운동이 Pe 진폭에도 영향을 미칠 수 있다고 예측했다(Themanson & Hillman, 2006). 그러나 그들은 모든 인지 기능(예, ERN, Pe, RT, 정확도)의 측정치가 단기간 급성 운동 후에도 변하지 않는 것을 발견했다.

요약하면, 단기간 급성 운동이 ERP에 미치는 효과는 중추신경계에서의 정보처리 단계의 기능에 따라 다양하다. 단기간 급성 운동 후, 이전의 ERP 성분(외적 전위)은 영향을 덜 받는 것으로 보인다. N400과 CNV와 같은 내인성 성분은 단기간 급성 운동의 영향을 더 많이 받는 것으로 보인다. 그러나 ERN과 Pe는 행동 모니터링을 반영하는 것으로 보이며, 이는 운동 후 변하지 않는 것으로 보인다.

맺음말— 단기간 급성 운동이 노인 인지 처리의 ERP 지표에 미치는 영향

단기간 급성 운동과 ERP의 관계를 조사하는 대부분의 연구는 젊은 성인들에 초점을 맞추고 있으며, 연령의 증가가 이러한 관계에 미치는 영향에 관한 자료는 없다. 이 장에서 우리는 노화가 단기간 급성 운동과 인지 처리의 ERP 지표의 관계에 미치는 영향에 대해 고찰하였다.

두조바와 그의 동료들(Duzova et al., 2005) 및 마그니에와 그의 동료들(Magnié, 2000)은 유산소 체력 수준이 단기간 급성 유산소 운동과 관련된 인지 기능의 ERP 지표에 영향을 미치지 않는다는 것을 발견했다. 이러한 데이터는 연령과 관련된 체력 감소가 반드시 ERP 반응의 변화를 초래하는 것은 아니라는 것을 시사한다. 이에 더하여 이 연구자들은 P3 진폭 및 휴식 중인 휴식 잠재기(운동 전)가 체력 수준에 따라 다르지 않다는 것을 보여 주었다. 여러 연구들은 노인과 젊은 성인 모두의 장기간의 신체 활동(만성 운동)과 P3 간의 관계를 다루고 있다. 이러한 연구의 결과들은 장기간의 신체 활동이 노인들의 P3 진폭 증가 및 P3 잠재기 감소와 관련이 있다는 것을 시사한다(Hatta et al., 2005; Hillman et al., 2004; Hillman, Kramer, Belopolsky, & Smith, 2006; Hillman, Weiss, Hagberg, & Hatfield, 2002). 하지만 이러한 연관성은 젊은 성인에게는 명확하지가 않다(Hillman et al., 2006). 이는 만성 운동이 젊은 성인들의 ERP에 미치는 영향이 노년층에 비해 상대적으로 작을 수 있음을 시사한다. 단기간 급성 운동이 젊은 성인들보다 노인들의 ERP 반응에 더 큰 영향을 미치는지 여부를 검사하기 위해 추가적인 연구가 필요하다.

많은 연구자들이 연령과 단기간 급성 운동이 인지 처리 작업에 대한 반응으로 나타내는 행동 지표에 미치는 영향을 조사해 왔다. 몰로이와 동료들(Molloy et al., 1988)은 간이 정신상태 검사(Mini-Mental State Examination)와 논리적 기억력 검사를 사용하여 45분간의 중간 강도 운동 후, 노인(평균 66세)의 인지 수행 능력이 향상되었음을 발견했다. 또한 스톤스와 도(Stones & Dawe, 1993)는 15분의 비교적 낮은 강도의 운동 후에 노인(평균 85세)의 의미 단서 기억이 크게 개선되었다고 보고했다. 에머리와 동료들(Emery et al., 2001)은 단기간 급성 운동(약 35분, 최대 사이클 운동 20분 후 휴식 15분)이 건강한 노인(평균 69세)과 만성 폐쇄성 폐질환(chronic obstructive pulmonary disease, COPD)이 있는 노인 환자(평균 68세)의 인지 기능에 미치는 영향을 조사했다. 그들은 단기간 급성 운동이 COPD 환자들만 언어 처리의 척도인 언어 유창성 시험 수행 능력이 향상된 것을 발견했다. 이는 단기간 급성 운동이 COPD 환자들의 인지 기능 수행에 도움이 될 수 있음을 시사한다.

결론적으로, 행동 연구 결과는 단기간 급성 운동 후 노인의 인지 기능이 촉진될 수 있음을 시사한다. 그러나 이러한 연구는 이 장에서 논의된 다양한 ERP 성분을 측정하는 연구로 확장될 필요가 있다.

8

호르몬 대체 요법이 폐경 후 여성의 뇌에 미치는 효과 — 뇌영상 연구 검토

커크 I. 에릭슨Kirk I. Erikson, PhD | 일리노이대학교 어바나–샴페인, 심리학부
도나 L. 코롤Donna L. Korol | 일리노이대학교 어바나–샴페인, 심리학부

나는 이 장에서 폐경 후 여성의 호르몬 치료 효과를 조사하는 뇌영상 연구를 개략적으로 설명하고 종합하고자 한다. 임상전 연구 및 임상 연구 결과에 기반하여, 본 문헌 검토는 다음과 같은 사실을 밝힐 것이다. ① 호르몬 대체는 뇌 형태, 뇌 기능, 뇌 혈류 및 신진대사뿐만 아니라 신경 화학 물질, 수용체 및 대사 산물 농도에도 상당한 영향을 미친다. ② 호르몬 치료 효과는 피험자의 나이, 폐경 연령, 치료 기간, 폐경 시작과 치료 개시 사이의 시간을 포함하는 다양한 요인의 틀 안에서 해석되어야 한다. ③ 호르몬 요법의 효과는 영역별로 비교적 차이가 있다. 우리는 현존하는 이 주제에 관한 뇌영상 연구 결과들이 우리의 세 가지 예측을 모두 뒷받침한다고 주장한다. 즉, 호르몬 요법은 폐경 후 여성의 뇌에 영향을 주지만, 그 효과는 복잡하고 다양한 요인이 결합된 방식으로 발생하며, 일부 특정 뇌 영역과 신경 기제에만 나타난다. 향후 연구 및 그 해석은 호르몬 치료가 여성의 인지 및 뇌 건강에 미치는 영향을 평가함에 있어서 급성장 중인 뇌영상 분야를 고려해야 한다.

인간에게 있어서 노화는 종종 인지 기능, 국소 피질 부피 손실 및 기존 조직 기능의 변화로 특징지어진다. 그러나 뇌와 인지의 쇠퇴와 악화는 노화의

보편적인 측면은 아니다. 일부 노인은 작업기억, 업무 조정 및 주의력 제어와 같은 집행 기능 측면에서 현저한 감소를 보이지만 다른 노인들은 후기 성인기까지 이러한 기능을 잘 발휘한다. 노인들 간의 이러한 개인 차는 노화신경생물학 연구에서 높은 관심을 받는 주제로 남아 있다. 특정 생활방식 또는 유전 요인은 신경 및 인지 기능의 쇠퇴를 촉진하는 반면 다른 요인들은 신경 및 인지 기능을 보호하는 역할을 하는가? 연구들은 영양 보충(Calvaresi & Bryan, 2001; Fukui et al., 2002), 유산소 운동(Colcombe et al., 2004), 인지적 및 지적 활동 참여(Erickson et al., 2007b), 사회 활동 참여(Schooler & Mulatu, 2001; Wilson et al., 2002)가 신경 보호 기능을 한다는 것을 일관적으로 뒷받침하고 있다. 내인성 또는 보충 호르몬 수준과 같은 요인의 영향은 여전히 논쟁의 여지가 있다. 이 장에서는 호르몬 대체 요법(hormone replacement therapy, HRT)이 폐경 후 여성의 뇌에 미치는 영향을 중점적으로 검토할 예정이다.

폐경 후 여성의 HRT와 인지 기능에 대한 연구는 서로 전혀 다른, 논란이 많은 연구 결과를 보고했다. 횡단 연구 결과들을 통해, 호르몬 치료가 언어 기억력을 향상시키고 폐경 후 여성의 치매 발병 위험을 감소시킨다는 생각이 널리 퍼졌다(Maki et al., 2001; Miller et al., 2001; Sherwin, 2003). 메타 분석과 문헌 리뷰에서도 폐경 후 HRT를 받은 여성들의 경우 일반적으로 인지 과정뿐만 아니라 언어 기억력 역시 개선되는 경향이 있다고 보고했다(Hogorvorst et al., 2000; Sherwin, 2003; Zec & Trivedi, 2002). 또한 일부 비교적 소규모로 이루어진 무작위 실험은 HRT의 사용이 치매와 인지 감퇴의 위험을 감소시킨다는 것을 보여 주었다(Duka et al., 2000; Sherwin, 2003). 따라서 최근까지 HRT는 일반적으로 인지 저하와 치매에 대한 보호 요법으로 표현되었다. 대규모 무작위 임상 실험, 특히 여성 건강 계획(Women's Health Initiative, WHI)에 나온 결과는 HRT의 사용이 치매와 기억력 저하의 위험을 증가시킨다는 보고를 통해 이 결과에 이의를 제기했다(Rapp et al., 2003; Resnick et al., 2006a, 2006b; Shumaker et al., 2003, 2004). 이렇듯 서로 다른 연구 결과들은 한편으로는 HRT가 신경 보호적이거나 기억 및 인지에 이로울 수 있는 반면 치매 및 인지 저하의 위험을 증가시킬 수 있다는 것을 시사하며, 불일치의 이유에 대한 추론 및 논쟁을 일으켰다.

이러한 모순적인 결과를 설명하기 위한 몇 가지 가능성이 제안되었다. ① 치료 시작 시기, ② 연구 설계의 변동, ③ 채택된 인지 과제의 변동, ④ 호르몬 치료와 다른 생활 양식 요인 간의 상호작용(예, 신체 단련). 우리는 다음에 이어서 이 각각의 요점에 대해 간략하게 논의하고자 한다.

첫째, 일부 연구 결과에 따르면, 폐경 후 HRT가 인지 및 신경 체계에 정적인 영향을 미칠 수 있는 중요한 시기 또는 임계점이 있다고 한다(Henderson, 2006; Maki, 2006; Sherwin, 2006 참조). 이를 뒷받침하는 WHI의 최근 연구는 폐경기와 호르몬 치료의 시작 사이의 햇수가 증가함에 따라 심혈관 질환의 위험이 증가한다는 것을 시사했다(Rossouw et al., 2007). 이는 폐경기 또는 폐경기 즈음에 받는 HRT가 생리적 기능에 유익한 영향을 미칠 수 있음을 시사한다. 횡단 연구는 종종 폐경 직후 호르몬 치료를 시작한 여성들을 평가하는 반면, 무작위 임상 실험은 치료군과 대조군 간 호르몬 노출 시간 혹은 치료 개시 시기가 일치하지 않는다. 이는 횡단 설계와 무작위 설계(예, 관찰, 무작위 시행) 실험 간의 서로 상반된 결과를 설명하는 데 중요한 요소가 될 수 있다. 둘째, 연구 설계의 편견과 교란 요인(예, 관찰자, 무작위 실험)은 HRT의 영향을 인위적으로 부풀리거나 그 효과를 부정할 수 있다. 예를 들어 어떤 여성들은 골다공증을 치료하기 위해 HRT를 선택하는 반면 다른 여성들은 홍조와 같은 폐경 증상을 줄이기 위해 HRT를 선택한다. 다른 여성의 경우 폐경기 증상이 호르몬 요법을 사용해야 할 만큼 심각하지 않다. 이러한 건강 상태와 HRT 사용 동기의 집단별 차이는 횡단 및 무작위 비교에서 집단 간 차이를 교란시킬 수 있다. 무작위 임상 실험은 호르몬 노출 시간이나 치료 시작에 대해 치료군과 대조군을 자주 일치시키지 않는다. 모든 연구가 그런 것은 아니지만 많은 연구에서 잠재적으로 교란 변인을 통계적으로 통제하거나 일원화한다.

　셋째, HRT의 효과를 평가하는 데 사용되는 인지 결과 측정치 및 평가는 특정 인지 기능을 측정하는 능력에 따라 다르다(Henderson, 2006). 호르몬 치료는 모든 뇌 영역과 인지 과정에 동일한 영향을 주지 않을 수 있기 때문에 일부 과제는 다른 과제에 비해 HRT의 효과를 탐지하는 데 더 민감할 수 있다(Sherwin, 2006). 무작위 실험을 통한 조사는 종종 전반적인 인지를 측정하는 것에 한계가 있으며, 특정 인지 활동에 국한된 효과를 간과할 수 있다. 따라서 모든 인지 요인에 대해, 또는 사용된 검사에 의해 측정되지 않은 인지의 측면에 대해 인지 측정의 한계를 넘어서 연구결과를 일반화하는 것은 피해야 한다. 넷째, HRT 문헌에서 보이는 상반된 결과는 인구통계학적 요인의 차이 또는 HRT가 뇌와 인지에 미치는 영향을 완화시키는 다른 생활양식 요인 간의 상호작용과 관련이 있을 수 있다(Erickson et al., 2007a). 예를 들어, 연령과 운동(fitness) 수준은 모두 호르몬 요법이 뇌에 미치는 효과를 조절하는 것으로 나타났다. 횡단 연구와 무작위 실험은 호르몬 요법의 효과를 평가할 때 이러한 요인을 고려하지 않는다.

　요약하면, 무작위로 이루어지지 않은 인간 실험과 무작위 인간 실험 사이의 모순된 발견에 대해서 다양한 잠재적인 설명이 있다. 뇌영상 기법은 HRT가 인간의 두뇌에 미치는 영향을 조사하여 인지 검사 방법을 보완하고 추가하는 중요한 도구가 되었다. 호르몬 치료가 폐경 후 여성의 뇌에 미치는 영향을 조사하기 위해 뇌영상 기법을 사용하면 HRT 논쟁에 대한 추가적인 통찰력을 얻을 수 있을 것으로 보인다. 동료 평가를 거친, 신뢰도 높은 학술지에 발표된 30개 이상의 뇌영상 연구는 HRT가 폐경 후 여성의 뇌 구조에 미치는 영향을 조사했다. 이 리뷰에서, 우리는 HRT가 폐경 후 여성들의 뇌에 미치는 영향을 다루는 뇌영상 연구를 요약하고 종합하며, 현재 HRT 사용과 인지 및 뇌 건강에서 논란이 되고 있는 분야가 밝혀질 것을 기대한다.

　뇌영상 연구의 개요와 더불어 우리는 HRT를 다룬 신경 영상 연구를 종합하는 것이 다음의 세 가지 주요 가설을 뒷받침할 것이라고 제안한다. ① HRT 를 받은 여성과 HRT를 받지 않은 여성 사이에는 뇌 구조, 뇌 기능, 뇌 혈류, 뇌 포도당 대사, 수용체 및 대사 산물 농도에 현저한 차이가 있다. ② 호르몬 치료 는 폐경 연령, 치료가 시작된 연령, 치료 기간, 그리고 건강 수준을 공변인으로 한다. 따라서, HRT가 뇌에 미치는 영향은 다요인 모델 내에서 해석될 필요가 있다. ③ HRT의 효과는 뇌 전반에 나타나지 않고, 오히려 뇌의 특정 부분에 국 한되어 있다. 이 정도 수준의 구체성은 전반적인 인지 측정에서는 호르몬 치료 의 효과가 드러날 가능성이 낮다는 것을 시사한다.

우리는 호르몬 치료와 뇌 구조 및 부피 측정 사이의 관계를 조사한 연구 결과를 논의하며 검토를 시작한다. 그 다음 HRT가 기능적 뇌영상 측정, 뇌 혈류, 포도당 대사, 수용체 농도 및 대사 산물 농도에 미치는 영향을 조사한 연구 결과에 대해 논의한다.

피질 구조 및 부피

노화는 흔히 전두엽, 측두엽, 두정엽 피질 및 피질 하부의 악화로 특징지어 진다(Raz & Rodrigue, 2006). 비록 피질의 부피 감소를 설명하는 세포 및 생화 학적 요인들이 모두 상세하게 기술된 것은 아니지만, 많은 부피 변화는 기 능 및 인지 기능 감소와 관련되어 있으며, 이는 형태학적 변화가 행동 수행 에 상당한 영향을 미칠 수 있음을 시사한다. 동물 연구에 따르면 에스트라 디올(estradiol) 투여가 뉴런의 수상돌기 밀도(Gould et al., 1990), 모세혈관 발 달(Krause et al., 2006 참조), 세포 증식 및 생존(Tanapat et al., 1999)을 포함한 뇌 의 다양한 형태학적 특성에 영향을 미친다. 고해상도 자기공명영상 기법 (Magnetic Resonance Imaging, MRI)을 이용하면 HRT 사용에 따른 인간 뇌의 형태 를 평가할 수 있다. 이 절에서 논의될 바와 같이, HRT가 인간 뇌 형태에 미치는 효과를 다룬 연구 결과의 패턴 사이에는 큰 변동과 불일치가 존재한다. 그러나 우리는 그러한 차이의 일부는 분석 영역별 특수성, 즉 형태학적 분석이 특정 피질 영역을 평가하는 정도에 의해 설명될 수 있다고 믿는다. 이러한 관점에서 우리는 전반적인 피질 위축 또는 부피의 측정이 HRT가 특정 영역에 미치는 영향을 감지하지 못할 수 있다고 생각한다.

HRT의 기능으로서 피질 구조의 차이를 보고하는 연구들

호르몬 요법은 나이에 따른 피질량의 증감과 연관이 있는 것으로 밝혀졌다. 또한 HRT가 뇌 영역에 따라 특정한 방식으로 영향을 준다는 증거가 있으며, 전전두엽 피질과 같이 노화에 가장 취약한 피질 부위에 가장 극적인 영향을 미친다. 예를 들면, 무작위로 이루어지지 않은 종단 실험 설계에서 HRT를 받은 12명의 여성과 HRT를 받지 않은 12명의 여성을 5년에 걸쳐 연구하였다(Raz et al., 2004b). 연구자들은 해마, 외측 전두엽 피질, 전두엽 백질, 전전두엽 백질, 1차 시각 피질, 방추형 피질 및 내후각 피질을 포함하는 6개의 뇌 영역을 수동으로 추적했다. 각 부위의 부피는 기준선에서 치료 집단 간 차이가 나타나지 않았지만, HRT를 받은 여성들은 5년간 신피질 뇌 수축이 줄어든 것으로 나타났다. 이러한 효과는 전전두엽 피질 부위와 같이 노화에 가장 취약한 영역에서 가장 강한 것으로 나타났으며, HRT를 적어도 5년 이상 받은 여성에게 가장 강한 것으로 나타났다.

다른 연구들 또한 폐경 후 여성에게서 HRT의 효과가 전전두엽 피질 부위의 회백질에서 가장 크다고 보고했다. 예를 들어, 뇌 전반에 걸쳐 점 단위로 조직 밀도 혹은 부피를 검사하는 기법인 복셀 기반 형태 측정법(Voxel-Based Morphometry, VBM)을 사용한 연구는 HRT의 효과가 전전두엽 피질에서 가장 뚜렷하다는 것을 보여 준다(Erickson et al., 2005; Boccardi et al., 2006). 사실 이미 논의한 수동 추적 결과(Raz et al., 2004b)와 일치하여, 에릭슨과 그의 동료들(Erickson et al., 2005)은 전전두엽 및 두정엽 피질에서 중요한 연령과 HRT의 상호작용을 보고하였으며, 이는 HRT의 사용이 나이가 증가함에 따라 부피 손실을 안정적으로 상쇄한다는 것을 나타낸다. 이러한 연구 결과들(Raz et al., 2004b; Erickson et al., 2005)은 나이가 HRT 효과에 미치는 영향을 조사하는 것의 중요성을 강조하며, HRT가 뇌에 미치는 영향이 노화로 인한 수축에 매우 취약한 부위인 전전두엽 피질에 특정적이거나 가장 뚜렷하다는 것을 시사한다.

또한 호르몬 대체 요법은 백질(white matter)의 부피 및 백질 병변에 영향을 미치는 것으로 보인다. 현재 HRT를 사용 중인 70명의 여성과 HRT를 사용하지 않는 140명의 여성을 대상으로 실시한 횡단 연구에서, HRT 사용자가 비사용자에 비해 백질 병변 수가 적은 것으로 나타났다(Schmidt et al., 1996). 이러한 효과는 HRT 사용 기간과 반비례하여 HRT 노출이 길수록 백질 병변이 더 적은 것으로 나타났으며, 평균 노출 기간은 4.4년이었다. 2-6년 동안 폐경기 여성 6명을 추적한 종단 연구(Cook et al., 2002)에서 HRT를 받은 집단과 받지 않은 집단은 기준선에서 모든 측정치에 차이가 없었지만, HRT를 받은 여성이 받지 않는 여성에 비해 뇌실 주위 과집중(periventricular hyperintensities) 및 심실 뇌척수액(ventricular cerebral spinal fluid volume)의 평균 증가율이 낮은 것으로 나타났다. 따라서 이 작은 표본에서 HRT는 노화가 진행됨에 따라 증가하는 백질 병변의 발생을 효과적으로 막았다. 영역별 분석에 따르면 HRT는 해마(Erickson et al., 2005; Ha et al., 2006)와 전전두엽 영역(Raz et al., 2004b)을 둘러싸고 있는 백질의 부피 감소를 막는다. 비록 백질 연구에서 사용하는 측정 방법, 분석, 설계는 종종 다르지만, 이 연구들은 HRT가 폐경 후 여성들을 노화와 관련된 백질 병변 수 증가와 백질 부피 감소로부터 보호할 수 있다고 제안한다.

HRT 사용 여부와 관련하여 해마와 같은 하위 피질 구조도 조사되었다. 비록 일부 연구에서는 HRT를 복용하는 여성과 그렇지 않은 여성의 해마 부피 차이를 발견하지 못했으나(Raz et al., 2004b; Sullivan et al., 2005; Low et al.,

2006), 몇몇 다른 연구에서는 HRT를 받은 폐경 후 여성이 HRT를 받지 않은 여성들보다 더 큰 해마를 가지고 있다는 것을 보여 주었다(Eberling et al., 2003; Hu et al., 2006; Lord et al., 2006). 수동 추적 방식을 사용하여 해마 부피와 치료 기간 사이에 유의미한 양적 상관관계가 발견되어 더 긴 치료 기간이 더 큰 해마의 크기와 연관되어 있다는 것을 발견하였다(Lord et al., 2006). 두 가지 VBM 연구에서도 HRT를 받은 여성들이 HRT를 받지 못한 여성들보다 해마 부피가 더 크게 나타났으며(Erickson et al., 2005; Boccardi et al., 2006), 호르몬 치료 기간이 길수록 해마 크기가 커지는 것으로 나타났다(Erickson et al., 2005). 어떤 연구는 HRT와 해마 부위 간의 정적인 상관관계(Eberling et al., 2003; Erickson et al., 2005; Hu et al., 2006; Lord et al., 2006)를 보고하는 반면, 다른 연구는 HRT 치료와 해마 부위 간에 아무런 상관관계가 없다(Raz et al., 2004a, 2004b; Eberling et al., 2004; Sullivan et al., 2005)고 보고하고 있다. 이처럼 서로 다른 연구 결과들은 다양한 요인들이 HRT에 대한 해마의 민감도에 영향을 미칠 수 있음을 시사한다. 그러나 이러한 상충되는 연구의 대부분은 횡단 연구였고, 유일한 종단 연구는 무작위 실험이 아니었다(Raz et al., 2004b). 따라서 폐경 연령의 차이, 치료 시작 연령, 운동 및 호르몬 치료 기간 등과 같은 많은 요인들이 이러한 연구들의 모순된 결과에 기여하였을 수 있다.

인간 및 동물 모델의 여러 보고서에 따르면, 호르몬 치료 시기는 건강한 인지와 뇌 기능을 증진시키는 효능을 결정하는 데 중요한 요소가 될 수 있다(Erickson et al., 2005; Gibbs & Gabor, 2003; Marriott et al., 2002). 일부 연구에 따르면 더 긴 치료 기간은 더 큰 대뇌 피질 부피(Erickson et al., 2005; Lord et al., 2006; Raz et al., 2004b) 혹은 더 적은 백질 병변(Schmidt et al., 1996)과 관련이 있는 반면 다른 연구들은 치료 기간의 영향이 없거나(Low et al., 2006) 호르몬 치료 기간과 피질 부피 사이에 부적 상관관계(Greenberg et al., 2006)가 있다고 보고했다. 이러한 연구를 자세히 살펴보면, 피질 부피와 HRT 사이의 정적 상관관계는 평균 치료 기간이 10년 미만인 반면 부적 상관관계가 나타난 경우 평균 치료 기간이 10년 이상인 것으로 나타났다(Greenberg et al., 2006). 최근의 VBM 연구에서 10년 미만의 기간 동안 호르몬에 노출된 여성은 10년 이상 호르몬에 노출되었거나 HRT를 복용한 적이 없는 여성에 비해 전전두엽 및 슬하(subgenual) 영역, 해마 주변 영역에서 더 큰 피질 부피를 보였다(Erickson et al., 2007a). 게다가 호르몬 치료를 10년 이상 받은 여성들은 HRT를 받은 적이 없는 여성들보다 더 큰 피질 쇠퇴를 보였다. 따라서 10년 이내의 짧은 기간 동안 HRT 치료를 받는 것은 뇌 부피를 보존하는 반면, 더 긴 치료기간(10년 이상)은 뇌 부피를 줄이는 것으로 나타났다. 중요한 것은 이러한 결과가 연령, 폐경 연령, 사회경제적 지위 및 기타 잠재적으로 중요한 교란 변수를 통계적으로 조정하여 치료 기간 자체의 효과를 분리시켰다는 것이다.

HRT가 인지에 영향을 미칠 가능성을 강화하면서, HRT 기간 또한 집행 기능(executive function)을 측정하기 위해 자주 사용되는 척도인 위스콘신 카드 분류 검사(Wisconsin Card Sorting Test, WCST)에서 나타나는 보속 오류(perseverative errors) 수와 상관관계가 있었다(그림 8.2, Erickson et al., 2007a 참조). 앞서 기술한 피질 부피 측정 결과에서 살펴본 것과 마찬가지로 10년 이상 HRT 치료를 받던 여성은 WCST에서 더 많은 보속 오류를 보인 반면 치료 기간이 짧은 여성은 보속 오류가 더 적었다. 요약하면, 치료 기간은 피질 부피 및 WCST 수행과 관련이 있었으며, WCST 수행과 피질 부피 사이에는 확실한 상관관계가 있었다. 이러한 효과들은 호르몬 치료 기간, 피질 부피 및 집행 기능 간의 중요한 관계를 명확하게 묘사하고 있으며, 치료 기간이 긴 것과 짧은 것은 양적으로도 질적으로도 다르다는 것을 나타낸다. 이는 호르몬 치료 지속 기간을 하나의 중요한 요소로 지적하며, 연구 전반에 걸쳐 나타나는 다양한 결과를 설명할 수 있다.

에릭슨과 그의 동료들(Erickson et al., 2007a)의 연구에서 두 번째 중요한 발견은, 호르몬 치료 기간이 피질 부피에 영향을 미치는 것으로 알려진 또 다른 생활양식 요소인 유산소 운동과 통계적으로 상호작용한다는 것이었다

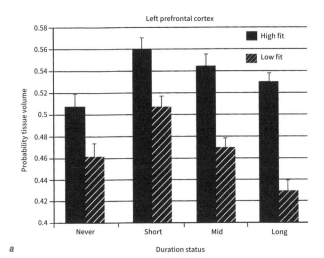

a

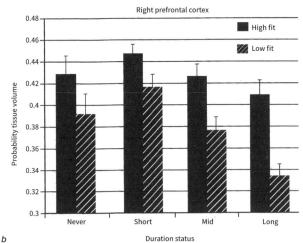

b

그림 8.1 호르몬 치료 미 사용자(Never), 단기 사용자(Short, 10년 미만), 중기 사용자(Mid, 10년-15년), 장기 사용자(Long, 15년 초과)의 (a) 좌측 전전두엽 피질, (b) 우측 전전두엽 피질, (c) 좌측 해마곁이랑, (d) 하대뇌피질(subgenual cortex) 평균 부피 측정치. 검은 막대는 유산소 운동을 규칙적으로 하는 피험자들을, 빗금 막대는 유산소 운동을 규칙적으로 하지 않는 피험자들을 나타낸다. 치료 기간과 운동 수준에 대해 모든 영역에서 주효과가 나타났다. 좌측 및 우측 전전두엽 피질에서, 호르몬 치료의 지속 기간과 운동 수준의 상호작용 효과가 관찰되었다. 좌측 및 우측 전전두엽 영역 모두 위스콘신 카드 분류 검사(WCST)의 보속 오류 수와 상관관계가 나타났다.

* 출처:《Neurobiology of Aging》 28(2)호, 에릭슨(K.I. Erickson), 콜콤(S.J. Colcombe), 엘라브스키(S. Elavsky), 맥올리(E. McAuley), 코롤(E. Korol), 스캘프(P.E. Scalf), 크라머(A.F. Kramer), 〈폐경 후 여성의 뇌 건강에 대한 운동과 호르몬 치료의 상호작용 효과(Interactive effects of fitness and hormone treatment on brain health in postmenopausal women)〉, 179-185쪽. Copyright 2007, 엘스비어(Elsevier) 사의 허락을 받고 등재

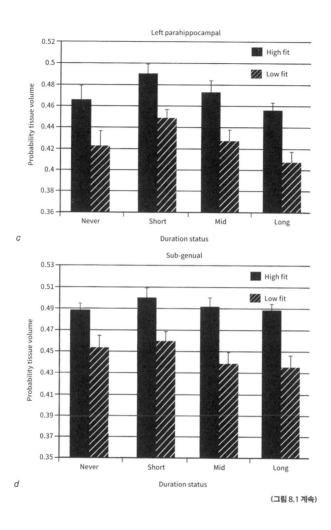

c

Left parahippocampal

Duration status

d

Sub-genual

Duration status

(그림 8.1 계속)

(〈그림 8.1〉, 〈그림 8.2〉 참조). 운동이 피질 부피 측정, 학습 및 기억 작업을 향상시킨다는 것은 여러 선행 연구에서 반복적으로 나타난 바 있다(Kramer & Erickson, 2007). 노인들의 경우, 유산소 운동의 효과는 집행 기능 수치와 전전두엽 피질 부피에 가장 큰 영향이 있다. 중요한 것은 유산소 운동은 학습, 기억 및 신경 생성에 중요한 것으로 간주되는, 신경세포에 의해 생성되고 분비되는 분자인 뇌 유래 신경 영양 인자(Brain-Derived Neurotrophic Factor, BDNF)

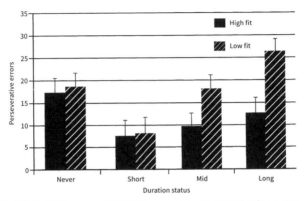

그림 8.2 호르몬 치료 미 사용자(Never), 단기 사용자(Short, 10년 미만), 중기 사용자(Mid, 10년~15년), 장기 사용자(Long, 15년 초과)의 위스콘신 카드 분류 검사(WCST) 보속 오류 수의 수정된 평균 및 표준오차. 검은 막대는 유산소 운동을 규칙적으로 하는 피험자들을, 빗금 막대는 유산소 운동을 규칙적으로 하지 않는 피험자들을 나타낸다. 치료 기간이 길어짐에 따라 보속 오류가 유의한 수준으로 증가하였으나, 규칙적인 유산소 운동과 치료를 병행할 경우 이러한 경향은 반대로 나타났다.

* 출처: 《Neurobiology of Aging》 28(2)호, 에릭슨(K.I. Erickson), 콜콤(S.J. Colcombe), 엘라브스키(S. Elavsky), 맥올리(E. McAuley), 코롤(E. Korol), 스캘프(P.E. Scalf), 크라머(A.F. Kramer), 〈폐경 후 여성의 뇌 건강에 대한 운동과 호르몬 치료의 상호작용 효과(Interactive effects of fitness and hormone treatment on brain health in postmenopausal women)〉, 179~185쪽. Copyright 2007, 엘스비어(Elsevier) 사의 허락을 받고 등재

와 같은, 에스트라디올과 동일한 분자 표지를 증가시킨다(Lu et al., 2005). 실제로 설치류를 대상으로 한 두 연구는 난소가 적출된 암컷 쥐의 해마 BDNF 수준에서 운동과 에스트라디올 투여 간에 신뢰할 수 있는 상호작용을 보여 주었으며, 두 가지 치료를 모두 받은 쥐가 두 치료 중 하나만 받은 쥐에 비해 BDNF 수준이 높았다(Berchtold et al., 2001; Erickson et al., 2006). 또한 BDNF 수준의 변화를 보여 주기 위해 사용된 동일한 운동과 에스트라디올 요법(Erickson et al., 2006)은 서로 다른 인지 전략으로 해결할 수 있는 이중 해결책 미로 과제(dual-solution maze task)에서 쥐의 학습 속도를 개선하기 위해 상호작용한다(Korol & Pruis, 2004). 운동 중재에 대한 메타 분석은 참가자의 성별이 운동이 인지에 미치는 효과에 중요한 조정자라는 것을 밝혀 냈으며(Colcombe & Kramer, 2003), 이는 유산소 운동 또는 운동 수준(fitness levels)이 호르몬 상태와 상호작용한다는 의견을 지지한다. 앞서 언급한 바와 같이 유산소 운동은 폐경 후 여성에게 나타나는 장기간 호르몬 치료의 부정적인 결과를 확실하

게 상쇄한다(Erickson et al., 2007a). 게다가 운동은 단기간 호르몬 치료의 효과를 증가시켰다. 이러한 효과는 VBM 측정뿐만 아니라 WCST 검사의 보속 오류 수에서도 나타났다. 여러 생활양식 요인들 간의 이러한 상호작용은 호르몬 및 운동과 관련된 문헌 내에서 중요한 가변성(variability)을 설명할 수 있고, 생활양식 요인이 뇌에 미치는 상호 관련성을 강조하기 때문에 중요하다. 그러나 현재까지 호르몬 치료와 운동 수준 사이의 관계를 조사한 것으로 알려진 뇌영상 연구는 없다.

요약하면, HRT가 나이에 따른 피질 형태의 변화로부터 보호한다는 연구들은 주로 영역 분석을 허용하는 VBM 및 수동 추적과 같은 기법을 사용하고 있으며, 노화로 인한 피질 감소가 가장 큰 영역에서 가장 극적인 효과를 보여 주고 있다. 비록 사용된 기법과 그것들의 타당성에 대한 여러 주의사항이 있지만, 다양한 방법, 실험실 및 피험자 집단으로부터 수렴되는 결과는 HRT가 피질 부피 및 백질 경색 중증도에 상당한 영향을 미친다는 것을 강력히 시사한다.

HRT로 인한 피질 구조의 차이를 발견하지 못한 연구들

HRT 사용에 따른 피질 부피의 차이를 발견하지 못한 대부분의 연구들은 HRT가 영역별로 미치는 구체적인 효과를 탐지하기에 충분한 공간 해상도를 가지고 있지 않을 수 있는 전체 뇌의 부피 또는 뇌엽의 부피(lobar volume)를 측정하였다. 예를 들어 조직을 회색질과 백색질로 분리하기 위해 반자동 분할 알고리즘(semiautomatic segmentation algorithm)을 사용했을 때, 동일 연령에서 HRT 사용자와 비사용자 간 뇌엽 회백질 및 백질 부피의 차이가 없었다(Resnick et al., 1998). 부피 측정을 위해 유사한 기법을 채택한 설리번과 그의 동료들(Sullivan et al., 2005)도 측두엽 부피에서 HRT 사용자와 비사용자 사이에 차이가 없다고 보고했다. 이 두 연구 모두 반자동 기법을 사용했기 때문에 일부 다른 기법에서 발생하기 쉬운 교란 및 신뢰성 문제에 취약하지 않았다는 것이 중요하다. 그러나 이 두 연구 모두 횡단 연구였으며, 연구자들이 잠재적으로 교란시킬 수 있는 생활양식 요인의 통제 여부를 보고하지 않았다는 점에 유의해야 한다.

수동 추적 기법을 이용하여 뇌 영역을 분석한 연구는 치매와 노화와의 관련성 때문에 종종 해마 및 편도체로 평가 영역을 제한한다(Low et al., 2006). 인간의 경우 해마는 전전두엽 피질 영역과 같은 다른 영역에 비해 에스트라디올에 의한 조절에 덜 민감할 수 있다. 예를 들어 213명의 60-64세를 대상으로 HRT 사용자와 비사용자들의 해마 및 편도체 부피를 수동으로 추적한 연구에서, 그 두 집단 간의 차이는 발견하지 못했다(Low et al., 2006). 뇌의 총 부피, 뇌실-대뇌 비율, 백질 과집중(hyperintensities) 측정치에서 HRT를 받은 여성과 받지 않은 여성 사이에 차이가 없는 것으로 나타났다(Low et al., 2006). 또한 HRT를 사용 중인 피험자와 과거 사용자들 간에 차이가 없었으며, 치료 기간(현재 HRT 사용자의 경우 평균 치료 기간은 11.7년, 이전 HRT 사용자의 경우 5년)과 관련된 효과 차이도 없었다. 그러나 이 여성들은 모두 매우 제한된 연령대에 속하였으며, 이는 연령과 관련된 피질 감소 및 HRT 효과와 관련된 변동성이 부족했을 수 있다는 점에 주목해야 한다. 그러나 다른 연구들 역시 수동으로 추적된 해마 부피에서 HRT의 효과를 발견하지 못했다(Eberling et al., 2004; Raz et al., 2004a). 수동 추적을 사용한 다른 연구자들과 달리 로우와 그의 동료들(Low et al., 2006)은 노화로 인한 악화에 가장 취약한 것으로 간주되는 피질 부위를 수동으로 추적하지 않았으며(예, 전전두엽 피질), 이는 HRT가 뇌량 측정에 미치는 효과를 찾을 수 있는 확률을 감소시켰을 수 있다.

특정 영역의 평가와 관련된 모든 연구가 HRT 기간에 따른 차이를 보이는 것은 아니다. 한 횡단 연구에서 연구자들은 13개의 피질 및 하위 피질 영역을 수동으로 추적해서 HRT를 받은 여성과 HRT를 받지 않은 여성 사이에 영역별 부피 차이가 없음을 발견했다(Raz et al., 2004a). 그러나 이 연구는 이미 논의된 다른 연구들처럼 폐경 연령 혹은 HRT 기간과 같은 잠재적 교란 변수를 통계적으로 조정하는 데 실패했다. 잠재적 교란 변수를 통계적으로 조정하지 않으면, 존재하는 효과들이 감춰지거나 교란 요인의 상호작용에 의해 영향을 받게 된다.

피질 위축에 대한 질적 평가도 수행되었다. 이러한 연구들은 HRT 효과가 없다는 것을 보여 주거나 HRT 사용 시 더 큰 피질 위축이 일어난다는 것을 보여 준다. 예를 들어 루오토와 그의 동료들(Luoto et al., 2000)은 HRT의 현재 사용 중이거나 과거에 사용하였거나, 또는 전혀 사용하지 않은 것으로 특징 지어지는 2,133명을 대상으로 전체적인 뇌 위축, 백질 과집중(hyperintensities) 및 경색을 질적으로 조사했다. 이 연구자들은 현재 HRT를 사용 중인 여성들이 HRT 비사용자 또는 과거 사용자들보다 더 높은 뇌실-뇌 비율로 나타나는 중앙 위축이 더 크다고 보고했다. 불행히도 루오토와 그의 동료들(Luoto et al., 2000)이 사용한 질적 평가의 신뢰성과 타당성은 알 수 없다. 그린버그와 그의 동료들(Greenberg et al., 2006)도 호르몬 치료를 받은 여성들의 피질 부피가 더 작다는 것을 발견했지만, 이 연구는 10년 이상 HRT 치료에 참여한 여성만을 선정했으며, 피험자들의 평균 치료기간은 23년이었다. 앞서 논의한 바와 같이, HRT 치료 기간이 10년 이상 되면 피질 수축이 심해지는 경향이 있다.

따라서 이 절에서 요약한 대부분의 데이터는 HRT가 피질 부피에 미치는 영향은 뇌의 특정 부위의 검사를 통해서만 검출될 수 있다는 주장을 뒷받침한다(그러나 예외는 Raz et al., 2004a 참조).

형태적 통합 및 부피 측정 연구

요약하자면, 11개의 연구는 HRT 사용자들이 HRT 비사용자에 비해 경색 정도가 적고 피질량이 더 큰 것을 보여 주었다. 5개의 연구는 HRT가 뇌 부피 측정에 영향을 미치지 않는다는 것을 보여 주었고, 2개의 연구는 HRT 사용자들에게서 더 큰 피질 위축이 나타났다는 것을 보여 주었다.

우리는 영역을 특정하는 것이 뇌 전체의 피질 부피를 평가하는 것보다

HRT의 효과를 더 잘 나타낼 것이라고 제안했다. 5가지 연구 중 4개 연구는 전체적인 차이를 발견하지 못했으며, 가장 높은 수준의 영역 특성은 뇌엽 (lobar) 측정에 제한되었기 때문에 우리의 문헌 검토는 이 가설을 분명히 뒷 받침한다. 이와는 대조적으로, HRT가 뇌의 용량을 유지시키거나 경색의 중 증도를 감소시킨다고 제안하는 연구들은 피질량을 특정 영역에서 평가했으 며 전전두엽 피질 부위에 초점을 맞추는 경향이 있었다. 동물을 대상으로 한 연구에서는 HRT가 에스트라디올이 척추 밀도를 높이고 해마에서 신경 가 소성의 다른 지표를 증가시키는 것으로 나타났지만, HRT가 인간의 해마 부 피에 미치는 효과에 대한 증거는 그렇게 일관되게 나타나지 않았다. 다섯 연 구에 따르면, HRT가 해마 부피 증가와 관련이 있는 것으로 나타났다(Boccardi et al., 2006; Eberling et al., 2003; Erickson et al., 2005; Hu et al., 2006; Lord et al., 2004). 반면 비슷한 수의 연구들은 HRT가 해마 부피에 영향을 미치지 않는다고 제안했다(Eberling et al., 2004; Low et al., 2006; Raz et al., 2004a, 2004b; Sullivan et al., 2005). 해마에 대한 이러한 상반된 결과의 이유는 알려져 있지 않지만 이는 운동이나 호르몬 치료 기간(Erickson et al., 2007a) 등과 같은 평가되지 않은 변 수와의 공변량, 또는 다른 뇌 구조들보다 해마에 더 많은 영향을 미친다고 생각되는 치매 전 증상과 같이 피험자와 관련된 영향을 포함한 다양한 요인 이 포함될 수 있다.

또한 부피 변화를 평가하는 연구들 사이에는 방법론적 불일치가 많다. 대 부분의 연구는 횡단적이며, 잠재적으로 교란 요인 일부만 통계적으로 조정 하거나 일치시켰다. 또한 일부 연구는 인지 수행 능력과의 상관관계를 연구 했지만(예, Erickson et al., 2007a), 일관적으로 그렇게 하는 연구는 거의 없다. 따라서 인지 및 기억 기능과의 연관성 또는 결여 여부는 사실상 알려져 있지 않다. 앞서 논의한 바와 같이 뇌영상 측정치와 인지 수행 능력 사이의 상관 관계는 HRT의 신경 효과의 행동 중요성을 결정하는 데 중요한 역할을 한다.

이 연구 결과는 호르몬 치료가 전전두엽 피질과 같은 노화에 따른 악화에 가장 취약한 영역에 가장 큰 영향을 미치며, 영역에 따라 특정한 방식으로 대뇌 피질 형태에 영향을 미친다는 것을 시사한다. 이러한 효과 중 일부는 인지 기능과 관련이 있으며, 치료에 노출되는 기간에 따라 달라진다.

기능적 뇌영상 기법

양전자 방출 단층촬영(Positron emission tomography, PET)과 기능성 자기공명영상(functional MRI, fMRI) 기법이 다양한 맥락과 모집단에서 인간의 뇌의 기능적 특성을 조사하기 위해 사용되어 왔다. 예를 들어 노인들은 종종 손상된 피질 기능을 보여 주는데, 이는 인지 기능 결손과 관련이 있다(예, Colcombe et al., 2005). 알츠하이머성 치매(AD)와 경미한 인지 장애를 앓고 있는 사람들 역시 과제를 수행하는 동안 비정상적인 활동 패턴을 경험한다. 하지만 이러한 결손은 콜린에스테라아제 억제제와 같은 약제 치료를 통해 부분적으로 개선될 수 있다(Goekoop et al., 2004). 6개월간의 유산소 운동 또는 인지 훈련 요법(Erickson et al., 2007b)과 같은 다른 치료법(Colcombe et al., 2004)은 노화로 인한 기능적인 결손을 개선하고 행동 수행을 향상시킬 수 있다. 폐경 후 여성들에게 호르몬 치료 및 중재는 뇌 기능 개선 또는 변화를 통해 인지 기능과 기분을 개선하는 것으로 나타났다.

이 절에서 설명한 모든 연구는 호르몬이 에로틱한 비디오 제시뿐만 아니라 언어, 공간, 도형, 오드볼 과제를 하는 동안 대뇌 피질 활동의 패턴을 바꾼다는 것을 분명히 보여 준다. 예를 들어 언어 및 도형 지연 인식 기억력 검사를 수행하는 동안 HRT가 대뇌 피질 기능에 미치는 영향을 조사한 연구에서, HRT를 받은 여성들이 HRT를 받지 않은 여성들에 비해 언어 및 도형 인식 기억 과제에서 더 나은 수행 능력을 보였으며, 전전두엽, 해마 주변 및 설전부 영역을 포함하여 기억 작업을 포괄하는 것으로 생각되는 뇌 영역의 네트워크에서 활동 패턴이 변화된 것을 보여 주었다(Resnick et al., 1998). 그러나 이들 영역의 정보처리에서 HRT와 관련된 변화는 단순히 단조로운 활동 증가나 감소는 아니었다. 대신에 그 결과들은 복잡한 변화의 패턴을 보여 주었다. 일부 영역은 호르몬 사용으로 활동량이 증가했고 다른 영역은 호르몬 사용으로 활동량이 감소했다. 그러나 이 연구에 관련하여 한 가지 주의할 점은 연구 설계가 단면 설계였다는 것이다. 연구 설계의 한계를 극복하기 위해 저자들은 실험 참가자 중 일부를 2년 간격으로 추적하여 동일한 작업을 수행하는 동안 재검사하였다(Maki & Resnick, 2000). 횡단 연구의 결과와 대조적으로 종단적 평가는 HRT를 꾸준히 받은 여성들이 측두엽, 해마, 해마 주변 영역에서 활동이 지속적으로 증가하는 것을 보여 주었다(Maki & Resnick, 2000). 비록 행동 측면에서 신뢰할 만한 개선은 보고되지 않았지만 활동의 증가는 과제를 수행하는 중 기억 회로를 보다 효율적으로 사용하는 것을 나타내는 것으로 해석되었다.

이중맹검(double-blind) 교차 설계를 통해 얻은 최근 연구 결과는 HRT의 효과가 단방향이 아니라는 것을 시사한다(Shaywitz et al., 1999). 21일에 걸쳐 33세에서 61세 사이의 46명의 참가자를 대상으로 소규모의 이중맹검 무작위 임상 실험을 실시한 저자들은 fMRI를 사용하여 언어 및 비언어적 작업기억 과제를 수행하는 동안 뇌 활동을 검사하였다. 횡단 PET 연구(Resnick et al., 1998) 결과와 마찬가지로 호르몬 치료는 언어 기억력 과제를 수행하는 동안 나타나는 뇌 활동량 증가와 비언어적 기억력 과제를 수행하는 동안 일부 영역에서 나타나는 피질 활동량의 감소와 관련이 있었다. 따라서 행동적 수행에서 개선은 없었지만 전체적인 결과 패턴은 HRT가 과제를 수행하는 중 기능적 활동 패턴을 변경할 수 있으며, 사용된 전략을 수정할 수 있다는 것을 시사한다. 이 개념은 설치류를 사용한 실험에서 제안되고, 검증되고 뒷받침되었다(Korol, 2004 참조).

보다 최근의 연구들도 또한 HRT를 받는 여성들이 HRT를 받지 않은 여성들에 비해 언어 및 공간 작업기억 과제를 수행하는 동안 뇌 활동이 증가하는 것을 일관성 있게 보여 주었다(Joffe et al., 2006; Smith et al., 2006). 12주에 걸친 이중맹검 실험에서, HRT를 받은 여성들은 HRT를 받지 않는 여성들에 비해 언어 기억 과제를 수행하는 동안 두정엽과 전두엽 피질의 증가가 더 컸을 뿐만 아니라 공간기억 과제를 수행하는 동안에도 전전두엽 활동량이 더 많이 증가하였다(Joffe et al., 2006). 또 다른 연구에서는 호르몬 치료의 영향을 평가하기 위해 공간 작업기억 과제를 수행하는 동안 뇌 활동을 fMRI와 함께 4주 간격으로 사용하는 이중맹검(double-blind) 위약 제어(placebo-controlled) 교차 설계를 채택하였다(Smith et al., 2006). 52명의 여성을 대상으로 실시된 12주간의 이중맹검 위약 제어 실험에서, HRT를 받은 여성들은 받지 않은 여성들보다 공간기억 과업을 수행하는 동안 전전두엽 활동이 증가할 뿐만 아니라 공간기억 과제를 수행하는 동안 두정엽과 전두엽의 활동이 크게 증가하는 것으로 나타났다(Joff et al., 2006). 이러한 효과는 공간기억 기능 향상과는 상관관계가 없는 것으로 다시금 나타났다.

호르몬 대체 요법은 주의력 조절 또는 생리적 각성과 관련된 과제를 수행할 때 뇌 활동 패턴에도 영향을 미칠 수 있다. 높은 주의력을 요하는 오드볼 과제를 수행하는 동안에 16명의 노인 여성(73-84세)의 뇌 활동에 대한 호르몬 효과는 HRT가 일부 영역에서 활동이 증가하고 다른 영역에서는 활동이 감소하여 종종 지각 및 주의 과정에 관련되어 있음을 시사한다(Stevens et al., 2005). 이러한 효과는 주의 및 경계 과제를 수행하는 동안 호르몬에 의해 유도된 신경 효율성 증가를 나타내는 것으로 해석되었다. 끝으로, 폐경 후 여성에게서 호르몬에 의해 유도된 성적 흥분과 인지 및 정서적 기능 변화의 신경학적 상관관계가 발견되었다(Archer et al., 2006). 구체적으로, 에스트라디올과 테스토스테론 치료를 병행한 경우에서만 폐경 전 여성과 유사한 변연 피질 활동(limic cortical activity) 수준을 보였다. 하지만 에스트라디올 치료만으로도 비호르몬 치료에 비해 활동 수준이 높아진 것으로 나타났다.

따라서 PET와 fMRI로 평가된 것처럼 호르몬은 피질 기능을 확실히 변화시킨다. 이 결과들이 방향 및 행동에 미치는 영향은 덜 명확하다. 많은 연구들이 활동의 증가와 감소를 모두 설명하고 있지만 이러한 변화가 인지적 또는 정서적 기능의 향상과 관계가 있다는 것을 보여 주는 연구는 없다. 행동 수행과의 상관관계가 도출될 때까지 호르몬이 뇌 활동 패턴의 변화에 미치는 영향은 추측으로 남아 있다. 하나의 가설은 뇌 활동의 집단 차이가 호르몬 치료를 받는 동안에 다른 인지 전략이 사용되는 것을 나타낸다는 것이다 (Korol, 2004). 또한 이러한 연구는 PET와 fMRI의 비용 때문에 일반적으로 표본 크기가 작아서 상관 분석을 수행할 수 없다. 또한 이러한 연구에 참가하는 피험자들의 광범위한 연령대(33세부터 84세까지)는 뇌 활동의 기능적 패턴을 완화하는 호르몬 치료 효과에 상당한 차이를 초래할 수 있다. HRT의 가장 큰 효과는 고령화 인구에서 나타나기 때문에, HRT가 인지 및 뇌 기능에 미치는 영향은 연령 관련된 감소에 민감할 수 있다.

일부 한계에도 불구하고 이 연구들은 호르몬이 뇌 활동에 영향을 미친다는 주장을 뒷받침하고 있다. 대부분의 설계는 종단 연구이거나 임상 무작위 연구이거나 교차 설계이기 때문에 횡단 연구가 가지는 여러 한계점에 덜 취약하다. 또한 모든 연구에서 활동이 증가한 것으로 나타났으며, 대부분은 이 효과가 인지 기능 및 노화로 인한 인지 기능 저하와 깊이 관련되어 있는 전전두엽 피질 주변에 위치한다는 것을 보여 준다. 따라서 기능적 뇌영상 결과는 HRT가 뇌 영역에 따라 특정한 방식으로 뇌 기능에 영향을 미친다는 주장을 뒷받침한다.

휴지 국소 및 전체 뇌 혈류

휴지(resting) 국소 뇌 혈류(CBF)는 건강한 노인들에게서 감소(Bentourkia et al.,

2000; Martin et al., 1991; Melamed et al., 1980)하고, 알츠하이머성 치매(AD) 환자에게서는 더욱 그러하다(Bonte et al., 1986; Eberling et al., 1992; Montaldi et al., 1990). 실제로 치매와 인지 결손의 심각도는 전반적인 휴지 CBF 값과 부적 상관관계(Bartenstein et al., 1997; Eberling et al., 1993)가 있으며, 휴지 CBF 값은 신뢰할 수 있는 초기 AD 진단 지표로 생각된다(Nobili et al., 2001; Prohovnik et al., 1988). 실제로 횡단 및 종단 연구(Hogh et al., 2001; Sakamoto et al., 2003; Tanaka et al., 1998)에서 아직 증상을 보이지 않는 AD 발병 위험이 있는 사람들도 휴지 CBF가 감소하는 것을 보인다. 휴지 CBF의 감소는 측두-두정엽 피질 및 전두엽 피질에서 가장 뚜렷하게 나타나며, 이 영역들은 노화와 병리학의 영향을 받는 기억회로의 중요한 구성 요소로 간주된다(Buckner et al., 2005). 게다가 아세틸콜린스테라아제 억제제와 같은 일부 치료법들은 AD 환자의 CBF 결손을 완화시키므로, CBF가 쇠퇴의 표지로 사용될 뿐만 아니라 치료 효과의 척도로도 사용될 수 있음을 시사한다.

호르몬 요법이 AD 발병 위험을 감소시킨다는 초기 증거는 연구자들이 HRT가 폐경 후 여성들의 CBF 변화를 통해 AD 발병을 예방하는지 여부를 조사하도록 유도했다. 이 연구들 중 첫 번째 연구는 폐경이 지난 158명의 여성에게 133Xe(제논) 흡입 기법을 사용하여 휴지 CBF를 조사하였으며, 그중 51명은 뇌혈관 질환 병력이 있었다(Funk et al, 1991). 18개월에 걸친 관찰 연구에서 연구자들은 뇌혈관 질환 병력이 있는 여성들만이 HRT를 받았을 때 휴지 CBF의 증가를 보였으며, HRT를 받지 않은 여성들은 아무런 변화도 보이지 않았다고 보고했다. 연구자들은 폐경 이후 시간을 통계적으로 조정했지만, 사회경제적 지위, 치료의 형태와 용량, 혹은 폐경 연령과 같은 다른 잠재적 교란 요인들의 영향을 통제하거나 보고하지 않았다.

후속 연구는 휴지 CBF를 검사하기 위해 단일 광자 단층촬영(Single-Photon Emission Computed Tomography, SPECT)을 채택했다. 무작위로 이루어지지 않은 실험에서 14명의 여성 중 9명이 2주 혹은 3주 동안 호르몬 치료에 배정되었다(Ohkura et al., 1995). 치료 집단과 대조군은 기준선에서 유사한 휴지 CBF 수준이 나타났지만, 호르몬 치료를 받은 집단은 뇌와 소뇌 혈류량이 유의하게 증가했다. 여성들에게 6주(Greene, 2000) 또는 1년(Slopien et al, 2003)간의 에스트로겐 치료를 제공한 두 SPECT 연구에서도 유사한 호르몬 치료로 유도된 휴지 CBF 증가가 보고되었다. 이 연구들은 모두 호르몬 치료법이, 심지어 2-3주의 비교적 단기 사용으로도 전반적인 휴지 CBF 값을 증가시켰다는 것을 보여 주었다. 이와 같은 일관된 결과에도 불구하고 133Xe 흡입과 SPECT 기법이 가지고 있는 한 가지 한계는 공간 해상도가 낮다는 것이다. PET는 CBF 수치를 측정하는 또 다른 기법이며, 공간 해상도가 높아 개선된 영역별 특성을 제공하고 변화가 일어나는 위치 측정에 대한 더 나은 정보를 제공한다.

횡단 설계를 사용한 한 연구에서 HRT 사용자와 비사용자 간 영역별 휴지 CBF에 차이가 없었다(Resnick et al., 1998). 하지만 2년간의 추적 관찰에서 HRT 사용자들은 좌우 측두엽에서 휴지 CBF가 국소적으로 증가한 반면 HRT를 받지 않은 집단은 CBF에 아무런 변화가 없었다(Maki & Resnick, 2000). 연구 설계의 차이(종단 대 횡단)는 호르몬 치료 효과에 대한 정확한 평가를 방해하는 CBF의 기준선 차이와 같은, 횡단 설계로 인한 교란 변수의 영향이 발생할 수 있음을 강조한다.

종합하면, 여성의 CBF를 조사하기 위해 다양한 뇌영상 기법을 사용하여 얻은 결과들은 적어도 종단적 평가에서 HRT 투여가 폐경 후 여성들의 CBF를 증가시킨다고 주장한다. CBF의 증가가 앞에서 논의한 fMRI 결과에 영향을 미치는지 여부는 앞서 언급한 것과 같이 현재까지 알려지지 않았지만 그 가능성은 여전히 남아 있다. 우리가 설명한 모든 연구는 알려진 병리가 없는 여성으로 한정되어 있다. 치매에 수반되는 인지 및 신경 악화는 근본적으로 분자 과정과 대뇌 피질 악화 궤적에서 비치매 노인과 관련된 감소와 다르다고 주장되어 왔다(Buckner et al., 2005). 인지 및 신경 기능의 AD 관련 감소 때문에 HRT는 기능 장애가 있는 집단의 결과 측정에 더 큰 영향을 미칠 수 있다.

기능 장애가 HRT 효과를 증가시킬 수 있는 가능성에도 불구하고, AD 진단을 받은 여성들 혹은 AD에 걸릴 가능성이 있는 여성들에게 HRT가 휴지 CBF에 미치는 영향에 관한 증거는 일관성이 없다. 오쿠라와 그의 동료들(Ohkura et al., 1994)은 AD 환자 15명을 대상으로 4-6주 동안 비무작위 HRT 중재에서 SPECT를 이용한 연구를 실시했다. 그들은 HRT를 복용한 AD 환자들은 휴지 CBF가 신뢰롭게 증가한다는 것을 발견했다. 그러나 12주 동안 AD로 진단받은 여성 50명을 대상으로 무작위 이중맹검 위약 실험을 실시한 왕과 그의 동료들(Wang et al., 2000)은 호르몬 치료 후 휴지 CBF에 어떤 변화도 발견하지 못했다.

이 절에 설명된 결과들은 일관성이 높다. 한 횡단 연구(Resnick et al., 1998)와 AD 환자를 대상으로 한 연구(Wang et al., 2000)를 제외한 모든 연구는 호르몬 치료로 국소 또는 전체 휴지 CBF가 증가했음을 보여 주었다. 따라서 이 연구들의 결과는 HRT가 휴지 CBF에 상당한 영향을 미칠 수 있다는 것을 시사한다. 휴지 CBF가 건강한 노화와 병리적 노화 모두에서 감소하고 인지 및 신경 쇠약의 중요한 지표로 간주되기 때문에 호르몬에 의해 유도된 휴지 CBF 증가는 뇌 기능 향상의 지표가 될 수 있다.

중요한 것은, 이러한 연구의 결과와 해석도 방법론적 불일치가 크다는 것이다. 예를 들어 표본의 평균연령은 44세에서 67세(AD 환자의 경우 72세) 사이인 반면, 폐경과 치료 사이의 시간은 거의 평가되지 않거나 통제되지 않는다. 이미 언급했듯이 폐경 후 시간이 증가함에 따라 HRT의 효과는 소멸되거나 심지어 해로울 수 있기 때문에 폐경 후 호르몬 치료 시작 시기는 현재 중요한 요인으로 간주되고 있다(Rossouw et al., 2007). 표본의 평균 연령 차이가 큰 것을 고려할 때, 검토한 연구들 가운데 폐경과 치료 시작 사이의 시간적 간격을 다루거나 통계적으로 통제한 연구가 하나도 없다는 사실은 중요한 제한 요인이다. 또한 종단 및 중재 연구에서의 치료 기간은 2주에서 2년이며, 통계는 집단 내 비교에 초점을 두고, 시간과 집단 간의 상호작용은 거의 고려하지 않고 있다. 더욱이 많은 중재 연구들은 무작위로 이루어지지 않거나 통제 집단을 사용하지 않았으며, 연령이나 교육 기간과 같은 교란 요인을 일치시키거나 통제하는 일은 거의 없었다. 끝으로, 이러한 많은 연구들은 인지 혹은 행동 결과와의 상관관계를 보고하고 있지는 않지만, 개선된 인지, 정서, 사회적 행동 기능은 증가된 휴지 CBF와 관련이 있다. 특히 이러한 한계점에 비추어 CBF 결과는 놀라울 정도로 일관적이며, 호르몬 치료가 CBF에 강력하고 신뢰할 수 있는 영향을 미친다는 것을 방증한다.

대뇌 포도당 물질대사

에스트라디올에 대한 신경 보호적 증거를 고려할 때, 일부 연구는 HRT가 치매가 없는 건강한 폐경 여성들의 포도당 신진대사의 패턴을 바꿀 수 있는지 여부를 조사했다. 휴지 CBF 연구와 마찬가지로 2-아미노-2 플루오로데옥시글루코스 양전자 방사 단층 촬영(2-deoxy-2-[18F]fluoro-D-glucose(FDG)-PET)을 이용한 뇌 포도당 대사를 검사한 연구들은 AD 환자의 영역별 대사율이 낮다는 것을 일관되게 보여 주었다(예, Friedland et al., 1983). 실제로 아폴리포 단백질 대립 유전자(apolipoprotein-ε4 allele)를 가진 중년들은 ε4 대립 유전자가 없는 사람들보다 2년간 더 큰 신진대사 감소를 보인다(Small et al., 1995, 2000). 또한 병리학적 모집단에서 인지 장애의 비율은 설전부 피질(precuneus cortex), 후두엽, 대상엽, 팽대(retrosplenial) 피질을 포함한 특정 뇌 영역의 대사 저하 장애와 정적으로 관련되어 있다(Buckner et al., 2005). 아세틸콜린네스테라아제(acetylcholinesterase) 억제제와 같은 일부 치료제는 기억과 관련된 대뇌 피질 회로에서 신진대사를 증가시킨다(Mega et al., 2001; Nordberg et al., 1992; Potkin et al., 2001).

포도당 신진대사 측정치를 사용하는 비교적 규모가 작은 연구들은 HRT 사용 여성들이 비사용 여성들에 비해 일관적으로 높은 대사율을 보였다. 한 횡단 연구에서 연령과 교육 연수를 통제한 후, HRT를 받은 여성들이 AD 진 단을 받은 여성들과 HRT를 받지 않은 여성들에 비해 배외측 전전두엽, 중측 두엽, 하측두엽 피질에서 더 큰 포도당 대사를 보였다(Eberling et al., 2000). 또 다른 횡단 연구에서는 HRT를 받은 여성과 받지 않는 여성뿐만 아니라 에스 트로겐 수용체 작용제(agonist) 및 길항제(antagonist) 작용을 모두 가지고 있는 선택적 에스트로겐 수용체 조절 타목시펜(tamoxifen)을 받는 여성들과 비교 하였다. 이 연구에서 전두엽, 전전두엽 피질 전반에 포도당 대사 저하가 나 타났지만 해마에는 나타나지 않았다(Eberling et al., 2004). 불행히도 치료 기간 은 HRT 집단에 있는 여성의 경우 약 17년, 타목시펜 그룹의 경우 약 2년이 었는데, 이는 잠재적으로 중요한 교란 변수일 수 있다. 타목시펜 사용자들은 다른 두 집단보다 의미 기억 수행도 더 나빴지만, 이 효과는 신진대사 차이 와는 상관관계가 없었다. 이 두 연구 결과들은 HRT 사용이 높은 포도당 신 진대사와 관련이 있음을 시사하지만, 이들의 횡단 연구적 특성은 HRT 사용 에 따른 인과관계에 대한 주장도 배제한다. 다른 횡단 설계에서 볼 수 있는 것과 유사하게 건강한 사용자 편향과 같은 잠재적 교란 변수가 일부 효과에 기여했을 수 있다. 예를 들어 HRT를 선택한 여성들은 HRT를 받지 않기로 선택한 여성들보다 선천적으로 더 건강할 수 있다. HRT를 받을 수 있는 경 제적 능력뿐만 아니라 그들의 건강에 대한 염려는 HRT를 선택한 여성들과 선택하지 않기로 선택한 여성들 간에 체계적으로 서로 다를 수 있다.

또한 종단적 연구는 HRT가 포도당 대사에 영향을 미친다는 것을 보여 주 지만, 종단 연구에서 호르몬 치료의 영향을 가장 많이 받는 영역은 횡단 연 구에서 영향을 받는 부위와 다르다. 2년 간격으로 시행된 한 연구에서 HRT 를 받은 4명의 폐경 여성과 HRT를 받지 않은 6명의 폐경 여성은 평균 폐경 연령, 생식 수명 및 체질량 지수에서 통계적으로 일치했다(Rasgon et al., 2001). 이 저자들은 HRT 사용자들이 외측 측두엽에서 현저한 포도당 대사 증가를 보인 반면, 남성과 HRT 비사용자들은 2년간 신진대사에 질적인 변화를 전혀 보이지 않았다고 보고했다. 약간 더 큰 표본을 사용한 2년간의 종단 추적 연구에서 래스곤과 그의 동료들(Rasgon et al., 2005)은 HRT 비사용자는 후측 대상 피질에서 포도당 신진대사의 신뢰할 수 있는 감소를 보고했으며, HRT 사용자의 경우 2년 동안 포도당 신진대사의 유의미한 감소는 없었다. 이들 연구 결과들은 비슷하게 해석되었지만 질적으로 달랐다. 첫 번째 연구에서 HRT 사용은 신진대사의 증가와 관련이 있는 반면 두 번째 연구에서는 신진대사의 증가 자체보다는 감소로부터 신진대사를 보호하는 것과 관련이 있었다. 따라서 두 연구에서 효과의 방향은 상당히 달랐다. 그러나 포도당 신진대사의 감퇴는 AD와 노화로 인한 인지 저하와 관련이 있기 때문에 HRT 사용으로 인한 포도당 신진대사의 증가 및 유지(sparing)는 둘 다 호르몬 치료의 신경 보호 특성을 반영하는 것으로 해석된다. 하지만 이 두 연구는 횡단 연구에서 보여 주었던 배측 전방 영역과는 달리 AD 환자의 경우에 HRT 효과가 대사 감퇴가 일반적으로 나타나는 영역인 후측 대상엽, 내측 측두엽 부위와 연관되어 있다는 것을 보여 주었다(Eberling et al., 2000, 2004).

HRT가 포도당 대사에 미치는 영향을 조사한 연구들은 2년 동안 HRT에 참여한 폐경 여성은 신진대사가 증가하거나 유지되는 것으로 일관되게 보고되었다. 그러나 이러한 일관성에도 불구하고 HRT가 포도당 대사에 미치는 영향에 대한 결정적인 결론을 내리는 데는 몇 가지 한계가 있다. 예를 들어 4개의 연구는 각각 표본 크기가 작아서 모집단에 대한 일반화가 어려웠다. 또한 집단 간 신진대사 차이의 신경해부학적 위치는 다양했으며, HRT의 효과가 횡단 연구에서는 전전두엽 피질 대사에 가장 큰 효과를 나타냈고 종단 연구에서는 후측 대상 피질에서 효과가 가장 크게 나타났다. 그러나 이러한 한계에도 불구하고, 이 결과들은 호르몬 요법이 뇌 포도당 신진대사의 증가와 관련이 있다는 것을 보여 준다.

세로토닌 수용기와 콜린성 단자 농도

호르몬은 신경 전달 조절을 통해 정서 및 인지 기능을 조절할 수 있다. 설치류에서 에스트라디올은 인지와 행동에 영향을 줄 수 있는 시냅스에서 단백질 생산과 신경 화학 물질의 분비를 조절하는 역할을 한다. 에스트라디올 치료 후 앞쪽의 대상엽 및 전두엽 피질에서 세로토닌 수용체($5-HT_{2A}$)의 농도가 조절되는 것을 발견하였다(Cyr et al., 1998; Sumner & Fink, 1997). 또한 에스트라디올은 쥐의 해마, 피질 및 기저 전뇌에서 아세틸콜린 분비량과 아세틸콜린 분비를 포함하여 콜린성 기능의 규제를 통해 최소한 부분적으로 인지 기능을 향상시키는 것으로 간주된다(Gibbs et al., 1997; Korol & Marriott, 2003; Luine et al., 1980). 따라서 에스트로겐의 신경전달물질과 수용체에 대한 강력한 신경 조절적 역할로 인해 많은 연구들이 여성의 HRT 사용이 $5-HT_{2A}$ 수용체 및 콜린성 단자 농도 증가와 관련이 있는지 여부를 조사하였다.

$5-HT_{2A}$ 수용체는 PET를 이용해 이미지화할 수 있는 방사성 리간드(ligand)를 가지고 있는 몇 안 되는 수용체 중 하나이기 때문에 인간 뇌의 생체 내에서 자주 연구된다. 설치류에서 알탄세린 리간드([18F]altanserin ligand)는 높은 친화성(affinity)을 가지며, $5-HT_{2A}$ 수용체에 대해서는 매우 선택적이고 (Lemaire et al., 1991), PET를 이용한 이미지는 $5-HT_{2A}$ 수용체의 체외 매핑과 유사하다(Biver et al., 1997). 인간의 뇌에서는 알탄세린 리간드([18F]altanserin ligand)가 검사-재검사(test-retest) 신뢰도가 높으며(Smith et al., 1998), 우울증 및 조현병 연구에 자주 사용된다(예, Mintun et al., 2004). AD와 같은 노화 관련 병리학에서는 $5-HT_{2A}$ 수용체가 드물게 연구되지만, 건강한 노인들에게서 $5-HT_{2A}$ 수용체 밀도가 감소했다는 보고가 하나 있었다(Meltzer et al., 1998).

이 문제에 대한 연구는 거의 이루어지지 않았지만, HRT가 일관되게 전전두엽 및 두정엽 피질을 포함한 일부 피질 영역에서 $5-HT_{2A}$ 농도 및 콜린성 시냅스 단자 밀도를 증가시킨다는 것은 분명하다. 예를 들어 모세와 그의 동료들(Moses et al., 2000)은 폐경 후 여성 5명을 여러 시점에서 검사했다. 즉 치료 전 기준선, 에스트로겐 대체 후 8-14주, 에스트로겐과 프로게스테론을 병행한 뒤 2-6주 후에 다시 검사했다. 이 연구자들은 에스트로겐과 프로게스테론 치료를 병행한 후에만 대뇌피질 전반에 걸쳐 수용체 결합이 광범위하게 증가한다는 것을 발견했다. 모세-콜코와 그의 동료들(Moses-Kolko et al., 2003)은 이러한 효과를 복셀 기반(voxel-based) 측정 접근법으로 확장하여, 뇌 전체에 걸쳐 미세한 규모로 수용체 농도를 측정하였다. 그들은 에스트로겐 단독 치료를 받은 여성들은 치료를 받지 않은 여성들에 비해 전전두엽, 두정엽, 측두엽에서 $5-HT_{2A}$ 수용체 농도가 증가했으며, 에스트로겐과 프로게스테론의 병용이 $5-HT_{2A}$ 수용체 농도의 에스트로겐 관련 증가를 촉진시켰다고 보고했다. 쿠가야와 그의 동료들(Kugaya et al., 2003)도 10주 동안 에스트로겐 단독 치료를 받은 10명의 폐경 후 여성에게서 $5-HT_{2A}$ 수용체 결합이 증가했음을 발견했다. 그들은 하전두피질의 수용체 농도 변화는 혈장 에스트라디올 수준과 상관관계가 있지만 인지 측정에서 나타난 행동 개선은 $5-HT_{2A}$ 수용체 농도 변화와 상관관계가 없다고 보고했다.

모세와 그의 동료들(Moses et al., 2000) 및 모세-콜코와 그의 동료들(Moses-Kolko et al., 2003)의 연구 결과는 HRT의 효과가 에스트로겐에 더 오랫동안 노출될수록 증가할 수 있음을 시사한다. 이 가설을 뒷받침하여, 뇌 기능의 다른 지표는 호르몬 치료 기간과 관련이 있는 것으로 나타났다. 예를 들어 스미스와 그의 동료들(Smith et al., 2001)은 방사선 추적기 요오드 벤조베사몰([^{123}I]iodo-benzovesamicol, [^{123}I]IBVM)을 사용하여 장기 HRT 사용(평균 15년 이하)이 폐경 후 여성의 콜린성 시냅스 농도에 미치는 영향을 조사하였다. IBVM은 콜린성 시냅스 단자 밀도 지수인 소포 아세틸 콜린 수송체(vesicular acetylcholine transport)의 표지이다(Kuhl et al., 1996). 비록 HRT 치료의 주 효과는 없었지만, 호르몬 치료 기간은 전두엽, 두정엽, 측두엽, 전후대상엽 피질의 콜린성 결합 지수와 정적인 상관관계를 보였다. 게다가 이 연구자들은 에스트로겐 단독 사용이 에스트로겐과 프로게스테론 병행 치료에 비해 후대상 피질(the posterior cingulate)에서 나타나는 더 큰 단자 농도(terminal concentration)와 관련이 있다고 보고했다.

비록 수용체 농도의 증가와 콜린성 시냅스 단자 밀도의 증가가 인지 및 정서 기능에 도움이 된다고 해석되었음에도 불구하고 약술된 연구는 수용체나 단자 농도와 정서 혹은 인지 기능 사이의 상관관계를 보이지는 않았다. 증가된 농도는 개선된 인지 기능이 시스템에서 사용되기 전 장기간 유지될 필요가 있거나, 혹은 단순히 사용된 인지 과업이 수용체 농도 변화에 민감하지 않았을 수 있다. 이러한 연구들의 표본 크기는 상당히 작으며, 신뢰할 수 있는 관계를 탐지하려면 상관관계가 매우 견고해야 한다. 표본 크기가 클수록 상관관계 분석에 더 도움이 될 것이다. 그러나 이러한 한계와 상관없이 이 연구들은 HRT 및 치료 기간이 피질의 특정 부위에 특정한 방식으로 호르몬 사용이 수용체 농도에 미치는 효과에 영향을 미치며, 전전두엽에서 장기 치료 기간의 효과가 가장 크게 나타난다고 제안한다.

대사 산물 농도

신경 보호 효과로 인해 HRT는 폐경 후 여성의 대사 산물 농도를 효과적으로 조절할 수 있다. 뇌 손상 및 질병은 자기 공명 분광법(magnetic resonance proton spectroscopy)에 의해 측정된 대사 산물 수준 증가와 관련이 있다(Brooks et al., 2001). 치매 유무와 무관하게 노인들의 대사 산물 농도가 더 높다는 것이 발견되었으며, 이러한 효과는 때때로 인지 기능 손상과 상관관계가 있다

(Chantal et al., 2004; Kantarci et al., 2002).

현재까지 HRT가 대사 산물 수준에 미치는 영향을 연구한 연구는 두 개뿐이며, 두 연구 모두 HRT가 대사 산물 농도에서 연령 관련 변화를 상쇄한다고 보고하고 있다. 그중 하나인 로버트슨과 그의 동료들(Robertson et al., 2001)의 연구는 24명의 젊은 여성, HRT 장기 및 현재 사용자인 21명의 폐경 후 여성, 그리고 HRT를 사용해 본 적이 없는 16명의 여성을 조사했다. 이 연구자들은 HRT를 받지 않은 여성들이 HRT를 받은 여성들과 젊은 여성들에 비해 신경세포와 교세포 피막 전환(glial membrane turnover)의 표지로 여겨지는 콜린 함유 화합물 농도가 두정엽과 해마에서 유의하게 높았다고 보고하였다. 이러한 결과는 HRT 사용이 교세포 피막 전환 감소와 연관되어 있고, 이에 따라 세포의 퇴화를 감소시킨다는 것을 시사한다. 비록 콜린 수치와 호르몬 사용 기간, 또는 폐경 후 기간과는 상관관계가 없었지만, 해마의 콜린 수준은 웩슬러 기억 척도(Wechsler memory Scale)로 측정한 장기 시각 기억력과 부적 상관관계가 나타났다. 이는 폐경 후 여성의 신경 영상 측정과 인지 측정 사이의 신뢰할 수 있는 상관관계를 보고한 최초의 연구 중 하나이다.

또한 HRT 사용은 노화로 인한 미오이노시톨(Myo-Inositol, MI) 수준 증가를 감소시켜 뇌의 노화 조절을 용이하게 한다. 에른스트와 그의 동료들(Ernst et al., 2002)은 HRT가 콜린 함유 화합물에 영향을 미친다는 증거를 발견하지 못했지만, HRT를 사용해 본 적이 없는 여성에 비해 에스트로겐 투여를 받은 여성의 전두 백질, 기저핵(basal ganglia), 해마에서 MI의 농도가 낮다는 것을 발견했다. 미오이노시톨은 교세포 함량(glial content)이나 활동(Brand et al., 1993)의 척도로 여겨지며, MI 수준이 높을수록 비병리적 노화에서 관찰할 수 있는 교세포 기능 수준이 더 낮은 것을 나타낸다(Chang et al., 1996). 에른스트와 그의 동료들(Ernst et al., 2002)도 타목시펜(tamoxifen) 치료를 받는 여성 집단을 포함시켰으며, 이 여성들이 HRT를 받는 피험자들과 유사한 수준의 MI 감소를 보였다고 보고했다. 또한 기저핵의 MI 수준과 HRT 치료 기간 사이에 반비례 관계가 보고되었다. 이 연구에서 여성의 HRT의 평균 치료 기간은 20년이었으며, 연구자들은 HRT가 피질의 뇌 화학에 미치는 영향이 20년간 의 노출 이전에 점근선(asymptote)에 도달할 수 있다고 추측한다.

이 두 연구 모두 횡단적이라서 다른 횡단 연구와 동일하게 건강한 사용자 편향 및 잠재적 교란 요인에 의한 제약에 취약했지만, 표본의 크기가 비교적 컸다(Robertson et al., 2001, 71명, Ernst et al., 2002 76명). 또한 로버트슨과 그의 동 료들(Robertson et al., 2001)은 대사 산물 수준과 장기 시각 기억력 사이에 유의 한 상관관계를 발견했으며, 이러한 대사 산물 차이는 인지 기능과 잠재적으 로 중요한 관계가 있음을 시사한다. 그러나 HRT의 영향을 받은 대사 산물이 두 연구에서 서로 달라서 불일치의 원인이 된다는 점에 유의해야 한다. 요컨 대 이러한 증거는 HRT가 대사 산물 농도에 어느 정도 영향을 미칠 수 있지 만, 이러한 효과와 인지 기능과의 관계뿐만 아니라 어떤 대사 산물이 가장 영향을 많이 받는지는 아직 완전히 특징지어지지 않았다.

논의

처음에 우리는 HRT에 대한 뇌영상 연구를 종합하는 것이 세 개의 개별적인 가설을 뒷받침할 것이라고 제안했다. ① HRT에 따라 뇌 형태 및 기능, CBF, 대사, 대사 산물 및 수용체 농도에 현저한 차이가 존재한다. ② HRT가 뇌에 미치는 영향은 폐경 나이, 치료를 시작한 나이, 치료 기간 및 수행 중인 특정 인지 과제를 포함하는 다요인 모델 내에서 해석되어야 한다. ③ HRT의 효과 는 뇌의 특정 부위에만 한정되어 있으며, 전반적인 인지 또는 뇌영상 측정치 가 호르몬 사용의 영향을 나타내지 않을 가능성이 있음을 시사한다.

일부 연구에서는 HRT가 뇌에 미치는 영향이 작거나 미미한 것으로 보고 되었지만 대다수는 반대의 패턴을 보여 주었다. 즉 HRT는 뇌 부피, 기능적 활동, 혈류, 수용체 및 대사 산물 농도에 상당한 영향을 미친다. 연구들 사이에 많은 방법론적 불일치가 있음에도 불구하고, 그 결과는 전반적인 패턴에서 놀랍도록 유사하다. 모든 상황에서 HRT 사용자와 비사용자 간의 차이점은 뇌 결과와 행동 결과 사이의 상관관계가 거의 없음에도 불구하고 HRT가 폐경 후 뇌에 혜택을 준다는 증거로 해석되었다. 그러나 많은 연구에서 HRT는 노화가 뇌에 미치는 부정적인 결과를 상쇄시키거나 둔화시키는 것으로 관찰되었으며, 이는 실제로 HRT가 피질 노화의 중요한 조절자임을 시사한다. 이 검토에서 최종 결론을 도출하기 위해서는 무작위 설계를 이용한 연구 결과에서 더 큰 표본 크기와 행동 수행과의 상관관계가 필요하다는 것이 명백하다.

그러나 우리의 두 번째 가설과 일관되게 대부분의 연구는 HRT 치료와 뇌 사이의 복잡한 관계를 나타낸다. 예를 들어 호르몬 치료 기간과 특정 뇌 측정치 사이에 관계가 있으며, 이 관계가 반드시 선형적이지는 않다는 것이 분명하다(Erickson et al., 2007a). 실제로 10년 이상의 호르몬 노출은 뇌영상 측정치와 부적 상관관계를 보이는 경향이 있는 반면, 호르몬 노출이 10년 미만인 경우 정적인 상관관계를 보이는 경향이 있다고 주장했다. 호르몬 치료 기간은 분명히 인지 및 뇌에 대한 HRT의 정적 및 부적 결과를 결정하는 중요한 조절 요인이다. 몇몇 논문의 저자들은 HRT가 그 효과를 발휘할 수 있는 중요한 기회에 대해 추측했지만(Sherwin, 2006), 이를 공식적으로 조사하는 뇌영상 연구는 없었다(그러나 Lord et al., 2006 참조). 일부 연구는 HRT 치료와 연령 간의 상호작용을 보여 주고 있으며, 종단 연구에서 HRT 사용과 피질 퇴화의 기울기가 더 평평한 형태를 보인다(Erickson et al., 2005; Raz et al., 2004b). 이러한 효과는 폐경 후 여성들에게 기회의 창이 존재한다는 몇 가지 예비적인 증거를 제공한다(Erickson et al., 2005; Raz et al., 2004b). 또한 운동(Erickson et al., 2007a)과 같은 다른 생활양식 요인은 HRT가 뇌에 미치는 효과의 결과와 해석에 영향을 미친다. 요컨대 HRT의 효과는 다요인적 틀 안에서 조심스럽게 해석되어야 한다. "HRT가 뇌에 영향을 미치는가?"라는 질문은 이러한 복잡성을 있는 그대로 표현하기 위해 "HRT가 뇌에 미치는 영향을 제한하거나 강화시키는 요인은 무엇인가?"와 같은 질문으로 변경되어야 한다.

사용된 기법의 공간 해상도 또한 HRT와 뇌 측정치 간의 관련성 탐지 여부에 영향을 미친다. 우리는 HRT의 효과가 영역별로 구체적일 것이며, 공간 해상도가 낮은 기법은 HRT의 효과를 감지하지 못할 것이라고 예측했다. 수용체 농도의 측정과 더불어 기능적 및 구조적 MRI 연구에서 얻은 결과들은 이 예측을 강력하게 뒷받침한다. 구체적으로 전전두엽 피질 부위가 연령과 따라 가장 큰 쇠퇴를 보이며, 이 영역들에서 HRT 사용에 따라 가장 강력한 효과가 나타난다. 중요한 것은, 이는 전체적이거나 전전두엽 피질과 같이 HRT에 의해 영향을 받는 것이 아닌 피질 영역에 의존하는 인지 측정은 호르몬 치료의 효과를 보여 주지 못할 수 있음을 암시한다. 에릭슨과 그의 동료들(Erickson et al., 2007a)은 이에 대한 명확한 예시를 제시한다. 이 연구에서 WCST에서 보속 오류의 수는 HRT 치료 기간에 따라 달랐으며, 전전두엽 피질의 조직 부피와도 상관관계가 있었다. 그러나 일반적으로 사용되는 전반적인 인지 기능 척도인 간이 정신상태 검사(Mini-Mental State Examination, MMSE) 결과는 HRT와 관련이 없었으며, 뇌 부피 측정과도 상관관계가 나타나지 않았다.

또한 본 검토에서 논의된 기법 및 결과와 관련하여 여러 가지 제한점이 있다. 첫째, 대부분의 연구는 무작위 설계나 종단 설계가 아니었기 때문에 건강한 사용자 편향이 결과에 어느 정도 영향을 미쳤는지 알 수 없다. 예를 들어 HRT 치료를 택한 여성들은 선택하지 않은 여성들과 건강 상태가 체계적으로 다를 수 있다. 게다가 HRT 치료를 장기간 사용한 여성들은 대개 골다공증과 같은 건강 문제의 완화나 치료를 위해 사용하는 반면 단기간 동안 HRT 치료를 사용하는 여성들은 홍조와 같은 폐경 후 증상을 완화시키기 위해 사용한다. 따라서 집단 간의 건강 관련 차이는 HRT 사용과 관련된 결과를 인위적으로 증폭시키거나 무효화할 수 있다.

본 검토에서 논의된 연구의 두 번째 제한점은 특정 모집단 내에서 다중 뇌영상 기법을 사용한 비교가 부족하다는 것이다. 예를 들어 fMRI 연구는 보고된 차이가 활성화되거나 비활성화된 영역 내 조직의 부피 또는 밀도와 관련이 있는지의 여부를 아직 조사하지 않았다. 현재 HRT가 대뇌 피질 부피, 특히 전전두엽 영역에 영향을 미친다는 증거가 있기 때문에 HRT 사용자와 비사용자 사이의 기능적 활동 차이 중 일부는 해당 영역 내 조직 부피로 인한 것일 수 있다. 이는 HRT가 뇌 활성화에 미치는 영향에 대한 해석에 영향을 미칠 수 있다. 예를 들어 조직의 부피와 무관한 기능적 차이는 영역 내에서의 정보처리 효율과 관련이 있는 것으로 볼 수 있는 반면, 해당 영역의 조직 부피와 상관관계가 있는 기능적 차이는 피질 자원의 일반적인 쇠퇴와 관련될 수 있다. 미래의 뇌영상 연구는 이러한 가능성을 조사해야 할 것이다.

요약하면, HRT가 폐경 후 여성의 건강에 미치는 영향은 논쟁의 여지가 있는 주제로 남을 것이다. 그러나 본 검토는 뇌영상 기법을 사용하여 중요한 결과를 얻을 수 있음을 시사한다. HRT가 폐경 후 뇌에 미치는 영향을 명확히 논하는 것은 아직 시기상조일 수 있지만 호르몬 요법은 유산소 운동, 영양 보충 및 지적 참여와 같은, 대뇌피질 가소성을 유도하는 다른 중요한 생활양식 요인과 함께 분류될 수 있는 요인일 가능성이 높다.

9

인지 기능 증진을 위한 신체 활동 프로그램
—우리는 처방전을 받을 준비가 되었는가?

제니퍼 에트니어Jennifer L. Etnier, PhD | 노스 캐롤라이나 대학교, 운동 및 스포츠 과학과

연구 문헌들은 작거나 중간 정도의 효과 크기를 보여 주는 메타 분석 검토를 통해 신체 활동과 인지 기능 사이의 긍정적인 관계를 명확히 보여 준다(Colcombe & Kramer, 2003; Etnier et al., 1997; Heyn, Abreu, & Ottenbacher, 2004; Sibley & Etnier, 2003). 또한 노화(Colcombe & Kramer, 2003; Etnier et al., 1997)로 인한 인지적 쇠퇴의 위험에 있는 개인이나 인지 장애의 경험(Heyn et al., 2004)으로 인해 인지 기능 감소 위기에 처한 사람들에게 더 큰 영향을 끼친다. 신체 활동이 인지적 이점과 관련이 있다는 일관적인 발견을 고려할 때, 자연스럽고 실용적인 질문은 "인지 능력을 향상시키거나 보호하기 위해 개인이 어떤 유형의 운동을 얼마나 많이 해야 하는가?"이다. 즉 우리가 인지 능력 향상을 촉진하는 중재로서 운동을 처방할 정도로 신체 활동과 인지 능력 사이의 용량-반응 관계(dose-response relationship)가 충분히 확립되었는가?

  최근의 컨센서스 심포지엄에서 전 세계 전문가들은 신체 활동과 신체 건강, 삶의 질 및 우울증과 불안 사이에 용량-반응 관계가 있는지 여부에 대한 문제를 다루었다(*Medicine and Science in Sports and Exercise*, 2001의 보충 자료로 출판됨). 하지만 이 같은 문제는 신체 활동과 인지 능력 사이의 관계에 대해서는 다루어

지지 않았다. 따라서 이 검토의 목적은 신체 활동과 인지 수행 사이의 용량-반응 관계의 확립과 관련된 기존 증거에 대한 평가를 제공하는 것이다.

용량-반응 관계를 조사할 때 고려해야 하는 신체 활동의 측면에는 모드(mode), 지속시간, 강도, 빈도 및 신체 활동 참여 기간이 포함된다. 모드(mode)는 흔히 개인이 수행하는 특정 활동 유형(예, 수영, 자전거 타기, 걷기, 상체 근력 훈련)으로 정의되며, 이 정보는 해당 활동에 필요한 에너지 소비를 추정하는 데 필요하다. 지속시간은 1회의 신체 활동에 소요되는 시간이다. 그러나 지속시간이 인지에 미치는 영향은 특정 하루의 신체 활동이 한 번에 완료되는지, 아니면 하루 동안 여러 번의 활동으로 축적되는지에 따라 영향을 받을 수 있기 때문에 복잡할 수 있다. 이는 특히 1995년 미국 스포츠의학대학(ACSM)과 질병통제센터(CDC)에서 제공하는, 건강에 효과를 얻기 위해 성인은 하루에 30분 이상 운동(최소 8분 분량)을 해야 한다는 권고를 고려할 때 관련이 있다. 1998년 ACSM은 지속시간(20-60분)에 관한 권고 사항을 수정하였으나 운동은 지속적으로 또는 간헐적(최소 10분)으로 해야 한다는 입장을 유지하였다. 강도는 개인이 수행하는 최대 노력의 백분율을 반영한다. 지속시간과 강도는 활동의 총 에너지 소비를 함께 결정한다. 빈도는 주당 신체 활동 일수를 말하며, 강도와 지속시간과 함께 매주 신체 활동량을 측정한다. 신체 활동 참여 기간은 일반적으로 몇 주 또는 몇 개월로 표시되며, 신체 활동이 인지에 미치는 영향이 비교적 짧은 기간에 걸쳐 발생하는지 또는 혜택을 얻기 위해 활동에 대한 더 오랜 기간이 필요한지 여부를 나타낼 수 있다.

용량-반응 관계에 대한 근거를 평가하는 것은 모든 연구 영역에서 어렵지만, 특히 신체 활동 및 인지 영역에서 더욱 그러하다. 용량 반응을 평가하기 위한 가장 강력한 증거는 비교 가능한 기법을 사용하여 그 관계를 다루는 무작위 통제 시험(RCT)을 검토함으로써 얻을 수 있을 것이다. 그러나 신체 활동과 인지 능력 분야에서 RCT가 많지 않으므로 일관된 결과 패턴이 있는지 여부를 판단하는 검사를 할 수 없다. 실제로 신체 활동과 인지 분야에서는 RCT가 거의 수행되지 않았으며, 내가 아는 한 신체 활동과 인지 능력 사이의 관계를 용량-반응과 연관 지어 다룬 대규모 RCT는 없다.

'최적 기준(gold standard)' 증거를 사용할 수 없는 경우, 인지 능력을 유지하거나 개선하기 위한 수단으로서 운동을 합리적으로 처방하기에 충분한 지식이 있는지 여부를 판단하기 위해 다른 일련의 증거들을 평가할 수 있다. 이 검토에서 첫 번째 단계는 신체 활동 수준이 적절하게 정량화된 대규모의 전향적 연구들(prospective studies)을 검토하고, 활동 수준의 함수로써 시간에 따른 인지 능력의 변화를 검토하는 것이었다. 두 번째 단계는 신체 활동의 용량을 정의하는 요인이 인지 효과 크기의 잠재적 조절 요인으로서 조사한 메타 분석 리뷰의 결과를 검토하는 것이었다. 세 번째 단계는 신체 활동과 인지 사이의 연관성을 설명하기 위해 제안된 기본 매개체 및 메커니즘(매개 변수, intervening variables)에 관련된 문헌을 검토하는 것이었다. 이러한 기본 변수와 인지 능력 사이에 용량-반응 관계가 관찰된다면, 신체 활동 처방은 인지 능력에 영향을 미치는 것을 궁극적인 목표로 하는 신체 활동과 이러한 매개변수 사이의 용량-반응 관계로 알 수 있다.

전향적 연구

몇몇 그룹의 연구자들은 대규모 전향 설계를 사용하여 시간의 경과에 따른 신체 활동과 인지 능력 사이의 관계를 연구해 왔다. 이 모든 연구는 노인들을 대상으로 수행되었기 때문에 그 결과는 다른 연령대에 일반화되지 않을 수 있다. 이 연구의 결과들은 엇갈렸다. 이것은 의심할 여지없이 연구에 사용되었던 다양한 인지 결과와 신체 활동 측정치 간의 시간 차이와 관련이 있다. 한 연구 그룹은 결과로서 표준화된 인지 측정 과제의 수행에 초점을 맞추고, 다른 그룹은 결과로서 임상 인지 장애의 평가에 초점을 맞추었다. 이들 연구에서 신체 활동을 평가하는 구체적인 방법은 다양했지만 자기 보고식 척도에 국한되었다.

신체 활동과 인지 능력

신체 활동 측정치를 후속 시험의 인지 능력의 예측 변수 또는 시간에 따른 인지 능력의 변화의 예측 변수를 분석한 네 가지 전향 연구가 수행되었다.

앨버트와 그의 동료들(Albert et al., 1995)은 '맥아더의 성공적인 노화 연구(MacArthur Studies of Successful Aging)'에서 얻은 1,119명(70-79세)의 피험자들의 연구 결과를 보고했다. 신체 활동(현재의 격렬한 신체 활동 참여 수준으로 평가됨)이 5년 동안 일련의 인지 검사에서 보여 줄 능력 변화의 예측 변수로 사용되었다. 구조방정식 모델링을 통해 신체 활동이 인지 변화의 중요한 예측 인자로 밝혀졌고, 높은 수준의 격렬한 신체 활동은 시간의 흐름에 따른 인지 저하가 낮은 것으로 예측되었다.

딕과 그의 동료들(Dik et al., 2003)은 1,241명의 노인(62-85세)을 대상으로 신체 활동과 인지 능력을 평가하였다. 그들은 피험자들에게 15-25세의 나이에 스포츠나 다른 신체 활동에 얼마나 많은 시간을 보냈는지를 보고하도록 하여 초기 신체 활동을 기준선에서 후향적으로(retrospectively) 평가하였다. 인지 능력은 6년간의 추적 기간에 걸쳐 평가되었다. 그 결과, 신체 활동이 간이 정신상태 검사(Mini-Mental State Exam, MMSE) 및 정보처리 속도를 예측하며, 낮은 또는 중간 정도의 초기 신체 활동이 초기 신체 활동이 없는 것보다 훨씬 더 나은 인지 능력을 예측하는 것으로 나타났다.

반 겔더와 그의 동료들(Van Gelder et al., 2004)은 핀란드, 이탈리아, 네덜란드에서 시행한 노인 연구(Finland, Italy, and The Netherlands Elderly, FINE)에 참가한 295명 노인(평균 74.91세)의 신체 활동 빈도, 지속시간 및 강도를 측정했다. 신체 활동 변화는 10년 동안 지속시간 및 강도가 감소, 지속, 또는 증가하는 것으로 조작되었다. 그 결과 신체 활동 지속시간 및 강도의 변화가 용

표 9.1 신체 활동 지속 기간 및 강도와 10년 동안의 MMSE 수행의 평균 변화

	신체 활동 감소	신체 활동 변화 없음	신체 활동 증가
기간	-1.7	-0.7	0.0
강도	-2.3	-0.6	0.2

* 출처: 겔더(B. M. Gelder)와 그의 동료들, 2004, 〈노인의 인지 기능 저하와 관련된 신체 활동: FINE 연구(Physical activity in relation to cognitive decline in elderly men: The FINE Study)〉, 《Neurology》 63(12), pp. 2316-2321.

량-응답 패턴에서 MMSE의 인지 기능 감소를 예측하고, 신체 활동의 지속 기간과 강도가 증가하면 인지 능력의 감소를 예측할 수 있다는 것이 나타났다(〈표 9.1〉 참조).

위브와 그의 동료들(Weuve et al., 2004)은 인지 능력 측정 전 10-17년 동안 16,466명의 여성 노인(70-81세)의 신체 활동을 2년 간격으로 평가했다. 그들은 피험자들에게 다양한 유산소 운동과 다른 저강도 신체 활동(예, 요가)에 소요되는 주당 평균 시간을 추정하도록 요청하여 신체 활동을 평가하였다. 해당 데이터는 대사 등가물(METs)로 변환되어 인지 평가 이전 기간에 걸쳐 평균화되었다. 결과는 신체 활동이 5분위수 전체에 걸친 결과 패턴과 함께 더 나은 인지 능력을 예측하는 것으로 나타났다. 그리고 용량-반응 관계를 입증하는 신체 활동 중, 신체 활동 수준의 증가가 더 나은 인지 능력과 관련이 있었다(〈표 9.2〉 참조).

표 9.2 신체 활동 5분위수에 비례한 인지 능력의 평균 차이

결과 척도	신체 활동 5분위수				
	최하위	차하위	중간	차상위	최상위
TICS	0.0 (Ref)	0.20	0.27	0.28	0.28
카테고리 능숙도	0.0 (Ref)	0.59	0.74	0.76	0.95
작업기억 및 주의	0.0 (Ref)	0.15	0.16	0.27	0.34
언어 기억	0.0 (Ref)	0.04	0.03	0.07	0.08
총점	0.0 (Ref)	0.06	0.06	0.09	0.10

TICS=전화 인터뷰를 통한 정신 상태(간이 정신상태 검사를 본뜸); Ref=참조 그룹(referent group).

* 출처: 위브(J. Weuve)와 그의 동료들, 2004, 〈걷기를 포함한 신체 활동 및 노인 여성의 인지 기능(Physical activity, including walking, and cognitive function in older women)〉, 《Journal of the American Medical Association》 292(12), pp. 1454-1461.

신체 활동과 임상적 인지 장애

기초적인 신체 활동을 평가하고 이후 여러 해 후에 임상 인지 장애 발생률을 측정하는 7개의 대규모 전향 연구가 실시되었다.

야프와 그의 동료들(Yaffe et al., 2001)은 5,925명의 여성 노인(65세 이상)을 대상으로 6-8년 동안 MMSE로 기본 신체 활동과 인지 변화 사이의 관계를 탐구하였다. 신체 활동은 주당 보행 블록 수와 33가지 다른 유형의 신체 활동에 참여하는 빈도, 지속시간(킬로칼로리로 환산)으로 자기 보고 척도를 통해 평가되었다. 일주일에 걷는 블록과 킬로칼로리에 대한 결과는 용량-반응 관계를 지원했으며, 활동 증가가 임상 인지 감소의 위험 감소와 관련이 있었다(〈표 9.3〉 참조).

로린과 그의 동료들(Laurin et al., 2001)은 캐나다 건강과 노화에 관한 연구 자료를 발표했다. 치매가 없는 노인(65세 이상, 4,615명)은 기준선에서 신체 활동을 자체 보고한 후, 5년간의 추적 조사에서 임상 인지 장애 검사를 받았다. 신체 활동은 빈도(주당 운동 횟수) 및 운동 강도로 보고되었으며, 이는 4단계(높음, 중간, 낮음, 없음)의 단일 종합 점수로 결합되었다. 결과는 용량-반응 관계를 지지하였으며, 높은 수준으로 신체 활동에 참여하는 사람은 일반적으로 임상적 인지 손상의 위험이 적을 것으로 예측되었다(〈표 9.4〉 참조).

윌슨과 그의 동료들(Wilson et al., 2002)은 시카고 건강 및 노화 프로젝트(Chicago Health and Aging Project)의 결과를 보고했다. 이 연구는 835명의 노인(65세 이상)을 대상으로 신체 활동을 자기 보고 척도로 조사하고 평균 4.1년

표 9.3 신체 활동과 관련된 인지 기능 감퇴 계수(odds ratio)

결과 척도	신체 활동 5분위수			
	최하위	차하위	차상위	최상위
보행 블록	1.0 (Ref)	0.87	0.63	0.66
kcal	1.0 (Ref)	0.90	0.78	0.74

Ref=참조 그룹(referent group)

* 출처: 야프(K.Yaffe)와 그의 동료들, 2001, 〈걷는 노인 여성의 신체 활동과 인지 저하에 대한 전향적 연구(A prospective study of physical activity and cognitive decline in elderly women-Women who walk)〉, 《Archives of Internal Medicine》 161(14), pp. 1703-1708.

표 9.4 신체 활동에 관련된 인지 손상 계수(odds ratio)

결과 척도	신체 활동 수준			
	없음	낮음	중간	높음
인지 손상(비치매)	1.00(Ref)	0.66	0.67	0.58
알츠하이머병	1.00(Ref)	0.67	0.67	0.50
혈관성 치매	1.00(Ref)	0.54	0.70	0.63
치매	1.00(Ref)	0.64	0.69	0.63

Ref = 참조 그룹(referent group)

* 출처: 로린(D. Laurin)과 그의 동료들, 2001, 〈노인의 신체 활동과 인지 장애 및 치매의 위험(Physical activity and risk of cognitive impairment and dementia in elderly persons)〉, 《Archives of Neurology》 53(3)호, pp. 498-504.

후에 알츠하이머 발병 여부를 확인하였다. 연구원들은 피험자들에게 지난 2주 동안 9가지 신체 활동을 얼마나 자주 얼마나 오랫동안 수행했는지를 물음으로써 신체 활동을 평가했다. 결과는 신체 활동 참여가 알츠하이머병의 위험을 예측하지 않는다는 것을 보여 주었다.

버기즈와 그의 동료들(Verghese et al., 2003)은 브롱크스 노화 연구(Bronx Aging Study) 결과를 보고하였는데, 이 연구는 488명의 노인(75-85세)을 대상으로 기준 신체 활동의 자기 보고 측정치(11개 활동 제공)와 이러한 활동에 참여하는 빈도를 평가하였다. 그 후 치매 발병 여부는 5.1년의 중간 시점(최대 21년)에 걸쳐 평가되었다. 그 결과는 신체 활동이 알츠하이머병의 위험과 관련이 없다는 것을 보여 주었다.

또 다른 연구에서 애벗과 그의 동료들(Abbott et al., 2004)은 비교적 건강한 노인 2,257명(71-93세)에게 하루 평균 걷기 마일 수를 스스로 보고하게 한 뒤, 피험자들을 평균 7년간 추적하여 치매 발병 여부를 조사했다. 결과는 걷기와 인지 기능 사이의 용량-반응 관계를 지지했다. 걷는 거리가 줄어들면서 치매의 상대적 위험이 증가했다(2마일 미만: 발병 준거, 1-2마일 미만: 1.50, 0.25-1마일: 2.06, 0.25마일 이하: 2.12).

앞에서 설명한 것처럼 위브와 그의 동료들(Weuve et al., 2004)은 8-15년 동안 평균 신체 활동량을 사용하여 여성 노인 16,466명의 인지 능력을 예측했다. 그 결과 신체 활동 참여율이 가장 높은 5분위수 여성은 최하위 5분위수 여성보다 인지 장애 위험이 20% 더 낮았다.

포데빌스와 그의 동료들(Podewils et al., 2005)은 노년층(65세 이상)을 대상으로 5.4년에 걸쳐 신체 활동과 치매 발병 간의 관계를 조사했다. 신체 활동은 지난 2주 동안 15개의 신체 활동 참여 빈도 및 지속시간으로 자체 보고되었다. 비록 그 효과가 통계적으로 모두 유의하지는 않았지만, 결과는 에너지 소비(빈도와 지속시간으로 계산)와 다양한 신체 활동 수를 모두 포함하는 임상적 인지 장애의 위험에 대한 용량-반응 관계를 일관되게 보여 주었다(〈표 9.5〉 참조). 그 결과의 일반적인 추세는 에너지 소비가 증가하고 다양한 활동이 증가함에 따라 임상적 인지 장애 위험이 줄어든다고 예측했다.

이러한 대규모 전향적 연구 결과는 일반적으로 인지 능력 결과에 대한 모든 연구와 임상적 인지 장애를 결과 변수로 사용한 7개 연구 중 5개 연구에서 제공하는 용량-반응 관계를 뒷받침하고 있다. 이러한 관계를 뒷받침하지 못한 두 연구를 조사한 결과, 이 두 연구는 비교적 짧은 추적 기간(〈표 9.6〉 참조)을 사용했으며, 신체 활동의 강도를 나타내는 지표를 포함하지 않았다. 따라서 이러한 증거로부터 신체 활동과 인지 능력 사이의 용량-반응 관계가 노인에게 존재하고, "그 관계가 높을수록 더 좋은 것"이며, 신체 활동 강

표 9.5 신체 활동에 관련된 임상적 인지 손상의 위험 비율(Crude Hazard Ratio)

임상적 손상	에너지 소비(kcal/주)			
	248 초과	248-742	743-1657	1657 미만
치매의 모든 원인	1.00(Ref)	1.03	0.81	0.74
알츠하이머병	1.00(Ref)	0.99	0.79	0.64
혈관성 치매	1.00(Ref)	1.04	0.90	0.82
임상적 손상	신체 활동 수			
	0-1	2	3	4 이하
치매의 모든 원인	1.00(Ref)	0.76	0.60	0.42
알츠하이머병	1.00(Ref)	0.68	0.61	0.40
혈관성 치매	1.00(Ref)	0.85	0.64	0.44

Ref = 참조 그룹(referent group)

* 출처: 포데빌스(L. J. Podewils)과 그의 동료들, 2005, 〈신체 활동, APOE 유전자형 및 치매 위험: 심혈관 건강인지 연구 결과(Physical activity, APOE genotype, and dementia risk: findings from the Cardiovascular Health Cognition Study)〉, 《American Journal of Epidemiology》 161(7), pp. 639-651.

표 9.6 신체 활동, 인지 능력 또는 임상적 인지 손상 경험 간의 관계를 조사한 전향 연구에 관한 기술적 정보

저자(연도)	성별	나이	후속 측정 연수	신체 활동 척도
인지 능력 지원 (4개 중 4개)				
앨버트 외(Albert et al. 1995)	남, 여	70-79	5	고강도 활동
딕 외(Dik et al. 2003)	남, 여	62-85	6	초기 신체 활동
반 겔더 외(Van Gelder et al. 2004)	남, 여	74.91	10	지속 기간 및 강도 변화
위브 외(Weuve et al. 2004)	여	70-81	10-17	주당 시간 및 유형→METs
임상적 손상 지원(7개 중 5개)				
야프 외(Yaffe et al. 2001)	여	65 미만	6-8	보행 블록 및 kcal
로린 외(Laurin et al 2001)	남, 여	65 미만	5	빈도 및 강도
애벗 외(Abbott et al. 2004)	남	71-93	7	하루 보행 마일
위브 외(Weuve et al. 2004)	여	70-81	10-17	주당 시간 및 유형→METs
포데빌스 외(Podewils et al. 2005)	남, 여	65 미만	5.4	빈도, 지속시간, 유형→kcal
임상적 손상 지원 실패(7개 중 2개)				
윌슨 외(Wilson et al. 2002)	남, 여	65 미만	4.1	빈도 및 지속시간
버기즈 외(Verghese et al. 2003)	남, 여	75-85	5.1	유형 및 빈도

METs = 대사 당량, kcal = 킬로칼로리

도는 신체 활동 용량의 중요한 구성 요소라는 결론을 내릴 수 있다.

메타 분석 검토

신체 활동과 인지 능력 사이의 관계를 통계적으로 종합하기 위해 몇 가지 메타 분석 검토가 수행되었다. 이러한 메타 분석은 종종 매개변수가 관계에 미치는 영향을 조사하여 인지 능력을 예측할 수 있는 신체 활동의 다양한 측면에 대한 통계 결과를 제공한다.

에트니어와 그의 동료들(Etnier et al., 1997)은 모든 연령(4-94세)의 사람들을 대상으로 하나의 운동 중재를 시행하고 사후 검사(그리고 사전 검사 점수 또는 대조군 집단의 검사 점수와 비교)에서 인지 능력을 측정한 46개의 장기 운동 연구를 통계적으로 검토했다. 인지 측정을 위해 효과 크기(Effect Size, ES)를 계산한 다음 운동 개입의 용량과 관련된 조절변수를 통계적으로 조사하

여 그것이 인지 ES에 미치는 영향을 조사하였다. 이 연구의 평균 ES는 0.33 이었고, 운동이 인지 능력에 미치는 효과가 작다는 것을 뒷받침했다. 그러나 조절변수(moderator variable)를 분석했을 때, 결과는 모드(유산소, 근육 저항, 게임 등), 강도(낮음, 보통, 높음), 지속시간(1-180분), 빈도(주 2일에서 7일) 및 신체 활동 프로그램 기간(3-42주) 중 어느 것도 인지 ES에 유의미한 영향을 미치지 않았다($p > .05$). 따라서 저자들은 비록 신체 활동과 인지 능력 사이에 인과관계를 지지하는 증거가 있지만, 이들 변수 사이에 용량-반응 관계를 뒷받침하는 증거가 없었다고 결론지었다. 이 메타 분석 검토는 인지 능력에 도움이 되는 신체 활동 처방은 신체 활동 수준의 일반적인 증가 이외의 다른 것을 지정할 필요가 없음을 시사한다.

시블리와 에트니어(Sibley & Etnier, 2003)의 메타 분석은 아동을 대상으로 신체 활동과 인지 기능 간의 관계를 조사한 44개의 연구를 검토했다. 그 연구들의 전반적인 결과 또한 신체 활동이 인지 능력에 미치는 효과가 작다는 것을 뒷받침했다(ES = 0.32). 이 저자들은 운동 방식(저항 또는 회로 훈련, 체육 수업, 에어로빅 운동, 지각 운동 훈련)와 관련된 이러한 효과를 분석하여, 이러한 조절변수가 결과에 큰 영향을 미치지 않는다는 것을 발견했다. 이는 어린이의 경우 인지 능력을 개선하기 위한 신체 활동의 처방으로 특정 유형의 활동을 지정할 필요가 없음을 시사한다.

콜콤과 크레이머(Colcombe & Kramer, 2003)는 노인(55-80세)을 대상으로 한 연구만 포함하는 메타 분석 검토를 수행하였다. 그들의 전반적인 연구 결과는 중간 정도의 효과 크기를 보여 주었다(ES = 0.48). 그 다음 콜콤과 크레이머는 세션의 지속시간, 운동 방식와 운동 기간과 관련하여 이러한 효과를 검증하였다(〈표 9.7〉 참조). 세션의 지속시간과 관련하여 중간 길이(31-45분)의 세션이 긴 지속시간(46-60분) 혹은 짧은 지속시간(15-30분)을 사용하는 중재보다 평균 효과가 유의한 수준으로 크게 나타났으며, 또한 긴 지속시간의 세션이 짧은 지속시간의 세션보다 더 효과적인 것으로 나타났다. 운동 방식

표 9.7 콜콤과 크레이머(Colcombe & Kramer, 2003)의 메타 분석에서 얻은 용량-반응 중재 관련 효과 크기

	15–30분	31–45분	45–60분
지속시간	0.18[b2]	0.61[a]	0.47[b1]
	유산소 운동만	근력+유산소 운동	
모드	0.41[b]	0.59[a]	
	1–3 개월	4–6 개월	6개월 이상
프로그램 기간	0.52[b1]	0.27[b2]	0.67[a]

메모: 위 첨자는 중재자의 수준이 유의미하게 다르다는 것을 나타낸다. 효과를 나타내는 숫자는 서로 유의미하게 다르며, 효과를 나타내는 문자는 유의미하게 서로 다르다.

* 출처: 콜콤(S. Colcombe)과 크레이머(A.F. Kramer), 2003, 〈노인의 인지 기능에 대한 운동의 효과: 메타 분석 연구(Fitness effects on the cognitive function of older adults: A meta-analytic study)〉,《Psychological Science》14(2), pp. 125–130.

과 관련하여, 근력 운동과 유산소 운동을 결합한 프로그램이 유산소 운동만을 수행하는 것보다 효과가 유의하게 더 큰 것으로 나타났다. 마지막으로, 프로그램 길이에 대한 연구 결과는 단기 프로그램(1-3개월)이나 중기 프로그램(4-6개월)보다 장기 프로그램(6개월 이상)이 효과가 더 큰 것으로 나타났으며, 단기 프로그램이나 중기 프로그램보다 더 큰 효과가 있음을 보여 주었다. 이러한 결과는 신체 활동 개입의 용량이 인지 ES 크기에 영향을 미친다는 것을 시사할 뿐만 아니라 이러한 관계가 선형적이지 않음을 나타낸다. 이러한 반직관적인 발견은 메타 분석 검토에 내재된 한계의 결과일 수 있다(아래에서 논의될 것임). 그러나 이 메타 분석의 결과에 기초하여 노인들의 인지 능력을 향상시키기 위한 신체 활동 처방은 6개월 이상 31-45분간의 유산소 운동과 근력 훈련의 개입을 제안한다.

이러한 메타 분석 검토에서 도출할 수 있는 전반적인 결론을 논의하기 전에 검토의 한계를 이해해야 한다. 한 가지 한계점은 메타 분석 검토에서 나온 발견은 정의상 현존하는 문헌을 통계적으로 요약한 결과로서, 반드시 어떤 단일 연구에서 도출되는 결과를 나타내지는 않는다는 한계가 있다. 즉, 조절변수에 대한 분석은 조절변수의 수준에 비례하여 ES가 '떨어지는' 특정한 방식에 의해 제한된다. 이것이 결과에 영향을 미칠 수 있는 한 가지 방법은 다양한 수준의 조절변수를 다룬 연구의 수가 적을 때 발생한다. 예를 들

면, 에트니어와 그의 동료들(Etnier et al., 1997)의 메타 분석에서는 무산소 운동을 사용한 연구 횟수(n = 3)와 고강도 운동을 사용한 연구 횟수(n = 2)가 극히 적었다. 따라서 관련 조절변수에 대한 통계 검정력이 낮으므로 이들 변수에 따른 유의한 효과크기(ES) 차이는 통계적 유의성에 도달하지 않았을 수 있다. 메타 분석 결과에 영향을 미치는 두 번째 방법은 3차 인과관계라고 불리는 현상과 관련된다. 이것은 두 개 이상의 조절변수가 서로 겹쳐서 결과변수에 미치는 개별적인 효과가 다른 변수에 의해 혼동될 때 발생한다. 예를 들어, 콜콤과 크레이머의 메타 분석(Colcombe & Kramer, 2003)에서는 인지 능력을 집행 기능 과제(executive function tasks)로 평가한 연구에서 가장 큰 인지적 효과크기(ES)가 관찰되었다. 여기서 용량-반응 조절에 관한 결과는 이 조절변수에 의해 혼동되었을 수 있다. 즉, ES를 중간 길이(31-45분) 세션에 기여한 연구도 집행 기능 과제(executive function tasks)를 평가한 연구일 수 있다. 이렇게 되면 중간 길이 세션이 큰 평균 효과를 나타내지만, 그 효과는 세션의 지속시간보다 사용된 인지 과제를 더 잘 반영할 수 있다. 3차 인과관계는 또한 역방향으로 발견에 영향을 미칠 수 있다. 즉 에트니어와 그의 동료들(Etnier et al., 1997)의 메타 분석에서 용량-반응 조절자들은 효과를 저하시키는 방식으로 다른 조절변수와 중복되어서 유의한 효과를 나타내지 않았을 수 있다. 이는 모든 메타 분석에 내재된 한계로, 메타 분석의 결과를 해석할 때 유념해야 한다. 이러한 한계를 해결할 수 있는 유일한 방법은 단일 연구에서 조절자의 영향을 조사하는 것이다. 그러나 내가 아는 바로는 운동 개입의 용량을 정의하는 이 관계를 직접 조사하기 위해 매개변수가 조작된 연구는 없다.

전체적으로, 문헌에 대한 메타 분석 검토 결과는 일반 인구와 어린이에서 용량-반응 관계가 입증되지 않았지만, 신체 활동의 증가가 인지 능력의 향상과 연관될 것으로 기대할 수 있다는 것을 보여 준다. 그러나 노인의 경우 용량-반응 관계가 지지되며, 메타 분석 결과는 이 관계가 선형적이지 않음을 시사한다. 특히 콜콤과 크레이머(Colcombe & Kramer, 2003)의 메타분석 결과, 단기 개입(1-3개월 이상)과 장기 개입(6개월 이상)에서 가장 큰 효과가 뚜렷하게 나타났으며, 중간 길이(31-45분)의 세션에서는 근력운동과 유산소 운동이 모두 포함된 신체 활동에서 가장 큰 효과가 나타나는 것을 보여 준다.

매개자와 메커니즘

운동 처방(prescription of exercise)과 관련된 증거를 평가하는 세 번째 방법은 신체 활동과 인지 능력 사이의 관찰된 관계의 기반이 되는 매개자(mediator) 및 메커니즘과 관련하여 용량-반응(dose-literature) 문헌을 고려하는 것이다. 이전에 제안된 바에 의하면, 앞선 관계에서 잠재적 매개자에는 유산소 운동, 우울증, 수면의 질, 불안, 자기 효능이 있다. 또 이전에 제안된 잠재적 생물학적 메커니즘에는 뇌 구조, 뇌 대사, 신경전달물질, 신경 영양 인자, 산소 가용성, 포도당 조절 및 산화스트레스가 포함된다. 불행히도 문헌 평가에 대한 접근법은 용량-반응 관계에 있어 중요한 간접 증거를 제공하지만, 매개자와 메커니즘(개입 변수)을 적절하게 사용한 연구가 적기 때문에 이 과정은 매우 제한되어 있다. 즉, 이러한 개입변수는 일반적으로 신체 활동과 제안된 개입변수와의 관계 또는 제안된 개입 변수와 인지 능력 사이의 관계에 초점을 맞춘 연구를 통해 단편적으로 검토되었다고 할 수 있다. 내가 아는 한 인간을 대상으로 신체 활동을 조작하고, 개입 변수가 측정되었으며, 이러한 개입 변수가 인지 능력에 미치는 영향을 통계적으로 조사한 연구는 없다(Etnier, 2008 참조).

용량-반응 관점에서 어느 정도까지 연구가 진행된 유일한 개입 변수는 유산소 운동이다. 이는 신체 활동과 유산소 운동 사이의 생리적 연관성과 심혈관 건강 가설의 인기를 반영하는 것으로 보이며, 건강정신상 신체 활동의 이점이 정기적인 신체 활동의 신진대사 요구에 대한 심혈관 체계의 반응 때문임을 시사한다(Barnes, Yaffe, Satariano, & Tager, 2003). 유산소 운동과 인지 능력 사이의 용량-반응 관계를 뒷받침하는 증거가 있다면, 유산소 운동에서 특정한 이득을 얻는 데 필요한 신체 활동 용량에 대한 풍부한 지식을 고려할 때, 이러한 지식은 유산소 운동에서 적절한 이득을 얻고 인지 능력에 바람직한 영향을 주는 방식으로 신체 활동 매개에 대한 설계를 지시할 수 있다.

유산소 운동과 인지 능력 사이의 용량-반응 관계가 실제로 있는지 여부를 판단하기 위해서 세 단계가 수행되었다. 첫 번째, 초기 수준의 유산소 운동의 변화와 그 변화가 인지 능력에 미치는 영향을 나타내는지를 확인하기 위해 습관적 운동 패러다임을 이용한 실증적 연구를 검토하였다. 이러한 연구에서 나온 결과는 유산소 운동과 인지 능력 간의 인과관계를 증명하는 15개의 연구와 이 관계를 뒷받침하지 못하는 7개의 연구가 혼합되어 있다. 데이터(〈표 9.8〉 참조)를 살펴보면 유산소 운동의 변화 범위는 상대적으로 넓으며, 이러한 효과를 뒷받침하는 15개 연구(1-27% 증가)는 그 뒷받침하지 못하는 7개 연구(12-23% 증가)와 유사하다. 따라서 유산소 운동과 인지 능력 사이의 인과관계를 검증하는 것을 목적으로 한 실증적 연구에 대한 고찰은 두 요소 간의 인과관계에 대한 혼합적인 지지(mixed support)를 제공하며 이러한 변수들 간의 용량-반응 관계를 뒷받침하지 않는다.

둘째, 신체 활동과 인지 능력의 관계에서 유산소 운동의 이점을 매개변인으로 설정하여 구체적으로 검증한 메타 분석 검토 결과를 고찰하였다. 에트니어와 그의 동료들(1997)은 검토 연구에서 연구자들이 보고한 유산소 운동에 의한 유의미한 향상 여부에 따라 함수 ES가 유의미한 차이를 보이지 않는다는 것을 발견했다. 마찬가지로 콜콤과 크레이머(Colcombe & Kramer, 2003)는 유산소 운동의 개선 범주의 함수로서 ES에서 유의미한 차이는 없다(보고되지 않음, 5-11% 증가, 12-25% 증가)고 보고하였다. 이러한 발견은 유산소 운동과 인지 능력 사이에 용량-반응 관계가 없음을 시사한다.

셋째, 에트니어와 그의 동료들(Etnier et al., 2006)은 신체 활동과 인지 능력의 관계에서 유산소 운동의 매개 역할을 시험하기 위해 고안된 메타 분석을 검토했다. 37개 연구의 데이터를 사용하여 유산소 운동의 변화가 인지 능력에 주는 변화를 예측하기 위해 메타-회귀분석 기법이 사용되었다. 결과는 유산소 운동의 변화가 인지 능력의 변화를 예측하지 않는다는 것을 보여 주었다.

전반적으로 서술(narrative) 및 메타 분석 검토 결과는 유산소 운동과 인지 능력 사이의 용량-반응 관계를 뒷받침하지 못한다. 그러나 앞에서 언급한 바와 같이 이러한 결론은 기존 연구의 설계, 3차 인과관계(third-order causation), 그리고 인지 수행과의 용량-반응 관계를 검증할 수 있도록 유산소 운동이 체계적으로 조작된 대규모의 무작위대조군연구(Randomized Controlled Trials, RCT)가 없었다는 한계가 있다.

한 대규모의 전향적 연구(prospective study)는 유산소 운동과 인지 능력 사이의 용량-반응 관계를 검사하였다. 반즈와 그의 동료들(Barnes et al., 2003)은 349명의 노인을 대상으로 6년 동안 MMSE의 유산소 운동(VO_2 정점)과 인지 기능 변화 사이의 관계를 조사하였다(55세 이상). 결과에 따르면, 유산소 운동의 기저선은 MMSE 변화 점수를 예측할 수 있었으며, 유산소 운동 수준이 증가함에 따라 MMSE의 감소 정도가 줄어들었다(최저 체력 -0.5, 중간 체력 -0.2, 최고 체력 0.0). 시행된 다른 인지 검사(숫자 잇기 검사, 스트룹 검사, t숫자 기호 바꾸기, 즉시 회상, 캘리포니아 언어 학습 도구, 언어 유창성)에서 유사한 유형의 결과가 관찰되었다. 이러한 결과는 전향적 설계를 이용한 하나의 연구를 조사했을 때, 유산소 운동과 인지 능력 사이의 용량-반응 관계를 관찰할 수 있다는 사실을 보여 준다.

신체 활동과 인지 기능과 관련된 용량-반응에 대한 질문에 정보를 제공하기 위해 매개자와 메커니즘을 사용한 연구에 대한 검토는 유산소 운동 초점을 맞춘 것으로 제한된다. 유산소 운동 결과는 일반적으로 체력의 변화량

표 9.8 신체 활동이 조작된 출판 연구들

연구	VO₂ 변화 (밀리미터, 킬로그램⁻¹, 분⁻¹)	사전 검사 VO₂ 변화 (밀리미터, 킬로그램⁻¹, 분⁻¹)	사전-사후 검사 변화 백분율	연령 범위/혹은 평균연령
지지(n=15)				
크레이머 외(Kramer et al., 2002)	0.30	21.5	1%	60-75
에머리 외(Emery et al., 2003)	0.51	14.64	3%	50 미만
에트니어와 베리 (Etnier & Berry, 2001)	0.94	18.27	5%	55-80
하르마 외(Harma et al., 1988)	1.90	33.20	6%	(35.00)
하스켈리크 외(Hascelik et al., 1989)	3.35	37.20	9%	17-20(18.50)
저바스 외(Zervas et al., 1991)	5.42	52.07	10%	11-14(13.10)
콜콤 외(Colcombe et al., 2004)	nr	nr	10%	58-77(65.60)
하스멘 외(Hassmen et al., 1992)	3	27.4	11%	55-75
카트리 외(Khatri et al., 2001)	2.79	20.22	14%	50-72(56.73)
에머리 외(Emery et al., 1998)	2.00	12.40	16%	50 미만(65.4)
이스마일과 엘-나가르 (Ismail & El-Nagar, 1981)	8.30	43.70	19%	24-68(42.00)
엘-나가르(El-Naggar, 1986)	6.58	35.23	19%	25-65
물 등(Moul et al., 1995)	4.20	22.4	19%	65-72(69.1)
블롬키스트와 대너 (Blomquist & Danner, 1987)	8.10	34.70	23%	18-48(28.10)
더스트먼 외(Dustman et al., 1984)	5.20	19.4	27%	55-68(61.00)
범위	0.30-8.30	12.40-52.07	1-27%	
지지 실패(n=7)				
매든 등(Madden et al., 1989)	2.27	19.69	12%	60-83(66.00)
블루먼솔과 매든(Blumenthal & Madden, 1988)	5.35	34.54	15%	30-58(43.32)
화이트허스트(Whitehurst, 1991)	4.20	25.48	16%	61-73(65.80)
피어스 외(Pierce et al., 1993)	5.09	31.8	16%	29-59(44.30)
블레이니 외(Blaney et al., 1990)	8	45	18%	(42.00)
팬톤 외(Panton et al., 1990)	4.6	22.5	20%	70-79(71.92)
힐 외(Hill et al., 1993)	5.52	24.53	23%	60-73(64.00)
범위	2.27-8.00	19.69-34.54	12-23%	

참조: 모든 연구에서 유산소 체력의 변화는 ml⁻¹·kg⁻¹·min⁻¹로 보고하였으며, 인지 수행의 변화는 긍정적인 효과를 뒷받침하거나 뒷받침하지 않는 것으로 보고하였다.

이 인지 능력의 변화량을 예측하지 못한다는 것을 암시한다. 한 가지 예외는 노인을 대상으로 한 용량-반응 관계를 뒷받침하는 전향적 연구(Barnes et al., 2003)결과로 높은 수준의 유산소 체력은 추후 6년간의 적은 인지 기능 저하를 예측하는 것으로 나타났다.

결론

이번 고찰에서의 주요 질문은 기존의 결과가 인지 기능을 개선하거나 보호하기 위해 적절한 신체 활동(방법, 강도, 지속시간, 빈도)을 처방할 준비가 되어 있는지였다. 고찰된 결과 일반적으로 신체 활동과 인지 기능 간의 긍정적인 관계를 뒷받침한다. 그러나 신체 활동과 인지 기능 사이의 용량-반응 관계에 대한 증거는 명확하지 않으며, 이 검토에서 도출될 수 있는 결론은 아동과 성인의 결과가 노인의 결과와 다르다는 것이다. 이와 같은 검토는 일반인과 어린이들의 신체 활동과 인지 능력 사이의 용량-반응 관계에 대한 연구가 부족하다는 것을 명백하게 보여 준다. 메타 분석에 대한 검토가 아동과 성인의 신체 활동과 인지 기능 사이의 미약한 정적인 상관을 일관적으로 뒷받침한다는 점을 감안할 때, 이들 모집단에서 용량-반응 관계를 구체적으로 조사하는 향후 연구가 필요하다. 이 시점에서 우리는 일반적으로 아동과 일반 인구집단의 인지 능력을 촉진하기 위해 신체 활동의 증가에 대한 처방 그 이상의 일들을 수행할 준비가 되어 있지 않다.

이 관계에 대한 실질적인 연구는 노인을 대상으로 실시되어 왔다. 관계의 특성에 대한 구체적인 설명이 필요함에도 불구하고, 선행 연구에 대한 고찰은 일반적으로 노인들의 신체 활동과 인지 능력 사이의 용량-반응 관계의 존재를 뒷받침한다. 노인을 대상으로 한 대규모의 전향적 연구는 높은 수준의 에너지 소비(Abbott et al., 2004; Albert et al., 1995; Dik et al., 2003; Laurin et al.,

2001; Podewils et al., 2005; van Gelder et al., 2004; Weuve et al., 2004; Yaffe et al., 2001) 와 높은 수준의 유산소 운동(Barnes et al., 2003)이 인지 능력을 향상시키고 시간의 흐름에 따른 인지 기능의 저하 감소를 예측한다고 제안한다. 이와 대조적으로 노인을 대상으로 한 실험 연구의 메타 분석 검토(Colcombe & Kraamer, 2003)에 의하면, 적당한 시간의 운동은 짧거나 긴 시간의 경우보다 훨씬 더 큰 효과를 나타내며, 이는 다시 유산소 운동과 인지 능력 사이의 용량-반응 관계를 뒷받침하지 않는다는 것을 시사한다. 따라서 일반적으로 선행 연구들의 결과는 용량-반응 관계를 뒷받침한다. 하지만 보다 높은 수준의 에너지 소비와 유산소 운동은 몇 년에 걸친 장기간의 인지 효과와 관련이 있는 반면 단기간의 인지 효과를 관찰하기 위해 심혈관 건강을 향상시키는 수준에서 신체 활동에 대한 연구를 수행할 필요는 없다는 것을 시사한다. 용량-반응의 관점에서 이러한 관계에 대한 체계적인 연구가 부족하다는 점을 감안하면 나는 향후 연구자들이 신체 활동이 용량-반응 방식으로 조작되고 인지 효과가 평가되는 RCT의 설계를 지원하기 위해 전향 연구에서 나온 결과들을 사용하기를 강력히 권장한다.

요약

이 시점에서 인지 능력의 보호 혹은 개선을 위한 신체 활동 처방은 필요하지만, 처방의 세부 사항에 대해서는 명확히 밝혀진 바 없다. ACSM과 CDC의 권장 사항에 따른 신체 활동을 수행이 본 검토의 결과와 상충되지 않을 뿐만 아니라 신체 건강상의 혜택이 발생할 것으로 예상된다는 점을 감안할 때, 현 시점에서는 일 주일 내내 또는 대부분 요일 동안 20-60분간의 유산소 운동과 근력 운동을 병행하는 것을 권장하는 것이 실용적일 것으로 보이며, 인지 효과가 두드러지게 나타나도록 하기 위해 6개월 이상의 노력이 필요할 수 있다는 점을 주의하기 바란다. 보다 구체적인 인지 강화 신체 활동 처방을 제공하기 위해서는 후속 연구가 필요하다.

옮긴이의 말

인지기능 향상과 뇌 가소성은 학계에서 중요하게 다루고 있는 이슈 중의 하나이다. 전 세계의 인구분포가 고령사회로 접어들면서 많은 걱정을 낳고 있다. 이런 의미에서 인지기능 향상과 뇌 가소성에 대한 논의는 매우 시의적절한 중요한 주제이다. 우리나라도 10년 안에 초고령사회로 진입한다고 관련 분야의 전문가들이 이야기하고 있다. 이 책은 노화와 뇌 기능의 변화에 대한 조금은 전문적인 내용을 다루고 있다. 보통의 일반인들의 경우 상당히 집중해서 읽지 않으면 무슨 말인지 이해하기 힘들 수도 있다. 이 책에서는 노화가 진행되면 인지 기능이 왜 쇠퇴하는지를 다루는 이론에서부터 운동이 인지 노화에 미치는 영향, 혹은 직업의 종류, 혹은 여가 활동의 종류에 따라 인지 노화가 진행되는 양상이 다른 것 등, 매우 폭넓은 분야들을 다루고 있다. 조금 아쉬운 것은 연구가 모두 진행되지 못했기 때문이겠지만 뇌 가소성의 궁극적인 원인에 대해서는 이 책에서도 이야기하고 있지 못하다는 것이다. 다만 이 책에서는 운동이나 혹은 인지 부하를 요구하는 직업이나 여가를 즐기는 사람들은 인지 노화가 오지 않거나 더 늦게 온다고 하는 연구 결과들을 알려준다. 이런 측면에서 이 책은 인지 노화를 예방하는 데 도움이 될 것이라고 생각된다. 노화와 관련된 분야에서 연구하고 봉사하는 사람들에게 매우 유용하게 사용될 수 있는 참고 도서이다.

이 책은 미국 일리노이 주립대학에서 인지 노화와 관련된 여러 분야의 연구자들이 함께 워크숍을 연 후에 그들의 발표 자료를 편집하여 묶은 책이다.

거의 존재하는 모든 연구 주제가 그렇듯이 한 분야의 연구만으로는 그 문제를 풀기가 매우 어렵다. 인지 노화의 경우도 비슷하다. 그래서 인지 노화와 뇌 가소성을 연구하는 관련된 여러 분야의 학자들이 함께 모였다. 이들은 인지신경 과학자, 노인학 연구자, 동물인지 연구자, 뇌영상 연구자, 노화와 직업의 관계를 다루는 사회학자, 의학자 등이었다. 어떤 내용은 아직 연구가 미흡하지만 현재 어디까지 진행이 되었는지, 그리고 앞으로 어떤 종류의 연구를 진행해야 되는지를 논의한다. 반면에 어떤 부분, 특히 동물을 대상으로 운동이 인지 노화에 미치는 영향과 신경계의 기능을 연구하는 분야는 상대적으로 많이 앞서 있는 것이 보인다. 책의 내용을 모두 읽고 번역을 마치면서 드는 생각은 비록 나이가 들어서 신체적으로는 쇠퇴하더라도 관리하기에 따라서는 젊은 성인 못지않은 인지 능력을 유지할 수 있겠다는 점이다. 무엇보다도 운동하고 또 인지 부하가 조금은 일어나는 인지 활동을 열심히 하는 것이 인지 노화를 예방하는 최선이라는 생각이 들었다. 인지 노화의 결정적인 기능 장애는 주의력 통제와 관련된 것처럼 보인다. 노인은 현재의 일과 관련이 없는 불필요한 주변 정보들을 끊어내는 데에 어려움을 겪고, 그 때문에 정보처리의 속도가 저하된다. 또한 부정확하게 정보를 처리하고 반응한다. 이런 문제를 알게 된 나는 지금도 이 후기를 쓰면서 후기 내용을 적는 것에만 주의를 기울이려고 노력하고 있고, 또한 빨리 하는 것이 어려워서 천천히 차분하게 글을 쓰려고 노력하고 있다. 왜냐하면 나도 이미 60이 넘은 노인기에 위치해 있기 때문에 위에서 언급한 인지 노화 현상이 나타나고 있기 때문이다. 노화되어 가는 나를 이해하게 되면 그에 따른 대처 방법을 생각해 낼 수 있다. 비록 젊었을 때만큼 기민하고 날래며 새로운 내용을 잘 배우고 집중할 수는 없지만, 나의 현재 인지 나이에 어울리게 침착하게 숨을 고르면서 욕심을 줄이고 해야 되는 몇 종류의 일에만 집중을 하면 할 만하다. 인지 노화를 이해하고 그에 따라 천천히 그렇지만 끈기 있게 연구하면, 어쩌면 오히려 젊었을 때보다도 품질이 더 높은 업적을 생산하는 경우도 있는 것을 발견하게 된다. 이처럼 상황을 인지하고 그 상황에 맞도록 적응하면 노화의 문제도 어느 정도는 극복할 수 있지 않나 하는 생각이 든다.

워크숍에서 발표된 연구 내용들을 급하게 엮어서 한 권의 책으로 내다보니 글의 내용이 덜 조직화되어 있고, 어떤 경우에는 내용이 축약되어 있고, 또한 굉장히 어려운 전문 용어들이 많아서 번역하는 데 애를 많이 먹었다. 처음에는 이 분야를 처음 접하는 분이 번역을 도와주었다. 그런데 여러 부분에서 오역이 있는 것을 발견하게 되었다. 아마도 이 분야 책을 처음 번역해 보았던 이분은 매우 고생스러웠을 거라는 생각이 든다. 사실 본문의 내용을 옳게 번역하지 못한 부분들이 많아서 처음부터 다시 번역하기 시작했다. 주지하는 것처럼 영어 문장 구성과 글 구조는 한국어 문장과 많은 차이가 있다. 의역을 해보려고 노력한 부분도 있지만 대부분은 원문 내용을 충실하게 전달하고자 직역에 가깝게 번역을 하였다. 내용이 까탈스러워서 읽기 쉽도록 의역을 하다 보니 아직 밝혀지지도 않은 부분들의 내용을 마치 번역자가 새롭게 발견한 것처럼 책에도 없는 내용을 쓰고 있는 것을 발견하였다. 이런 의역은 원문의 내용과는 차이가 있는 것으로 그렇게 옮기면 안 될 것 같았다. 그래서 다소 한국어 표현으로는 어색해 보이지만 본문의 내용을 있는 그대로 직역하는 방식을 선택했다. 만일 어떤 부분적인 오역이 발견된다면 모두 역자의 책임이다. 이 책의 번역을 위해 역자 연구실의 여러 학생들이 수고를 하였다. 학생들에게 깊은 감사의 마음을 전한다. 또한 꼼꼼한 편집으로 책의 구성을 한결 높은 수준으로 만들어 준 고려대학교출판문화원 편집진에도 감사를 전한다. 부족한 번역이지만 필요하신 분들에게 도움이 되는 책이기를 희망해 본다.

2023년 12월 11일
남기춘

참고 문헌

1장

Alain, C., & Woods, D.L. (1999). Age-related changes in processing auditory stimuli during visual attention: evidence for deficits in inhibitory control and sensory memory. *Psychology and Aging*, 14: 507-519.

Birren, J.E., & Fisher, L.M. (1995). Aging and speed of behavior: possible consequences for psychological functioning. *Annual Review of Psychology*, 46: 329-353.

Bowles, R.P., & Salthouse, T.A. (2003). Assessing the age-related effects of proactive interference on working memory tasks using the Rasch model. *Psychology and Aging*, 18: 608-615.

Brumback, C., Gratton, G., & Fabiani, M. (2005a). Working memory capacity differences in older and younger adults. *Journal of Cognitive Neuroscience Supplement* : 101.

Brumback, C.R., Low, K., Gratton, G., & Fabiani, M. (2005b). Putting things into perspective: differences in working memory span and the integration of information. *Experimental Psychology*, 52: 21-30.

Cabeza, R. (2002). Hemispheric asymmetry reduction in older adults: the HAROLD model. *Psychology and Aging*, 17: 85-100.

Cabeza, R., Grady, C.L., Nyberg, L., McIntosh, A.R., Tulving, E., Kapur, S., Jennings, J.M., Houle, S., & Craik, F.I. (1997). Age-related differences in neural activity during memory encoding and retrieval: a positron emission tomography study. *Journal of Neuroscience*, 17: 391-400.

Colcombe, S.J., Kramer, A.F., Erickson, K.I., & Scalp, P. (2005). The implications of cortical recruitment and brain morphology in cognitive performance in aging in humans. *Psychology and Aging*, 20(3): 363-375.

Craik, F.I.M., & Byrd, M. (1982). Aging and cognitive deficits: the role of attentional resources. In F.I.M. Craik & S. Trehub (Eds.), *Aging and cognitive processes* : 191-211. New York: Plenum Press.

Czigler, I., Csibra, G., & Csontos, A. (1992). Age and inter-stimulus interval effects on event-related potentials to frequent and infrequent auditory stimuli. *Biological Psychology*, 33(2-3): 195-206.

Donchin, E. (1981). Surprise! ... surprise? *Psychophysiology*, 18: 493-513.

Donchin, E., & Coles, M.G.H. (1988). Is the P300 component a manifestation of context updating? *Behavioral and Brain Sciences*, 11: 355-372.

Fabiani, M., Brumback, C., Gordon, B., Pearson, M., Lee, Y., Kramer, A., McAuley, E., & Gratton, G. (2004a). Effects of cardiopulmonary fitness on neurovascular coupling in visual cortex in younger and older adults. *Psychophysiology*, 41: 519.

Fabiani, M., Brumback, C.R., Pearson, M.A., Gordon, B.A., Lee, Y., Barre, M., O'Dell, J., Maclin, E.L., Elavsky, S. Konopack, J.F., McAuley, E., Kramer, A.F., & Gratton, G. (2005). Neurovascular coupling in young and old adults assessed with neuronal (EROS) and hemodynamic (NIRS) optical imaging measures. *Journal of Cognitive Neuroscience Supplement*: 34.

Fabiani, M., & Friedman, D. (1995). Changes in brain activity patterns in aging: the novelty oddball. *Psychophysiology*, 32: 579-594.

Fabiani, M., Gratton, G., Corballis, P., Cheng, J., & Friedman, D. (1998). Bootstrap assessment of the reliability of maxima in surface maps of brain activity of individual subjects derived with electrophysiological and optical methods. *Behavior Research Methods, Instruments, and Computers*, 30: 78-86.

Fabiani, M., Gratton, G., & Federmeier, K. (2007). Event-related brain potentials. In J. Cacioppo, L. Tassinary, & G. Berntson (Eds.), *Handbook of Psychophysiology* (3rd Edition) : 85-119. New York: Cambridge University Press.

Fabiani, M., Low, K.A., Wee, E., Sable, J.J., & Gratton, G. (2006). Reduced suppression or labile memory? Mechanisms of inefficient filtering of irrelevant information in older adults. *Journal of Cognitive Neuroscience*, 18(4): 637-650.

Fox, P.T., & Raichle, M.E. (1985). Stimulus rate determines regional brain blood flow in striate cortex. *Annals of Neurology*, 17: 303-305.

Gaeta, H., Friedman, D., Ritter, W., & Cheng, J. (1998). An event-related potential study of age-related changes in sensitivity to stimulus deviance. *Neurobiology of Aging*, 19(5), 447-459.

Golob, E.J., Miranda, G.G., Johnson, J.K., & Starr, A. (2001). Sensory cortical interactions in aging, mild cognitive impairment, and Alzheimer's disease. *Neurobiology of Aging*, 22: 755-763.

Gordon, B., Rykhlevskaia, E. Brumback, C.R., Lee, Y., Elavsky, S., Konopack, J.F., McAuley, E., Kramer, A.F., Colcombe, S., Gratton, G., & Fabiani, M. (2008). Anotomical correlates of aging; cardiopulmonary fitness level, and education. *Psychophysiology*, 45(5): 825-838.

Gratton, G., Corballis, P.M., Cho, E., Fabiani, M., & Hood, D. (1995). Shades of gray matter: noninvasive optical images of human brain responses during visual stimulation. *Psychophysiology*, 32, 505-509.

Gratton, G., & Fabiani, M. (2001). Shedding light on brain function: the event-related optical signal. *Trends in Cognitive Sciences*, 5: 357-363.

Gratton, G., & Fabiani, M. (2003). The event related optical signal (EROS) in visual cortex: replicability, consistency, localization and resolution. *Psychophysiology*, 40: 561-571.

Gratton, G., Goodman-Wood, M.R., & Fabiani, M. (2001). Comparison of neuronal and hemodynamic measures of the brain response to visual stimulation: an optical imaging study. *Human Brain Mapping*, 13(1): 13-25.

Gratton, G., Rykhlevskaia, E. Wee, E., Leaver, E., & Fabiani, M. (in press). Does white matter matter? Spatiotemporal dynamics of task switching in aging. *Journal of Cognitive Neuroscience*.

Hasher, L., & Zacks, R.T. (1988). Working memory, comprehension, and aging: a review and a new view. In G.H. Bower (Ed.), *The psychology of learning and motivation* (Vol. 22, pp. 193-225). New York: Academic Press.

Kane, M.J., & Engle, R.W. (2000). Working-memory capacity, proactive interference, and divided attention: limits on long-term memory retrieval. *Journal of Experimental Psychology: Learning, Memory, and Cognition*, 26: 336-358.

Kausler, D.H., & Hakami, M.K. (1982). Frequency judgments by young and elderly adults for relevant stimuli with simultaneously present irrelevant stimuli. *Journal of Gerontology*, 37: 438-442.

Kazmerski, V.A., Friedman, D., & Ritter, W. (1997). Mismatch negativity during attend and ignore conditions in Alzheimer's disease. *Biological Psychiatry*, 42(5): 382-402.

Kazmerski, V.A., Lee, Y., Gratton, G., and Fabiani, M. (2005). Evidence for inefficient sensory filtering mechanisms in aging. *Journal of Cognitive Neuroscience Supplement*: 89-90.

Klein, M., Coles, M.G.H., & Donchin, E. (1984). People with absolute pitch process tones without producing a P300. *Science*, 223: 1306-1309.

Knight, R.T. (1984). Decreased response to novel stimuli after prefrontal lesions in man. *Electroencephalography and Clinical Neurophysiology* 59: 9-20.

Knight, R.T., & Grabowecky, M. (1995). Escape from linear time: prefrontal cortex and conscious experience. In M. Gazzaniga (Ed.), *The cognitive neurosciences* (pp. 1357-1371). Cambridge: MIT Press.

Knight, R.T., Hillyard, S.A., Woods, D.L., & Neville, H. J. (1980). The effects of frontal and temporal-parietal lesions on the auditory evoked potential in man. *Electroencephalography and Clinical Neurophysiology* 50: 112-124.

Moscovitch, M., & Winocur, G. (1992). The neuropsychology of memory and aging. In F.I.M. Craik & T.A. Salthouse (Eds.), *The handbook of aging and cognition* (pp. 315-372). Hillsdale, NJ: Erlbaum.

Park, D.C., Smith, A.D., Lautenschlager, G., Earles, J., Frieske, D., Zwahr, M., & Gaines, C. (1996). Mediators of long-term memory performance across the life span. *Psychology and Aging*, 11: 621-637.

Pekkonen, E., Rinne, T., Reinikainen, K., Kujala, T., Alho, K., & Näätänen, R (1996). Aging effects on auditory processing: an event-related potential study. *Experimental Aging Research*, 22(2): 171-184. 179

Polich, J., Howard, L., & Starr, A. (1985). Effects of age on the P300 component of the event-related potential from auditory stimuli: peak definition, variation, and measurement. *Journal of Gerontology*, 40: 721-726.

Rabbitt, P. (1965). Age-decrement in the ability to ignore irrelevant information. *Journal of Gerontology*, 20, 233-238.

Reuter-Lorenz, P.A., Jonides, J., Smith, E.E., Hartley, A., Miller, A., Marshuetz, C., & Koeppe, R.A. (2000). Age differences in the frontal lateralization of verbal and spatial working memory revealed by PET. *Journal of Cognitive Neuroscience*, 12: 174-187.

Ritter, W., Deacon, D., Gomes, H., Javitt, D.C., & Vaughan, H.G., Jr. (1995). The mismatch negativity of event-related potentials as a probe of transient auditory memory: a review. *Ear and Hearing*, 16: 52-67.

Sable, J.J., Low, K.A., Maclin, E.L., Fabiani, M., & Gratton, G. (2004). Latent inhibition mediates Nl attenuation to repeating sounds. *Psychophysiology*, 41: 636-642.

Sable, J.J., Wee, E., Low, K.A., Gratton, G, & Fabiani, M. (in preparation). Increased involuntary attention, but not faster decay of sensory memory with age.

Salthouse, T.A. (1996). The processing-speed theory of adult age differences in cognition. *Psychological Review* 103(3): 403-428.

Smulders, F.T., Kenemans, J.L., Schmidt, W.F., & Kok, A. (1999). Effects of task complexity in young and old adults: reaction time and P300 latency are not always dissociated. *Psychophysiology* 36: 118-125.

Squires, K., Petuchowski, S., Wickens, C., & Donchin, E. (1977). The effects of stimulus sequence on event related potentials: a comparison of visual and auditory sequences. *Perception and Psychophysics*, 22, 31-40.

Sutton, S., Braren, M., Zubin, J., & John, E.R. (1965). Evoked-potential correlates of stimulus uncertainty. *Science* 150: 1187-1188.

Villringer, A., & Chance, B. (1997). Non-invasive optical spectroscopy and imaging of human brain function. *Trends in Neuroscience* 20: 435-442.

Villringer, A., & Dirnagl, U. (1995). Coupling of brain activity and cerebral blood flow: basis of functional neuroimaging. *Cerebrovascular and Brain Metabolism Reviews* 7: 240-276.

West, R.L. (1996). An application of prefrontal cortex function theory to cognitive aging. *Psychological Bulletin* 120(2): 272-292.

Woodruff-Pak, D.S. (1997). *The neuropsychology of aging* (Vol. 352). Cambridge, MA:

Blackwell.

Woods, D.L. (1992). Auditory selective attention in middle-aged and elderly subjects: an event-related brain potential study. *Electroencephalography and Clinical Neurophysiology* 84(5): 456-468.

Yamaguchi, S., & Knight, R.T. (1991). Age effects on the P300 to novel somatosensory stimuli. *Electroencephalography and Clinical Neurophysiology* 78: 297-301.

2장

Avolio, B.J., & Waldman, D.A. (1990). An examination of age and cognitive test performance across job complexity and occupational types. *Journal of Applied Psychology* 75: 43-50.

Avolio, B., & Waldman, D. (1994). Variations in cognitive, perceptual, and psychomotor abilities across the working life span: Examining the effects of race, sex, experience, education, and occupational type. *Psychology and Aging* 9: 430-442.

Baddeley, A. (1986). *Working memory*. Oxford, England: Clarendon Press.

Ball, K., Berch, D.B., Helmers, K.F., Jobe, J.B., Leveck, M.D., Marsiske, M., et al. (2002). Effects of cognitive training interventions with older adults. A randomized controlled trial. *Journal of the American Medical Association* 288(18): 2271-2281.

Bosma, H., van Boxtel, M.P.J., Ponds, R.W.H.M., Houx, P., & Jolles, J. (2003). Education and age-related cognitive decline: The contribution of mental workload. *Educational Gerontology* 29: 165-173.

Bosma, H., van Boxtel, M.P.J., Ponds, R.W.H.M., Jelicic, M., Houx, P., Metesemakers, J., et al. (2002). Engaged lifestyle and cognitive function in middle and old-aged, non-demented persons: A reciprocal association? *Journal for Gerontology and Geriatrics* 35(6): 575-581.

Crowe, M., Andel, R., Pedersen, N.L., Johansson, B., & Gatz, M. (2003). Does participation in leisure activities lead to reduced risk of Alzheimer's disease? *Journal of Gerontology* 58B(5): 249-255.

Dartigues, J.F., Gagon, M., Letenneur, L., Barberger-Gateau, P., Commenges, D., Evaldre, M., et al. (1992). Principal lifetime occupation and cognitive impairment in a French elderly cohort. *American Journal of Epidemiology* 135(9): 981-989.

Friedland, R.P., Fritsch, T., Smyth, K.A., Koss, E., Lerner, A.L., Chen, C.H., et al. (2001). Patients with Alzheimer's disease have reduced activities in midlife compared with healthy control-group members. *Proceedings of the National Academy of Sciences* 98(6): 3440-3445.

Hambrick, D.Z., Salthouse, T.A., & Meinz, E.J. (1999). Predictors of crossword puzzle proficiency and moderators of age-cognition relations. *Journal of Experimental Psychology: General* 128: 131-164.

Helmer, C., Letenneur, L., Rouch, I., Richard-Harston, S., Barberger-Gateau, P., Fabrigoule, C., et al. (2001). Occupation during life and risk of dementia in French elderly community residents. *Journal of Neurology, Neurosurgery, and Psychiatry* 71: 303-309.

Hertzog, c., Hultsch, D.F., & Dixon, R.A. (1999). On the problem of detecting effects of lifestyle on cognitive change in adulthood. *Psychology and Aging* 14: 528-534.

Hultsch, D.F., Hertzog, C., Small, B.J., & Dixon, R.A. (1999). Use it or lose it: Engaged lifestyle as a buffer of cognitive decline in aging? *Psychology and Aging* 14: 245-263.

Kohn, M.L., & Schooler, C. (1978). The reciprocal effects of the substantive complexity of work and intellectual flexibility: A longitudinal assessment. *American Journal of Sociology* 84: 24-52.

Kohn, M.L., & Schooler, C. (1983). *Work and personality: An inquiry into the impact of social stratification*. Norwood, NJ: Ablex.

Kohn, M.L., & Slomczyski, K.M. (1990). *Social structure and self-direction: A comparative analysis of the United States and Poland*. Oxford: Basil Blackwell.

Kohn, M.L., Slomczynski, K.M., Janicka, K., Khmelko, V., et al. (1997). Social structure and personality under conditions of radical social change: A comparative analysis of Poland and Ukraine. *American Sociological Review* 62(4): 614-638.

Kohn, M.L., Zaborowski, W., Janicka, K., Mach, B.W., Khmelko, V., Slomczynski, K.M., et al. (2000). Complexity of activities and personality under conditions of radical social change: A comparative analysis of Poland and Ukraine. *Social Psychology Quarterly* 63(3): 187-207.

Miller, J., Schooler, C., Kohn, M.L., & Miller, K.A. (1979). Women and work: The psychological effects of occupational conditions. *American Journal of Sociology*, 85, 66-94.

Miller, J., Slomczynski, K.M., & Kohn, M.L. (1985). Continuity of learning-generalization: The effect of job on men's intellective process in the United States and Poland. *American Journal of Sociology* 91: 593-615.

Miller, K.A., & Kohn, M.L. (1983). The reciprocal effects of job conditions and the intellectuality of leisure-time activities. In M.L. Kohn & C. Schooler (Eds.), *Work and personality: An inquiry into the impact of social stratification* (pp. 217-241). Norwood, NJ: Ablex.

Miller, K.A., Kohn, M.L., & Schooler, C. (1986). Educational self-direction and personality. *American Sociological Review* 51: 372-390.

Mohammed, A.H., Zhu, S.W., Darmopil, S., Hjerling-Leffler, J., Ernfors, P., Winblad, B., et al. (2002). Environmental enrichment and the brain. *Progress in Brain Research*, 138, 109-133.

Naoi, A., & Schooler, C. (1985). Occupational conditions and psychological functioning in Japan. *American Journal of Sociology* 90: 729-752.

Naoi, M., & Schooler, C. (1990). Psychological consequences of occupational conditions among Japanese wives. *Social Psychology Quarterly* 58: 100-116.

Pushkar, D., Etezadi, J., Andres, D., Arbuckle, T., Schwartzman, A.E., & Chaikelson, J. (1999). Models of intelligence in late life: Comment on Hultsch et al. *Psychology and Aging* 14: 520-527.

Pushkar Gold, D., Cohen, C., Shulman, K, Zucchero, C., Andres, D., & Etezadi, J. (1995). Caregiving and dementia: Predicting negative and positive outcomes for caregivers. *International Journal of Aging & Human Development* 41(3): 183-201.

Qiu, C., Karp, A., von Strauss, E., Winblad, B., Fratiglioni, L., & Bellander, T. (2003). Lifetime principal occupation and risk of Alzheimer's disease in the Kungsholmen Project. *American Journal of Industrial Medicine* 43: 204-211.

Salthouse, T.A. (1991). Mediation of adult age differences in cognition by reductions in working memory and speed of processing. *Psychological Science* 2: 179-183.

Salthouse, T.A., Berish, D.E., & Miles, J.D. (2002). The role of cognitive stimulation on the relations between age and cognitive functioning. *Psychology and Aging* 17(4): 548-557.

Schooler, C. (1984). Psychological effects of complex environments during the life span: A review and theory. *Intelligence* 8: 259-281.

Schooler, C. (1990). Psychosocial factors and effective cognitive functioning through the life span. In J.E. Birren & K.W. Schaie (Eds.), *Handbook of the psychology of aging* (pp. 347-358). Orlando, FL: Academic Press.

Schooler, C., Miller, J., Miller, K.A., & Richtand, C.N. (1984). Work for the household: Its nature and consequences for husbands and wives. *American Journal of Sociology* 90: 97-124.

Schooler, C., & Mulatu, M.S. (2001). The reciprocal effects of leisure time activities and intellectual functioning in older people: A longitudinal analysis. *Psychology and Aging* 16: 466-482.

Schooler, C., Mulatu, M.S., & Oates, G. (1999). The continuing effects of substantively complex work on the intellectual functioning of older workers. *Psychology and Aging* 14(3): 483-506.

Schooler, C., Mulatu, M.S., & Oates, G. (2004). Effects of occupational self-direction on the intellectual functioning and self-directed orientations of older workers: Findings and implications for individuals and societies. *American Journal of Sociology.*

Schooler, C., & Naoi, M. (1988). The psychological effects of traditional and of economically peripheral job settings in Japan. *American Journal of Sociology* 94(2): 335-355.

Snowden, D.A., Kemper, S.J., Mortimer, J.T., Greiner, L.H., Wekstein, D.R., & Marksbery, W.R. (1996). Linguistic ability in early life and cognitive function and Alzheimer's disease in late life. *Journal of the American Medical Association* 275: 528-532.

Spector, A., Thorgrimsen, L., Woods, B., Royan, L., Davies, S., Butterworth, M., et al. (2003). Efficacy of an evidence-based cognitive stimulation therapy programme for people with dementia. *British Journal of Psychiatry* 183: 248-254.

Stern, Y., Gurland, B., Tatemichi, T.K., Tang, M.X., Wilder, D., & Mayeux, R. (1994). Influence of education and occupation on the incidence of Alzheimer's disease. *Journal of the American Medical Association* 272(18): 1405-1406.

United States Department of Labor. (1965). *Dictionary of occupational titles* (3rd ed.). Washington, DC: U.S. Government Printing Office.

Verghese, J., Lipton, R.B., Katz, M.J., Hall, C.B., Derby, C.A., Kuslansky, G., et al. (2003). Leisure activities and the risk of dementia in the elderly. *New England Journal of Medicine* 348: 2508-2516.

Wang, H.-X., Karp, A., Winblad, B., & Fratiglioni, L. (2002). Late-life engagement in social and leisure activities is associated with a decreased risk of dementia: A longitudinal study from the Kungsholmen Project. *American Journal of Epidemiology* 155: 1081-1087.

Willis, S.L., & Schaie, K.W. (1986). Training the elderly on the ability factors of spatial orientation and inductive reasoning. *Psychology and Aging* 1: 239-247.

Wilson, R.S., Mendes de Leon, C.F., Barnes, L.L., Schneider, J.A., Bienias, J.L., Evans, D.A., et al. (2002). Participation in cognitively stimulating activities and risk of incident Alzheimer's disease. *Journal of the American Medical Association* 287: 742-748.

Witkin, H.A., Dyk, R.B., Faterson, H.F., Goodenough, D.R., & Karp, S.A. (1962). *Psychological differentiation: Studies of development.* New York: Wiley.

3장

Arbuckle, T.Y., Gold, D.P., Andres, D., Schwartzman, A., & Chaikelson, J. (1992). The role of psychosocial context, age, and intelligence in memory performance of older men. *Psychology and Aging* 7: 25-36.

Ball, K., Berch, D.B., Helmers, K.F., Jobe, J.B., Leveck, M.D., Marsiske, M., et al. (2002). Effects of cognitive training interventions with older adults. A randomized controlled trial. *Journal of the American Medical Association* 288(18): 2271-2281.

Barnes, L.L., Mendes de Leon, C.F., Wilson, R.S., Bienias, J.L., & Evans, D.A. (2004). Social resources and cognitive decline in a population of older African Americans and Whites. *Neurology* 63: 2322-2326.

Bassuk, S.S., Glass, T.A., & Berkman, L.F. (1999). Social disengagement and incident cognitive decline in community-dwelling elderly persons. *Annals of Internal Medicine* 131: 165-173.

Bosma, H., van Boxtel, P.J., Ponds, R.W.H.M., Houx, P.J., Burdorf, A., & Jolles, J. (2003). Mental work demands protect against cognitive impairment: MAAS prospective cohort study. *Experimental Aging Research* 29: 33-45.

Cabeza, R. (2002). Hemispheric asymmetry reduction in older adults: The HAROLD model. *Psychology and Aging* 17: 85-100.

Camp, C.J., Bird, M.J., & Cherry, K.E. (2000). Retrieval strategies as a rehabilitation aid for cognitive loss in pathological aging. In R.D. Hill, L. Backman, & A. Stigsdotter Neely (Eds.), *Cognitive Rehabilitation in Old Age* (pp. 224-248). New York: Oxford University Press.

Camp, C.J., Foss, J.W., O'Hanlon, A.M., & Stevens, A.B. (1996). Memory interventions for persons with dementia. *Applied Cognitive Psychology* 10: 193-210.

Cepeda, N.J., Kramer, A.F., & Gonzalez de Sather, J.C.M. (2001). Changes in executive control across the life span: Examination of task-switching performance. *Developmental Psychology* 37: 715-730.

Cherry, K.E., & Simmons-D'Gerolamo, S.S. (1999). Effects of a target object orientation task on recall in older adults with probable Alzheimer's disease. *Clinical Gerontologist* 20: 39-63.

Cherry, K.E., & Simmons-D'Gerolamo, S.S. (2005). Long term effectiveness of spaced-retrieval memory training for older adults with probable Alzheimer's disease. *Experimental Aging Research* 31: 261-289.

Cherry, K.E., & Smith, A.D. (1998). Normal memory aging. In M. Hersen & V. Van Hasselt (Eds.), *Handbook of Clinical Geropsychology* (pp. 87-110). New York: Plenum Press.

Christensen, H. (1994). Age differences in tests of intelligence and memory in high and low ability subjects: A second sample of eminent academics and scientists. *Personality and Individual Differences* 16: 919-929.

Christensen, H., Henderson, A.S., Griffiths, K., & Levings, C. (1997). Does ageing inevitably lead to declines in cognitive performance? A longitudinal study of elite academics. *Personality and Individual Differences* 23: 67-78.

Colcombe, S.J., Erickson, K.I., Raz, N., Webb, A.G., Cohen, N.J., McAuley, E., & Kramer, A.F. (2003). Aerobic fitness reduces brain tissue loss in aging humans. *Journal of Gerontology: Medical Sciences* 58A: 176-180.

Colcombe, S.J., & Kramer, A.F. (2003). Fitness effects on the cognitive function of older adults: A meta-analytic study. *Psychological Science* 14: 125-130.

Craik, F.I.M. (1983). On the transfer of information from temporary to permanent memory. *Philosophical Transactions of the Royal Society of London* B 302: 341-359.

Crowe, M., Andel, R., Pedersen, N.L., Johansson, B., & Gatz, M. (2003). Does participation in leisure activities lead to reduced risk of Alzheimer's disease? A prospective study of Swedish twins. *Journal of Gerontology: Psychological Sciences* 58B: 249-255.

Daselaar, S.M., Veltman, D.J., Rombouts, S.A., Raaijmakers, J.G., & Jonker, C. (2003). Deep processing activates the medial temporal lobe in young but not elderly adults. *Neurobiology of Aging* 24: 1005-1011.

Draganski, B., Gaser, C., Busch, V., Schuierer, G., Bogdahn, U., & May, A., (2004). Neuroplasticity: Changes in grey matter induced by training. *Nature*, 427, 311-312.

Fabrigoule, C., Letenneur, L., Dartigues, J.F., Zarrouk, M., Commenges, D., Barberger-Gateau, P. (1995). Social and leisure activities and risk of dementia: A prospective longitudinal study. *Journal of the American Geriatrics Society* 43: 485-490.

Fratiglioni, L., Wang, H., Ericsson, K., Maytan, M., & Winblad, B. (2000). Influence of social network on occurrence of dementia: A community-based longitudinal study. *Lancet* 355: 1315-1319.

Gutchess, A.H., Welsh, R.C., Hedden, T., Bangert, A., Minear, M., Liu, L., & Park, D.C. (2005). Aging and the neural correlates of successful picture encoding: Frontal activations compensate for decreased medial-temporal activity. *Journal of Cognitive Neuroscience* 17(1): 84-96.

Hambrick, D.Z., Salthouse, T.A., & Meinz, E.J. (1999). Predictors of crossword puzzle proficiency and moderators of age-cognition relations. *Journal of Experimental Psychology: General* 128: 131-164.

Hasher, L., & Zacks, R. (1979). Automatic and effortful processes in memory. *Journal of Experimental Psychology: General* 108: 356-388.

Hedden, T., Lautenschlager, G.J., & Park, D.C. (2005). Contributions of processing ability and knowledge to verbal memory tasks across the adult lifespan. *Quarterly Journal of Experimental Psychology* 58A: 169-190.

Hultsch, D.F., Hertzog, C., Small, B.J., & Dixon, R.A. (1999). Use it or lose it: Engaged lifestyle as a buffer of cognitive decline in aging? *Psychology and Aging* 14: 245-263.

Kramer, A.F., Hahn, S., Cohen, N.J., Banich, M.T., McAuley, E., Harrison, C.R, Chason, J., Vakil, E., Bardell, L., Boileau, R.A., & Colcombe, A. (1999). Ageing, fitness, and neurocognitive function. *Nature* 400: 418-419.

Liu, L.L., & Park, D.C. (2004). Aging and medial adherence: The use of automatic processes to achieve effortful things. *Psychology and Aging* 19: 318-325.

Marsiske, M. (2005). Cognitive interventions with older adults: The transfer challenge. Talk presented at the International Conference on the Future of Cognitive Aging Research, University Park, PA.

Nyberg, L., Sandblom, J., Jones, S., Neely, A.S., Petersson, K.M., Ingvar, M., & Backman, L. (2003). Neural correlates of training-related memory improvement in adulthood and aging. *Proceedings of the National Academy of Sciences* 100: 13728-13733.

Park, D.C. (2000). The basic mechanism accounting for age-related decline in cognitive function. In D.C. Park & N. Schwarz (Eds.), *Cognitive Aging: A Primer*. Philadelphia: Psychology Press.

Park, D.C., Lautenschlager, G., Hedden, T., Davidson, N., Smith, A.D., & Smith, P. (2002). Models of visuospatial and verbal memory across the adult life span. *Psychology and Aging* 17(2): 299-320.

Park, D.C., Polk, T.A., Mikels, J.A., Taylor, S.F., & Marchuetz, C. (2001). Cerebral aging: Brain and behavior models of cognitive function. *Dialogues in Clinical Neuroscience* 3: 151-165.

Park, D.C., Smith, A.D., Lautenschlager, G., Earles, J., Frieske, D., Zwahr, M., & Gaines, C. (1996). Mediators of long-term memory performance across the life span. *Psychology and Aging* 11: 621-637.

Park, D.C., Welsh, R.C., Marshuetz, C., Gutchess, A.H., Mikels, J., Polk, T.A., Noll, D.C., & Taylor, S.F. (2003). Working memory for complex scenes: Age differences in frontal and hippocampal activations. *Journal of Cognitive Neuroscience* 15: 1122-1134.

Pushkar Gold, D., Andres, D., Etezadi, J., Arbuckle, T., Schwartzman, A., & Chaikelson, J. (1995). Structural equation modeling of intellectual change and continuity and predictors of intelligence in older men. *Psychology and Aging* 10: 294-303.

Raz, N. (2000). Aging of the brain and its impact on cognitive performance: Integration of structural and functional findings. In F. I. Craik & T.A. Salthouse (Eds.), *Handbook of Aging and Cognition* (2nd ed., pp. 1-90). Mahwah, NJ: Erlbaum.

Resnick, S.M., Goldszal, A.F., Davatzikos, C., Golski, S., Kraut, M.A., Metter, E.J., Bryan, R.N., & Zonderman, A.B. (2000). One-year age changes in MRI brain volumes in older adults. *Cerebral Cortex* 10: 464-472.

Resnick, S.M., Pham, D.L., Kraut, M.A., Zonderman, A.B., & Davatzikos, C. (2003).

Longitudinal magnetic resonance imaging studies of older adults: A shrinking brain. *Journal of Neuroscience* 8: 3295-3301.

Reuter-Lorenz, P.A. (2002). New visions of the aging mind and brain. *Trends in Cognitive Sciences* 6: 394-400.

Roenker, D.L., Cissell, G.M., Ball, K.K., Wadley, V.G., & Edwards, J.D. (2003). Speed-of-processing and driving simulator training result in improved driving performance. *Human Factors* 45: 218-233.

Rosen, A.C., Prull, M.W., O'Hara, R., Race, E.A., Desmond, J.E., Glover, G.H., Yesavage, J.A., & Gabrieli, J.D.E. (2002). Variable effects of aging on frontal lobe contributions to memory. *Neuroreport* 13: 2425-2428.

Salthouse, T.A. (1996). The processing-speed theory of adult age differences in cognition. *Psychological Review* 103: 403-428.

Salthouse, T.A. (in press). Mental exercise and aging: Evaluating the validity of the "Use it or lose it" hypothesis. *Perspectives in Psychological Science*.

Salthouse, T.A., Babcock, R., Skovronek, E., Mitchell, D., & Palmon, R. (1990). Age and experience effects in spatial visualization. Developmental Psychology 26: 128-136.

Salthouse, T.A., Berish, D.E., & Miles, J.D. (2002). The role of cognitive stimulation on the relations between age and cognitive functioning. *Psychology and Aging* 17: 548-557.

Salthouse, T.A., & Mitchell, D.R.D. (1990). Effects of age and naturally occurring experience on spatial visualization performance. *Developmental Psychology* 26: 845-854.

Scarmea, N., Levy, G., Tang, M. -X., Manly, J., & Stern, Y. (2001). Influence of leisure activity on the incidence of Alzheimer's disease. *Neurology* 57: 2236-2242.

Schooler, C., Mulatu, M.S., & Oates, G. (1999). The continuing effects of substantively complex work on the intellectual functioning of older workers. *Psychology and Aging* 14: 483-506.

Seidler, A., Bernhardt, T., Nienhaus, A., & Frolich, L. (2003). Association between the psychosocial network and dementia-a case-control study. *Journal of Psychiatric Research* 37: 89-98.

Shimamura, A.P., Berry, J.M., Mangels, J.A., Rustings, C.L., & Jurica, P.J. (1995). Memory and cognitive abilities in university professors: Evidence for successful aging. *Psychological Science* 6: 271-277.

Wang, H., Karp, A., Winblad, B., & Fratiglioni, L. (2002). Late-life engagement in leisure activities is associated with a decreased risk of dementia: A longitudinal study from the Kungsholmen project. American *Journal of Epidemiology* 155: 1081-1087.

Willis, S.L., Jay, G.M., Diehl, M., & Marsiske, M. (1992). Longitudinal change and prediction of everyday task competence in the elderly. *Research on Aging* 14: 68-91.

Willis, S.L., & Schaie, K.W. (1986). Training the elderly on the ability factors of spatial orientation and inductive reasoning. *Psychology and Aging* 1: 239-247.

Wilson, R.S., Barnes, L.L., & Bennett, D.A. (2003). Assessment of lifetime participation in cognitively stimulating activities. *Journal of Clinical and Experimental Neuropsychology* 25: 634-642.

Wilson, R.S., Bennett, D.A., Beckett, L.A., Morris, M.C., Gilley, D.W., Bienias, J.L., Scherr, P.A., & Evans, D.A. (1999). Cognitive activity in older persons from a geographically defined population. *Journal of Gerontology: Series B: Psychological Sciences and Social Sciences* 54B: 155-160.

Wilson, R.S., Bennett, D.A. Bienias, J.L., Aggarwal, N.T., Mendes De Leon, C.F., Morris, M.C., et al. (2002). Cognitive activity and incident AD in a population-based sample of older persons. *Neurology* 59(12): 1910-1914.

Wilson, R.S., Mendes De Leon, C.F., Barnes, L.L., Scneider, J.A., Bienias, J.L., Evans,

D.A., et al. (2002). Participation in cognitively stimulating activities and risk of incident Alzheimer's disease. *Journal of the American Medical Association* 287: 742-748.

4장

Ackerman, P.L. (1994). Intelligence, attention, and learning: Maximal and typical performance. In D.K. Detterman (Ed.), *Current topics in human intelligence*: Vol. 4. Theories of intelligence (pp. 1-27). Norwood, NJ: Ablex.

Ackerman, P.L., & Rolfhus, E.L. (1999). The locus of adult intelligence: Knowledge, abilities, and nonability traits. *Psychology and Aging* 14: 314-330.

Adams, M.J., Tenney, Y.J., & Pew, R.W. (1995). Situation awareness and the cognitive management of complex systems. *Human Factors* 37: 85-104.

Anderson, J.R. (1990). *The adaptive character of thought*. Hillsdale, NJ: Erlbaum.

Ball, K, Berch, D.B., Helmers, K.F., Jobe, J.B., Leveck, M.D., Marsiske, M., Morris, J.N., Rebok, G.W., Smith, D.M., Tennstedt, S.L., Unverzagt, F.W., & Willis, S.L. (2002). Effects of cognitive training interventions with older adults: A randomized controlled trial. *Journal of the American Medical Association* 288: 2271-2281.

Baltes, P.B., & Staudinger, U.M. (1993). The search for a psychology of wisdom. *Current Directions in Psychological Science* 2: 75-80.

Bellenkes, M.A., Wickens, C.D., & Kramer, A.F. (1997). Visual scanning and pilot expertise: The role of attentional flexibility and mental model development. *Aviation, Space, and Environmental Medicine* 68: 569-579.

Bjork, R.A. (1999). Assessing our own competence: Heuristics and illusions. In D. Gopher and A. Koriat (Eds.), *Attention and performance XVII. Cognitive regulation of performance: Interaction of theory and application* (pp. 435-459). Cambridge, MA: MIT Press.

Bosman, E.A. (1993). Age-related differences in motoric aspects of transcription typing skill. *Psychology and Aging* 8: 87-102.

Bosman, E.A., & Charness, N. (1996). Age-related differences in skilled performance and skill acquisition. In F. Blanchard-Fields & T.M. Hess (Eds.), *Perspectives on cognitive change in adulthood and aging* (pp. 428-453). New York: McGraw-Hill.

Broach, D., & Schroeder, D.J. (2006). Air traffic control specialist age and en route operational errors. *International Journal of Aviation Psychology* 16: 363-374.

Charness, N. (1981). Visual short-term memory and aging in chess players. *Journal of Gerontology* 36: 615-619.

Charness, N., Reingold, E.M., Pomplun, M., & Stampe, D.M. (2001). The perceptual aspect of skilled performance in chess: Evidence from eye movements. *Memory and Cognition* 29: 1146-1152.

Clancy, S.M., & Hoyer, W.J. (1994). Age and skill in visual search. *Developmental Psychology* 30: 545-552.

Colcombe, S.J., Kramer, A.F., Erickson, K.I., Scalf, P., McAuley, E., Cohen, N.J., Webb, A., Jerome, G.J., Marquez, D.X., & Elavsky, S. (2004). Cardiovascular fitness, cortical plasticity, and aging. *Proceedings of the National Academy of Sciences USA* 101(9): 3316-3321.

Colonia-Willner, R. (1998). Practical intelligence at work: Relationship between aging and cognitive efficiency among managers in a bank environment. *Psychology and Aging* 13: 45-57.

Craik, F.I.M., & Jennings, J.M. (1992). Human memory. In F.I.M. Craik & T.A. Salthouse (Eds.), *The handbook of aging and cognition* (pp. 51-110). Hillsdale, NJ: Erlbaum.

Diehl, M. (1998). Everyday competence in later life: Current status and future directions.

Gerontologist 38: 422-433.

Ericsson, K.A., & Kintsch, W. (1995). Long-term working memory. *Psychological Review* 102: 211-245.

Ericsson, K.A., & Lehmann, A.C. (1996). Expert and exceptional performance: Evidence of maximal adaptation to task constraints. *Annual Review of Psychology* 47: 273-305.

Ericsson, K.A., Patel, V.L., & Kintsch, W. (2000). How experts' adaptations to representative task demands account for the expertise effect in memory recall: Comment on Vicente and Wang (1998). *Psychological Review* 107: 587-592.

Feigenbaum, E.A. (1989). What hath Simon wrought? In D. Klahr & K. Kotovsky (Eds.), *Complex information processing: The impact of Herbert A. Simon* (pp. 165 -180). Hillsdale, NJ: Erlbaum.

Glaser; R, & Chi, M. (1988). Overview. In M. Chi, R Glaser, & M. J. Farr (Eds.), *The nature of expertise* (pp. xv-xxvii). Hillsdale, NJ: Hove & London.

Halpern, A.R, Bartlett, J.C., & Dowling, W.J. (1995). Aging and experience in the recognition of musical transpositions. *Psychology and Aging* 10: 325-342.

Hambrick, D.Z., & Engle, R.W. (2002). Effects of domain knowledge, working memory capacity, and age on cognitive performance: An investigation of the knowledge-is-power hypothesis. *Cognitive Psychology* 44: 339-387.

Hardy, D., & Parasuraman, R. (1997). Cognition and flight performance in older pilots. *Journal of Experimental Psychology: Applied* 3: 313-348.

Hershey, D.A., Jacobs-Lawson, J.M., & Walsh, D.A. (2003). Influences of age and training on script development. *Aging, Neuropsychology, and Cognition* 10: 1-19.

Hess, T.M., Osowski, N.L., & Leclerc, C.M. (2005). Age and experience influences on the complexity of social inferences. *Psychology and Aging* 20: 447-449.

Hoffman, R.R., Shadbolt, N.R., Burton, A.M., & Klein, G. (1995). Eliciting knowledge from experts: A methodological analysis. *Organizational Behavior and Human Decision Processes* 62: 129-158.

Hoyer, W.J., & Ingolfsdottir, D. (2003). Age, skill, and contextual cuing in target detection. *Psychology and Aging* 18: 210-218.

Hutchins, E. (1995). How a cockpit remembers its speed. *Cognitive Science* 19: 265-288.

Jastrzembski, T., Charness, N., & Vasyukova, C. (2006). Expertise and age effects on knowledge activation in chess. *Psychology and Aging* 21: 401-405.

Jenkins, J. (1979). Four points to remember: A tetrahedral model and memory experiments. In L. S. Cermak & F. I. M. Craik (Eds.), *Levels of processing in human memory*. Mahwah, NJ: Erlbaum.

Kirlik, A. (1995). Requirements for psychological models to support design: Towards ecological task analysis. In J.M. Flach, P.A. Hancock, J.K. Caird, & K.J. Vicente (Eds.), *An ecological approach to human-machine systems I: A global perspective* (pp. 68-120). Hillsdale, NJ: Erlbaum.

Korniotis, G., & Kumar, A. (2005). Does investment skill decline due to cognitive aging or improve with experience? Unpublished paper.

Kramer, A.F., Larish, J., Weber, T., & Bardell, L. (1999). Training for executive control: Task coordination strategies and aging. In D. Gopher & A. Koriat (Eds.), *Attention and performance XVII*. Cambridge, MA: MIT Press.

Krampe, R.T., Engbert, R., & Kliegl, R. (2002). The effects of expertise and age on rhythm production: Adaptations to timing and sequencing constraints. *Brain and Cognition* 48: 179-194.

Krampe, R., & Ericsson, K.A. (1996). Maintaining excellence: Deliberate practice and elite performance in younger and older pianists. *Journal of Experimental Psychology: General*

125: 331-359.

Lassiter, D., Morrow, D.G., Hinson, G., Miller, M., & Hambrick, D. (1997). Expertise and age effects on pilot mental workload in a simulated aviation task. In W.A. Rogers (Ed.), *Designing for an aging population: Ten years of human factors/ergonomics research* (pp. 226-230). Santa Monica, CA: Human Factors and Ergonomics Society.

Lawton, M.P. (1982). Competence, environmental press, and the adaptation of older people. In M.P. Lawton, P.G. Windley, & T.O. Byerts (Eds.), *Aging and the environment: Theoretical approaches* (pp. 33-59). New York: Springer.

Li, G., Baker, S.P., Grabowski, J.G., Rebok, G.W., et al. (2003). Age, flight experience, and risk of crash involvement in a cohort of professional pilots. *American Journal of Epidemiology* 157: 874-880.

Li, G., Grabowski, J.G., Baker, S.P., & Rebok, G.W. (2006). Pilot error in air carrier accidents: Does age matter? *Aviation, Space, and Environmental Medicine* 77: 737-741.

Lindenberger, U., Kliegl, R., & Baltes, P.B. (1992). Professional expertise does not eliminate age differences in imagery-based memory performance during adulthood. *Psychology and Aging* 7: 585-593.

Lobjois, R., Benguigui, N., & Bertsch, J. (2005). Aging and tennis playing in a coincidence-timing task with an accelerating object: The role of visuomotor delay. *Research Quarterly for Exercise and Sport* 76: 398-406.

Masunaga, H., & Horn, J. (2001). Expertise and age-related changes in components of intelligence. *Psychology and Aging* 16: 293-311.

Meinz, E.J. (2000). Experience-based attenuation of age-related differences in music cognition tasks. *Psychology and Aging* 15: 297-312.

Meinz, E.J., & Salthouse, T.A. (1998). The effects of age and experience on memory for visually presented music. *Journal of Gerontology: Psychological Sciences* 53: 60-69.

Miller, L.M.S., Stine-Morrow, E.A.L., Kirkorian, H., & Conroy, M. (2004). Age differences in knowledge-driven reading. *Journal of Educational Psychology* 96: 811-821.

Morrow, D.G., Leirer, V.O., & Altieri, P.A. (1992). Aging, expertise, and narrative processing. *Psychology and Aging* 7: 376-388.

Morrow, D.G., Leirer, V., Altiere, P., & Fitzsimmons, C. (1994). When expertise reduces age differences in performance. *Psychology and Aging* 9: 134-148.

Morrow, D.G., Miller, L., Ridolfo, H.E., Kokayeff, N., Chang, D., Fischer, U., & Stine-Morrow, E.A.L. (2004). Expertise and age differences in a pilot decision making task. *Proceedings of the Human Factors and Ergonomics Society 48th annual meeting.* Santa Monica, CA: Human Factors and Ergonomics Society.

Morrow, D.G., Miller, L.S., Ridolfo, H.E., Menard, W., Stine-Morrow, E.A.L., & Magnor, C. (2005). Environmental support for older and younger pilots' comprehension of Air Traffic Control information. *Journal of Gerontology: Psychological Sciences* 60B: 11-18.

Morrow, D.G., Ridolfo, H.E., Menard, W.E., Sanborn, A., Stine-Morrow, E.A.L., Magnor, C., Herman, L., Teller, T., & Bryant, D. (2003). Environmental support promotes expertise-based mitigation of age differences in pilot communication tasks. *Psychology and Aging* 18: 268-284.

Morrow, D.G., Wickens, C.D., Rantanen, E.M., Chang, D., & Marcus, J. (2008). Designing external aids that support older pilots' communication. *International Journal of Aviation Psychology* 18: 167-182.

Murrell, F.H. (1970). The effect of extensive practice on age differences in reaction time. *Journal of Gerontology* 25: 268-274.

Nunes, A. (2006). Assessing the degree to which domain specific experience can offset age-related decline on basic cognitive abilities and complex task performance. PhD dissertation, University of Illinois at Urbana-Champaign.

Orasanu, J., & Fischer, U. (1997). Finding decisions in natural environments: The view from the cockpit. In C. Zsambok & G.A. Klein (Eds.), *Naturalistic decision making* (pp. 343-357). Mahwah, NJ: Erlbaum.

Park, D.C. (1994). Aging, cognition, and work. *Human Performance* 7: 181-205.

Park, D.C., Smith, A.D., Lautenschlager, G., Earles, J.L., Frieske, D., Zwahr, M., & Gaines, C.L. (1996). Mediators of long-term memory performance across the life span. *Psychology and Aging* 11: 621-637.

Rybash, J.M., Hoyer, W.J., & Roodin, P.A. (1986). *Adult cognition and aging: Developmental changes in processing, knowing and thinking*. New York: Pergamon Press.

Salthouse, T.A. (1984). Effects of age and skill in typing. *Journal of Experimental Psychology* 113: 345-371.

Salthouse, T.A. (1990). Influence of experience on age difference in cognitive functioning. *Human Factors* 32: 551-569.

Salthouse, T.A. (1991). *Theoretical perspectives on cognitive aging*. Hillsdale, NJ: Erlbaum.

Salthouse, T.A. (1995). Refining the concept of psychological compensation. In R.A. Dixon & L. Backman (Eds.), *Compensating for psychological deficits and declines: Managing losses and promoting gains* (21-34). Mahwah, NJ: Erlbaum.

Salthouse, T.A., Babcock, R., Skovronek, E., Mitchell, D., & Palmon, R. (1990). Age and experience effects in spatial visualization. *Developmental Psychology* 26: 128-136.

Salthouse, T.A., & Maurer, J.J. (1996). Aging, job performance, and career development. In J.E. Birren & K.W. Schaie (Eds.), *Handbook of the psychology of aging* (4th ed., pp. 353-364). New York: Academic Press.

Schooler, C., Mulatu, M.S., & Oates, C. (1999). Reciprocal effects of substantive complexity of work and cognitive function among older workers. *Psychology and Aging* 14: 483-506.

Schultz, R., & Curnow, C. (1988). Peak performance and age among superatheletes: Track and field, swimming, baseball, tennis, and golf. *Journal of Gerontology: Psychological Sciences* 43: 113-120.

Shanteau, J. (1992). How much information does an expert use? Is it relevant? *Acta Psychologica* 81: 75-86.

Sirven, J.I., & Morrow, D.G. (2007). Fly the graying skies: A question of competency vs. age (editorial). *Neurology* 68: 630-631.

Stern, P., & Carstensen, L. (2000). *The aging mind: Opportunities in cognitive research*. Washington, DC: National Academy Press.

Stine-Morrow, E.A.L., Parisi, J., Morrow, D.G., Greene, J., & Park, D.C. (2007). An engagement model of cognitive optimization through adulthood. *Journal of Gerontology: Psychological Sciences* 62B: 62-69.

Taylor, J.L., Kennedy, Q., Noda, A., & Yesavage, J.A. (2007). Pilot age and expertise predict flight simulator performance: A three-year longitudinal study. *Neurology* 68: 648-654.

Taylor, J.L., O'Hara, R., Mumenthaler, M.S., Rosen, A.C., & Yesavage, J.A. (2005). Cognitive ability, expertise, and age differences in following Air-Traffic Control instructions. *Psychology and Aging* 20: 117-132.

Taylor, J., Yesavage, J., Morrow, D.G., Dolhert, N., & Poon, L. (1994). The effects of information load and speech rate on young and older aircraft pilots' ability to execute simulated Air Traffic Controller instructions. *Journal of Gerontology: Psychological Sciences* 49: 191-200.

Tsang, P.S. (2003). Assessing cognitive aging in piloting. In P.S. Tsang & M.A. Vidulich (Eds.), *Principles and practice of aviation psychology* (pp. 507-546). Mahwah, NJ: Erlbaum.

Tsang, P.S., & Shaner, T.L. (1998). Age, attention, expertise, and time sharing performance. *Psychology and Aging* 13: 323-347.

Vicente, K.J., & Wang, J.H. (1998). An ecological theory of expertise effects in memory recall. *Psychological Review* 105: 33-57.

5장

Adlard PA, Cotman CW (2004) Voluntary exercise protects against stress-induced decreases in brain-derived neurotrophic factor protein expression. *Neuroscience* 124: 985-992.

Adlard PA, Perreau VM, Engesser-Cesar C, Cotman CW (2004). The timecourse of induction of brain-derived neurotrophic factor mRNA and protein in the rat hippocampus following voluntary exercise. *Neurosci Lett* 363: 43-48.

Alonso M, Vianna MR, Depino AM, Mello e Souza T, Pereira P, Szapiro G, Viola H, Pitossi F, Izquierdo I, Medina JH (2002a) BDNF-triggered events in the rat hippocampus are required for both short- and long-term memory formation. *Hippocampus* 12: 551-560.

Alonso M, Vianna MR, Izquierdo I, Medina JH (2002b) Signaling mechanisms mediating BDNF modulation of memory formation in vivo in the hippocampus. *Cell Mol Neurobiol* 22: 663-674.

Anderson BJ, Eckburg PB, Relucio KI (2002). Alterations in the thickness of motor cortical regions after motor-skill learning and exercise. *Learn Mem* 9: 1-9.

Anderson BJ, Gatley SJ, Rapp DN, Coburn-Litvak PS, Volkow ND (2000a) The ratio of striatal DI to muscarinic receptors changes in aging rats housed in an enriched environment. *Brain Res* 872: 262-265.

Anderson BJ, Rapp DN, Baek DH, McCloskey DP, Coburn-Litvak PS, Robinson JK (2000b) Exercise influences spatial learning in the radial arm maze. *Physiol Behav* 70: 425-429.

Arida RM, de Jesus Vieira A, Cavalheiro EA (1998) Effect of physical exercise on kindling development. *Epilepsy Res* 30: 127-132.

Arida RM, Scorza FA, dos Santos NF, Peres CA, Cavalheiro EA (1999) Effect of physical exercise on seizure occurrence in a model of temporal lobe epilepsy in rats. *Epilepsy Res* 37: 45-52.

Babyak, M, Blumenthal JA, Herman S, Khatri P, Doraiswamy M, Moore K, Craighead WE, Baldewicz TT, Krishnan KR (2000) Exercise treatment for major depression: maintenance of therapeutic benefit at 10 months. *Psychosom Med* 62: 633-638.

Banasr M, Hery M, Printemps R, Daszuta A (2004) Serotonin-induced increases in adult cell proliferation and neurogenesis are mediated through different and common 5-HT receptor subtypes in the dentate gyrus and the subventricular zone. *Neuropsychopharmacology* 29: 450-460.

Barnes CA, Forster MJ, Fleshner M, Ahanotu EN, Laudenslager ML, Mazzeo RS, Maier SF, Lal H (1991) Exercise does not modify spatial memory, brain autoimmunity, or antibody response in aged F-344 rats. *Neurobiol Aging* 12: 47-53.

Baruch DE, Swain RA, Helmstetter FJ (2004) Effects of exercise on Pavlovian fear conditioning. *Behav Neurosci* 118: 1123-1127.

Black JE, Isaacs KR, Anderson BJ, Alcantara AA, Greenough WT (1990) Learning causes synaptogenesis, whereas motor activity causes angiogenesis, in cerebellar cortex of adult rats. *Proc Natl Acad Sci* USA 87: 5568-5572.

Bland BH, Vanderwolf CH (1972) Electrical stimulation of the hippocampal formation: behavioral and bioelectrical effects. *Brain Res* 43: 89-106.

Blumenthal JA, Babyak MA, Moore KA, Craighead WE, Herman S, Khatri P, Waugh R, Napolitano MA, Forman LM, Appelbaum M, Doraiswamy PM, Krishnan KR (1999) Effects of exercise training on older patients with major depression. *Arch Intern Med* 159: 2349-2356.

Campisi J, Leem TH, Greenwood BN, Hansen MK, Moraska A, Higgins K, Smith TP, Fleshner M (2003) Habitual physical activity facilitates stress-induced HSP72 induction in brain, peripheral, and immune tissues. *Am J Physiol Regul Integr Comp Physiol* 284: R520-530.

Carro E, Trejo JL, Busiguina S, Torres-Aleman I (2001) Circulating insulin-like growth factor I mediates the protective effects of physical exercise against brain insults of different etiology and anatomy. *J Neurosci* 21: 5678-5684.

Chennaoui M, Drogou C, Gomez-Merino D, Grimaldi B, Fillion G, Guezennec CY (2001) Endurance training effects on 5-HT(1B) receptors mRNA expression in cerebellum, striatum, frontal cortex and hippocampus of rats. *Neurosci Lett* 307: 33-36.

Colcombe SJ, Erickson KI, Raz N, Webb AG, Cohen NJ, McAuley E, Kramer AF (2003) Aerobic fitness reduces brain tissue loss in aging humans. *J Gerontol A Biol Sci Med Sci* 58: 176-180.

Comery TA, Shah R, Greenough WT (1995) Differential rearing alters spine density on medium-sized spiny neurons in the rat corpus striatum: evidence for association of morphological plasticity with early response gene expression. *Neurobiol Learn Mem* 63: 217-219.

Czeh B, Michaelis T, Watanabe T, Frahm J, de Biurrun G, van Kampen M, Bartolomucci A, Fuchs E (2001) Stress-induced changes in cerebral metabolites, hippocampal volume, and cell proliferation are prevented by antidepressant treatment with tianeptine. *Proc Natl Acad Sci USA* 98: 12796-12801.

Czurko A, Hirase H, Csicsvari J, Buzsaki G (1999) Sustained activation of hippocampal pyramidal cells by "space clamping" in a running wheel. *Eur J Neurosci* 11: 344-352.

De Bruin LA, Schasfoort EM, Steffens AB, Korf J (1990). Effects of stress and exercise on rat hippocampus and striatum extracellular lactate. *Am J Physiol* 259: R773-779.

Dimeo F, Bauer M, Varahram I, Proest G, Halter U (2001) Benefits from aerobic exercise in patients with major depression: a pilot study. *Br J Sports Med* 35: 114-117.

Ding YH, Young CN, Luan X, Li J, Rafols JA, Clark JC, McAllister JP, 2nd, Ding Y (2005) Exercise preconditioning ameliorates inflammatory injury in ischemic rats during reperfusion. *Acta Neuropathol (Berl)* 109: 237-246.

Dishman RK, Dunn AL, Youngstedt SD, Davis JM, Burgess ML, Wilson SP, Wilson MA (1996) Increased open field locomotion and decreased striatal $GABA_A$ binding after activity wheel running. *Physiol Behav* 60: 699-705.

Dudar JD, Whishaw IQ, Szerb JC (1979) Release of acetylcholine from the hippocampus of freely moving rats during sensory stimulation and running. *Neuropharmacology* 18:673-678.

Duman RS (2004) Depression: a case of neuronal life and death? *Biol Psychiatry* 56:140-145.

Feng R, Rampon C, Tang YP, Shrom D, Jin J, Kyin M, Sopher B, Miller MW, Ware CB, Martin GM, Kim SH, Langdon RB, Sisodia SS, Tsien JZ (2001) Deficient neurogenesis in forebrain-specific presenilin-1 knockout mice is associated with reduced clearance of hippocampal memory traces. *Neuron* 32: 911-926.

Fischer W, Wictorin K, Bjorklund A, Williams LR, Varon S, Gage FH (1987) Amelioration of cholinergic neuron atrophy and spatial memory impairment in aged rats by nerve growth factor. *Nature* 329: 65-68.

Fleshner M, Campisi J, Johnson JD (2003) Can exercise stress facilitate innate immunity? A functional role for stress-induced extracellular Hsp72. *Exerc Immunol Rev* 9: 6-24.

Fordyce DE, Farrar RP (1991a) Effect of physical activity on hippocampal high affinity choline uptake and muscarinic binding: a comparison between young and old F344 rats. *Brain Res* 541: 57-62.

Fordyce DE, Farrar RP (1991b). Physical activity effects on hippocampal and parietal cortical cholinergic function and spatial learning in F344 rats. *Behav Brain Res* 43: 115-123.

Fordyce DE, Starnes JW, Farrar RP (1991) Compensation of the age-related decline in hippocampal muscarinic receptor density through daily exercise or underfeeding. *J Gerontol* 46: B245-248.

Fordyce DE, Wehner JM (1993) Physical activity enhances spatial learning performance with an associated alteration in hippocampal protein kinase C activity in C57BL/6 and DBA/2 mice. *Brain Res* 619: 111-119.

Gilliam PE, Spirduso WW, Martin TP, Walters TJ, Wilcox RE, Farrar RP (1984). The effects of exercise training on [3H]-spiperone binding in rat striatum. *Pharmacol Biochem Behav* 20: 863-867.

Goodwin RD (2003) Association between physical activity and mental disorders among adults in the United States. *Prev Med* 36: 698-703.

Greenough WT (1984) Structural correlates of information storage in the mammalian brain: A review and hypothesis. *Trends Neurosci* 7: 229-233.

Griesbach GS, Hovda DA, Molteni R, Wu A, Gomez-Pinilla F (2004) Voluntary exercise following traumatic brain injury: brain-derived neurotrophic factor upregulation and recovery of function. *Neuroscience* 125: 129-139.

Gross PM, Marcus ML, Heistad DD (1980) Regional distribution of cerebral blood flow during exercise in dogs. *J Appl Physiol* 48: 213-217.

Isaacs KR, Anderson BJ, Alcantara AA, Black JE, Greenough WT (1992) Exercise and the brain: angiogenesis in the adult rat cerebellum after vigorous physical activity and motor skill learning. *J Cereb Blood Flow Metab* 12: 110-119.

Jakubowska-Dogru E, Gumusbas U 2005) hronic intracerebroventricular NGF administration improves working memory in young adult memory deficient rats. *Neurosci Lett* 382: 45-50.

Kanda K Hashizume K (1998) Effects of long-term physical exercise on age-related changes of spinal motoneurons and peripheral nerves in rats. *Neurosci Res* 31: 69-75.

Keller A, Arissian K, Asanuma H (1992) Synaptic proliferation in the motor cortex of adult cats after long-term thalamic stimulation. *J Neurophysiol* 68: 295-308.

Kempermann G, Kuhn HG, Gage FH (1997) More hippocampal neurons in adult mice living in an enriched environment. *Nature* 386: 493-495.

Kjaer M (1998) Adrenal medulla and exercise training. *Eur J Appl Physiol Occup Physiol* 77: 195-199.

Kleim JA, Cooper NR, VandenBerg PM (2002) Exercise induces angiogenesis but does not alter movement representations within rat motor cortex. *Brain Res* 934: 1-6.

Kleim JA, Hogg TM, VandenBerg PM, Cooper NR, Bruneau R, Remple M (2004) Cortical synaptogenesis and motor map reorganization occur during late, but not early, phase of motor skill learning. *J Neurosci* 24: 628-633.

Kleim JA, Lussnig E, Schwarz ER, Comery TA, Greenough WT (1996) Synaptogenesis and Fos expression in the motor cortex of the adult rat after motor skill learning. *J Neurosci* 16: 4529-4535.

Lambert TJ, Fernandez SM, Frick KM (2005) Different types of environmental enrichment have discrepant effects on spatial memory and synaptophysin levels in female mice. *Neurobiol Learn Mem* 83: 206-216.

Larsen JO, Skalicky M, Viidik A (2000) Does long -term physical exercise counteract age-related Purkinje cell loss? A stereological study of rat cerebellum. *J Comp Neurol* 428: 213-222.

Lee HH, Kim H, Lee MH, Chang HK, Lee TH, Jang MH, Shin MC, Lim BY, Shin MS, Kim YP, Yoon JH, Jeong IG, Kim CJ (2003) Treadmill exercise decreases intrastriatal hemorrhage-induced neuronal cell death via suppression on caspase- 3 expression in rats. *Neurosci Lett* 352: 33-36.

Li J, Luan X, Clark JC, Rafols JA, Ding Y (2004) Neuroprotection against transient cerebral ischemia by exercise pre-conditioning in rats. *Neurol Res* 26: 404-408.

Liddell HS (1925) The relation between maze learning and spontaneous activity in the sheep. *J Comp Psychol* 5: 475-483.

MacRae PG, Spirduso WW, Cartee GD, Farrar RP, Wilcox RE (1987a) Endurance training effects on striatal D2 dopamine receptor binding and striatal dopamine metabolite levels. *Neurosci Lett* 79: 138-144.

MacRae PG, Spirduso QQ, Walters TJ, Farrar RP, Wilcox RE (1987b) Endurance training effects on striatal D2 dopamine receptor binding and striatal dopamine metabolites in presenescent older rats. *Psychopharmacology* 92: 236-240.

Malberg JE, Duman RS (2003) Cell proliferation in adult hippocampus is decreased by inescapable stress: reversal by fluoxetine treatment. *Neuropsychopharmacology* 28:1562-1571.

Markowska AL, Price D, Koliatsos VE (1996) Selective effects of nerve growth factor on spatial recent memory as assessed by a delayed nonmatching-to-position task in the water maze. *J Neurosci* 16: 3541-3548.

Marsh SA, Coombes JS (2005) Exercise and the endothelial cell. *Int J Cardiol* 99: 165-169.

Martinsen EW, Medhus A, Sandvik L (1985) Effects of aerobic exercise on depression: a controlled study. *Br Med J (Clin Res Ed)* 291: 109.

McCloskey DP, Adamo DS, Anderson BJ (2001) Exercise increases metabolic capacity in the motor cortex and striatum, but not in the hippocampus. *Brain Res* 891: 168-175.

Mizuno M, Yamada K, Olariu A, Nawa H, Nabeshima T (2000). Involvement of brain-derived neurotrophic factor in spatial memory formation and maintenance in a radial arm maze test in rats. *J Neurosci* 20: 7116-7121.

Mogenson GJ, Nielsen M (1984) A study of the contribution of hippocampal-accumbens-subpallidal projections to locomotor activity. *Behav Neural Biol* 42: 38-51.

Molteni R, Ying Z, Gomez-Pinilla F (2002) Differential effects of acute and chronic exercise on plasticity-related genes in the rat hippocampus revealed by micro array. *Eur J Neurosci* 16: 1107-1116.

Neeper SA, Gomez-Pinilla F, Choi J, Cotman C (1995) Exercise and brain neurotrophins. *Nature* 373: 109.

Neeper SA, Gomez-Pinilla F, Choi J, Cotman CW (1996) Physical activity increases mRNA for brain-derived neurotrophic factor and nerve growth factor in rat brain. *Brain Res* 726: 49-56.

Pelleymounter MA, Cullen MJ, Baker MB, Gollub M, Wellman C (1996) The effects of intrahippocampal BDNF and NGF on spatial learning in aged Long Evans rats. *Mol Chem Neuropathol* 29: 211-226.

Peters A, Moss MB, Sethares C (2001) The effects of aging on layer 1 of primary visual cortex in the rhesus monkey. *Cereb Cortex* 11: 93-103.

Peters A, Rosene DL, Moss MB, Kemper TL, Abraham CR, Tigges J, Albert MS (1996) Neurobiological bases of age-related cognitive decline in the rhesus monkey. *J Neuropathol Exp Neurol* 55: 861-874.

Plaznik A, Stefanski R, Kostowski W (1990) GABAergic mechanisms in the nucleus accumbens septi regulating rat motor activity: the effect of chronic treatment with desipramine. *Pharmacol Biochem Behav* 36: 501-506.

Poulton NP, Muir GD (2005) Treadmill training ameliorates dopamine loss but not behavioral deficits in hemi-parkinsonian rats. *Exp Neurol* 193: 181-197.

Ramon Y, Cajal S, Defelipe J, Jones EG (1988) Cajal on the cerebral cortex: an annotated translation of the complete writings. History of neuroscience, no. 1. New York, Oxford University Press.

Ramsden M, Berchtold NC, Patrick Kesslak J, Cotman CW, Pike CJ (2003) Exercise increases the vulnerability of rat hippocampal neurons to kainate lesion. *Brain Res* 971: 239-244.

Rhodes JS, van Praag H, Jeffrey S, Girard I, Mitchell GS, Garland T, Jr., Gage FH (2003) Exercise increases hippocampal neurogenesis to high levels but does not improve spatial learning in mice bred for increased voluntary wheel running. *Behav Neurosci* 117: 1006-1016.

Roland PE, Meyer E, Shibasaki T, Yamamoto YL, Thompson CJ (1982). Regional cerebral blood flow changes in cortex and basal ganglia during voluntary movements in normal human volunteers. *J Neurophysiol* 48: 467-480.

Runquist EA, Heron WT (1935) Spontaneous activity and maze learning. *J Comp Psychol* 19: 297-311.

Russo-Neustadt AA, Chen MJ (2005) Brain-derived neurotrophic factor and antidepressant activity. *Curr Pharm Des* 11: 1495-1510.

Russo-Neustadt A, Ha T, Ramirez R, Kesslak JP (2001). Physical activity-antidepressant treatment combination: impact on brain-derived neurotrophic factor and behavior in an animal model. *Behav Brain Res* 120: 87-95.

Rutledge LT, Wright C, Duncan J (1974) Morphological changes in pyramidal cells of mammalian neocortex associated with increased use. *Exp Neurol* 44: 209-228.

Salat DH, Buckner RL, Snyder AZ, Greve DN, Desikan RS, Busa E, Morris JC, Dale AM, Fischl B (2004) Thinning of the cerebral cortex in aging. *Cereb Cortex* 14: 721-730.

Samorajski T, Rolsten C (1975) Nerve fiber hypertrophy in posterior tibial nerves of mice in response to voluntary running activity during aging. *J Comp Neurol* 159: 553-558.

Samorajski T, Rolsten C, Przykorska A, Davis CM (1987) Voluntary wheel running exercise and monoamine levels in brain, heart, and adrenal glands of aging mice. *Exp Gerontol* 22: 421-431.

SantarelliL, Saxe M, Gross C, Surget A, Battaglia F, Dulawa S, Weisstaub N, Lee J, Duman R, Arancio O, Belzung C, Hen R (2003) Requirement of hippocampal neurogenesis for the behavioral effects of antidepressants. Science 301: 805-809.

Shi LH, Luo F, Woodward DJ, Chang JY (2004) Neural responses in multiple basal ganglia regions during spontaneous and treadmill locomotion tasks in rats. *Exp Brain Res* 157: 303-314.

Shirley M (1928) Studies in activity IV: The relation of activity to maze learning and brain weight. *J Comp Psychol* 8: 187-195.

Shors TJ, Townsend DA, Zhao M, Kozorovitskiy Y, Gould E (2002) Neurogenesis may relate to some but not all types of hippocampal-dependent learning. *Hippocampus* 12: 578-584.

Skalicky M, Bubna-Littitz H, Viidik A (1996) Influence of physical exercise on aging rats: Life-long exercise preserves patterns of spontaneous activity. *Mech Ageing Dev* 87: 127-139.

Skalicky M, Viidik A (1999) Comparison between continuous and intermittent physical exercise on aging rats: changes in patterns of spontaneous activity and connective tissue stability. *Aging (Milano)* 11: 227-234.

Sothmann MS, Buckworth J, Claytor RP, Cox RH, White-Welkley JE, Dishman RK (1996)

Exercise training and the cross-stressor adaptation hypothesis. *Exerc Sport Sci Rev* 24: 267-287.

Spirduso WW, Farrar RP (1981) Effects of aerobic training on reactive capacity: an animal model. *J Gerontol* 36: 654-662.

Stummer W, Weber K, Tranmer B, Baethmann A, Kempski O (1994) Reduced mortality and brain damage after locomotor activity in gerbil forebrain ischemia. *Stroke* 25: 1862-1869.

Swain RA, Harris AB, Wiener EC, Dutka MY, Morris HD, Theien BE, Konda S, Engberg K, Lauterbur PC, Greenough WT (2003) Prolonged exercise induces angiogenesis and increases cerebral blood volume in primary motor cortex of the rat. *Neuroscience* 117: 1037-1046.

Tanapat P, Hastings NB, Rydel TA, Galea LA, Gould E (2001) Exposure to fox odor inhibits cell proliferation in the hippocampus of adult rats via an adrenal hormone-dependent mechanism. *J Comp Neurol* 437: 496-504.

Tanzi E (1893) I fatti e le induzioni nell'odierna istoliga del sistema nervoso. *Rev Sperim d Frenatria et d Medic Legal XIX.*

Tillerson JL, Caudle WM, Reveron ME, Miller GW (2003) Exercise induces behavioral recovery and attenuates neurochemical deficits in rodent models of Parkinson's disease. *Neuroscience* 119: 899-911.

Tong L, Shen H, Perreau VM, Balazs R, Cotman CW (2001). Effects of exercise on gene-expression profile in the rat hippocampus. *Neurobiol Dis* 8: 1046-1056.

Tousoulis D, Charakida M, Stefanadis C (2005) Inflammation and endothelial dysfunction as therapeutic targets in patients with heart failure. *Int J Cardiol* 100: 347-353.

Vanderwolf CH (1988) Cerebral activity and behavior: control by central cholinergic and serotonergic systems. *Int Rev Neurobiol* 30: 225-340.

Van Hoomissen JD, Holmes PV, Zellner AS, Poudevigne A, Dishman RK (2004) Effects of beta-adrenoreceptor blockade during chronic exercise on contextual fear conditioning and mRNA for galanin and brain-derived neurotrophic factor. *Behav Neurosci* 118: 1378-1390.

van Praag H, Christie BR, Sejnowski TJ, Gage FH (1999a) Running enhances neurogenesis, learning, and long-term potentiation in mice. *Proc Natl Acad Sci USA* 96: 13427-13431.

van Praag H., Kempermann G, Gage FH (1999b). Running increases cell proliferation and neurogenesis in the adult mouse dentate gyrus. *Nat Neurosci* 2: 266-270.

Vaynman S, Ying Z, Gomez-Pinilla F (2004) Hippocampal BDNF mediates the efficacy of exercise on synaptic plasticity and cognition. *Eur J Neurosci* 20: 2580-2590.

Vissing J, Andersen M, Diemer NH (1996) Exercise-induced changes in local cerebral glucose utilization in the rat. *J Cereb Blood Flow Metab* 16: 729-736.

Vollmayr B, Simonis C, Weber S, Gass P, Henn F (2003). Reduced cell proliferation in the dentate gyrus is not correlated with the development of learned helplessness. *Biol Psychiatry* 54: 1035-1040.

Wallace DG, Hines DJ, Whishaw IQ (2002). Quantification of a single exploratory trip reveals hippocampal formation mediated dead reckoning. *J Neurosci Meth* 113:131-145.

Wallace DG, Whishaw IQ (2003) NMDA lesions of Ammon's horn and the dentate, gyrus disrupt the direct and temporally paced homing displayed by rats exploring a novel environment: evidence for a role of the hippocampus in dead reckoning. *Eur J Neurosci* 18: 513-523.

Wallenstein GV, Eichenbaum H, Hasselmo ME (1998) The hippocampus as an associator of discontiguous events. *Trends Neurosci* 21: 317-323.

White NM, McDonald RJ (2002) Multiple parallel memory systems in the brain of the rat. *Neurobiol Learn Mem* 77: 125-184.

6장

Adleman, N.E., Menon, V., Blasey, C.M., White, C.D., Warsofsky, I.S., Glover, G.H., & Reiss, A.L. (2002). A developmental fMRI study of the Stroop Color-Word Task. *Neurolmage* 16: 61-75.

Baddeley, A. (1996). Exploring the central executive. *Quarterly Journal of Experimental Psychology* 49A: 5-28.

Bashore, T.R. (1989). Age, physical fitness, and mental processing speed. *Annual Review of Gerontology and Geriatrics* 9: 120-144.

Bernstein, P.S., Scheffers, M.K., & Coles, M.G.H. (1995) "Where did I go wrong?" A psychophysiological analysis of error detection. *Journal of Experimental Psychology: Human Perception and Performance* 21: 1312-1322.

Black, J.E., Isaacs, K.R., Anderson, B.J., Alcantara, A.A., & Greenough, W.T. (1990). Learning causes synaptogenesis, whereas motor activity causes angiogenesis, in cerebellar cortex of adult rats. *Proceedings of the National Academy of Science* 87: 5568-5572.

Blomstrand, E., Perrett, D., Parry-Billings, M., & Newsholme, E.A. (1989). Effect of sustained exercise on plasma amino acid concentrations and on 5-hydroxytryptamine metabolism in six different brain regions in the rat. *Acta Physiologica Scandinavica* 136: 473-481.

Botvinick, M.M., Braver, T.S., Barch, D.M., Carter, C.S., & Cohen, J.D. (2001). Conflict monitoring and cognitive control. *Psychological Review* 108: 624-652.

Botvinick, M., Nystrom, L.E., Fissell, K., Carter, C.S., & Cohen, J.D. (1999). Conflict monitoring versus selection-for-action in anterior cingulated cortex. *Nature* 402: 179-181.

Brozoski, T.J., Brown, R.M., Rosvold, H.E., & Goldman, P.S. (1979). Cognitive deficits caused by regional depletion of dopamine in prefrontal cortex of rhesus monkeys. *Science* 205: 929-932.

Buck, S.M., Hillman, C.H., & Castelli, D.M. (2008). Aerobic fitness influences on Stroop task performance in healthy preadolescent children. *Medicine & Science in Sports & Exercise* 40: 166-172.

Buckner, R.L., Head, D., & Lustig, C. (2006). Brain changes in aging. In E. Bialystok & F.I.M. Craik (Eds.), *Lifespan cognition: Mechanisms of change* (pp. 27-42). New York: Oxford University Press.

Bunge, S.A., Dudukovic, N.M., Thomason, M.E., Vaidya, C.J., & Gabrieli, J.D.E. (2002). Immature frontal lobe contributions to cognitive control in children: Evidence from fMRI. *Neuron* 33: 301-311.

Carro, E., Trejo, J.L., Busiguina, S., & Torres-Aleman, I. (2001). Circulating insulin-like growth factor 1 mediates the protective effects of physical exercise against brain insults of different etiology and anatomy. *Journal of Neuroscience* 21: 5678-5684.

Carter, C.S., Braver, T.S., Barch, D.M., Botvinick, M.M., Noll, D., & Cohen, J.D. (1998). Anterior cingulated cortex, error detection, and the online monitoring of performance. *Science* 280: 747-749.

Carter, C.S., Macdonald, A.M., Botvinick, M., Ross, L.L., Stenger, V.A., Noll, D., & Cohen, J. D. (2000). Parsing executive processes: Strategic vs. evaluative functions of the anterior cingulate cortex. *Proceedings of the National Academy of Sciences* 97: 1944-1948.

Castelli, D.M., Hillman, C.H., Buck, S.M., & Erwin, H. (2007). Physical fitness and academic achievement in 3rd & 5th grade students. *Journal of Sport and Exercise Psychology* 29: 239-252.

Colcombe, S.J., & Kramer, A.F. (2003). Fitness effects on the cognitive function of older adults: A meta-analytic study. *Psychological Science* 14: 125-130.

Colcombe, S.J., Kramer, A.F., Erickson, K.I, Scalf, P., McAuley, E., Cohen, N.J., Webb, A., et al. (2004). Cardiovascular fitness, cortical plasticity, and aging. *Proceedings of the National Academy of Sciences* 101: 3316-3321.

Coles, M.G.H., & Rugg, M.D. (1995). Event-related potentials: An introduction. In M.D. Rugg & M.G.H. Coles (Eds.), *Electrophysiology of mind* (pp. 1-26). New York: Oxford University Press.

Cotman, C.W., & Berchtold, N.C. (2002). Exercise: A behavioral intervention to enhance brain health and plasticity. *Trends in Neurosciences* 25: 295-301.

Davies, P.L., Segalowitz, S.J., Dywan, J., & Pailing, P.E. (2001). Error-negativity and positivity as they relate to other ERP indices of attentional control and stimulus processing. *Biological Psychology* 56: 191-206.

Davis, P., & Wright, E.A. (1977). A new method for measuring cranial cavity volume and its application to the assessment of cerebral atrophy at autopsy. *Neuropathology and Applied Neurobiology* 3: 341-358.

Dehaene, S., Posner, M.I., & Tucker, D.M. (1994). Localization of a neural system for error detection and compensation. *Psychological Science* 5: 303-305.

Demetriou, A., Spanoudis, G., Christou, C., & Platsidou, M. (2002). Modeling the Stroop phenomenon: Processes, processing flow, and development. *Cognitive Development* 16: 987-1005.

Dempster, F.N. (1992). The rise and fall of the inhibitory mechanism: Toward a unified theory of cognitive development and aging. *Developmental Review* 12: 45-75.

Diamond, A. (2006). The early development of executive functions. In E. Bialystok & ELM. Craik (Eds.), *Lifespan cognition: Mechanisms of change* (pp. 70-95). New York: Oxford University Press.

Diamond, A., Towle, C., & Boyer, K. (1994). Young children's performance on a task sensitive to the memory functions of the medial temporal lobe in adults, the delayed nonmatching-to-sample task, reveals problems that are due to non-memory-related task demands. *Behavioral Neuroscience* 108: 659-680.

DiPietro, L., Casperson, C.J., Ostfeld, A.M., & Nadel, E.R. (1993). A survey for assessing physical activity among older adults. *Medicine and Science in Sports and Exercise* 25: 628-642.

Donchin, E. (1981). Surprise! ... surprise? *Psychophysiology* 18: 493-513.

Donchin, E., & Coles, M.G.H. (1988). Is the P3 component a manifestation of context updating? *Brain Behavioral Science* 11: 357-374.

Duncan-Johnson, C.C. (1981). P3 latency: A new metric of information processing. *Psychophysiology* 18: 207-215.

Dustman, R.E., Emmerson, R.Y., Ruhling, R.O., Shearer, D.E., Steinhaus, L.A., Johnson, S.C., et al. (1990). Age and fitness effects on EEG, ERPs, visual sensitivity, and cognition. *Neurobiology of Aging* 11: 193-200.

Dustman, R.E., LaMarsh, J.A., Cohn, N.B., Shearer, D.E., & Talone, J.M. (1985). Power spectral analysis and cortical coupling of EEG for young and old normal adults. *Neurobiology of Aging* 6: 193-198.

Dustman, R.E., Shearer, D.E., & Emmerson, R.E. (1993). EEG and event-related potentials in normal aging. *Progress in Neurobiology* 41: 369-401.

Eriksen, B.A., & Eriksen, C.W. (1974). Effects of noise letters upon the identification of a target letter in a nonsearch task. *Perception & Psychophysics* 16: 143-149.

Eriksen, C.W., & Schultz, D.W. (1979). Information processing in visual search: A continuous flow conception and experimental results. *Perception and Psychophysics* 25: 249-263.

Fabiani, M., & Friedman, D. (1995). Changes in brain activity patterns in aging: The novelty oddball. *Psychophysiology* 32: 579-594.

Fabiani, M., Friedman, D., & Cheng, J.C. (1998). Individual differences in P3 scalp distribution in older adults, and their relationship to frontal lobe function. *Psychophysiology* 35: 698-708.

Falkenstein, M., Hohnsbein, J., Hoormann, J., & Blanke, L. (1990). Effects of errors in choice reaction tasks on the ERP under focused and divided attention. In C.H.M. Brunia, A.W.K. Gaillard, & A. Kok (Eds.), *Psychophysiological brain research* (Vol. 1, pp. 192-195). Tilberg, The Netherlands: Tilberg University Press.

Falkenstein, M., Hohnsbein, J., Hoormann, J., & Blanke, L. (1991). Effects of crossmodal divided attention on late ERP components: II. Error processing in choice reaction tasks. *Electroencephalography and Clinical Neurophysiology* 78: 447-455.

Falkenstein, M., Hoormann, J., Christ, S., & Hohnsbein, J. (2000). ERP components on reaction errors and their functional significance: A tutorial. *Biological Psychology* 51: 87-107.

Farrell, P.A., Gustafson, A.B., Garthwaite, T.L., Kalkhoff, R.K., Cowley Jr., A.W., & Morgan, W.P. (1986). Influence of endogenous opioids on the response of selected hormones to exercise in humans. *Journal of Applied Physiology* 61: 1051-1057.

Fotenos, A.F., Snyder, A.Z., Girton, L.E., Morris, J.C., & Buckner, R.L. (2005). Normative estimates of cross-sectional and longitudinal brain volume decline in aging and AD. *Neurology* 64: 1032-1039.

Friedman, D., Simpson, G., & Hamberger, M. (1993). Age-related changes in scalp topography to novel and target stimuli. *Psychophysiology* 30: 383-396.

Gehring, W.J., Goss, B., Coles, M.G.H., Meyer, D.E., & Donchin, E. (1993). A neural system for error detection and compensation. *Psychological Science* 4: 385-390.

Gehring, W.J., & Knight, R.T. (2000). Prefrontal-cingulate interactions in action monitoring. *Nature Neuroscience* 3: 516-520.

Gonsalvez, C.J., & Polich, J. (2002). P3 amplitude is determined by target-to-target interval. *Psychophysiology* 39: 388-396.

Gullestad, L., Myers, J., Bjornerheim, R., Berg, K.J., Djoseland, O., Hall, C., Lund, K., Kjekshus, J., & Simonsen, S. (1997). Gas exchange and neurohumoral response to exercise: Influence of the exercise protocol. *Medicine and Science in Sports and Exercise* 29: 496-502.

Hasher, L., & Zachs, R.T. (1988). Working memory, comprehension, and aging: A review and a new view. In G.H. Bower (Ed.), *The psychology of learning and motivation* (Vol. 22, pp. 193-225). New York: Academic Press.

Hatta, A., Nishihira, Y., Kim, S.R., Kaneda, T., Kida, T., Kamijo, K., Sasahara, M., & Haga, S. (2005). Effects of habitual moderate exercise on response processing and cognitive processing in older adults. *Japanese Journal of Physiology* 55: 29-36.

Haug, H., & Eggers, R. (1991). Morphometry of the human cortex cerebri and corpus striatum during aging. *Neurobiology of Aging* 12: 336-338.

Herrmann, M.J., Rommler, J., Ehlis, A., Heidrich, A., & Fallgatter, A.J. (2004). Source localization (LORETA) of the error-related-negativity (ERN/Ne) and positivity (Pe). *Cognitive Brain Research* 20: 294-299.

Hillman, C.H., Belopolsky, A., Snook, E.M., Kramer, A.F., & McAuley, E. (2004). Physical activity and executive control: Implications for increased cognitive health during older adulthood. *Research Quarterly for Exercise and Sport* 75: 176-185.

Hillman, C.H., Buck, S.M., Themanson, J.T., Pontifex, M.B., & Castelli, D.M. (in press). Aerobic fitness and cognitive development: Event-related brain potential and task performance indices of executive control in preadolescent children. *Developmental Psychology*.

Hillman, C.H., Castelli, D.M., & Buck, S.M. (2005). Aerobic fitness and neurocognitive function in healthy preadolescent children. *Medicine and Science in Sports and Exercise* 37: 1967-1974.

Hillman, C.H., Kramer, A.F., Belopolsky, A.V., & Smith, D.P. (2006). A cross-sectional examination of age and physical activity on performance and event-related brain potentials in a task switching paradigm. *International Journal of Psychophysiology* 59: 30-39.

Hillman, C.H., Snook, E.M., & Jerome, G.J. (2003). Acute cardiovascular exercise and executive control function. *International Journal of Psychophysiology* 48: 307-314.

Hillman, C.H., Weiss, E.P., Hagberg, J.M., & Hatfield, B.D. (2002). The relationship of age and cardiovascular fitness to cognitive and motor processes. *Psychophysiology* 39: 303-312.

Holroyd, C.B., & Coles, M.G.H. (2002). The neural basis of human error processing: Reinforcement learning, dopamine, and the error-related negativity. *Psychological Review* 109: 679-709.

Hugdahl, K. (1995). *Psychophysiology: The mind-body perspective*. Cambridge, MA: Harvard University Press.

Isaacs, K.R., Anderson, B.J., Alcantara, A.A., Black, J.E., & Greenough, W.T. (1992). Exercise and the brain: Angiogenesis in the adult rat cerebellum after vigorous physical activity and motor skill learning. *Journal of Cerebral Blood Flow and Metabolism* 12: 110-119.

Kerns, J.G., Cohen, J.D., MacDonald, A.W. III, Cho, R.Y., Stenger, V.A., & Carter, C.S. (2004). Anterior cingulate conflict monitoring and adjustments in control. *Science* 303: 1023-1026.

Klenberg, L., Korkman, M., & Lahti-Nuuttila, P. (2001). Differential development of attention and executive functions in 3-12 year old Finnish children. *Developmental Neuropsychology* 20: 407-428.

Knight, R.T. (1984). Decreased response to novel stimuli after prefrontal lesions in man. *Electroencephalography and Clinical Neurophysiology* 52: 9-20.

Knight, R.T. (1996). Contributions of human hippocampal region to novelty detection. *Nature* 383: 256-259.

Knight, R.T. (1997). Distributed cortical network for visual attention. *Journal of Cognitive Neuroscience* 9: 75-91.

Kramer, A.F., Colcombe, S.J., McAuley, E., Scalf, P.E., & Erickson, K.I. (2005). Fitness, aging, and neurocognitive function. *Neurobiology of Aging* 26: 124-127.

Kramer, A.F., Hahn, S., & Gopher, D. (1999). Task coordination and aging: Explorations of executive control processes in the task switching paradigm. *Acta Physiologica Scandinavica* 101: 339-378.

Kramer, A.F., & Hillman, C.H. (2006). Aging, physical activity, and neurocognitive function. In E. Acevedo & P. Ekkekakis (Eds.), *Psychobiology of physical activity* (pp. 45-59). Champaign, IL: Human Kinetics.

Kramer, A.F., Humphrey, D.G., Larish, J.F., Logan, G.B., & Strayer, D.L. (1994). Aging and inhibition: Beyond a unitary view of inhibitory processing in attention. *Psychology and Aging*, 9, 491-512.

Kramer, A.F., & Kray, J. (2006). Aging and attention. In E. Bialystok & F.I.M. Craik (Eds.), *Lifespan cognition: Mechanisms of change* (pp. 57-69). New York: Oxford University Press.

Kramer, A.F., Sowon, H., Cohen, N.J., Banich, M.T., McAuley, E., Harrison, C.R., Chason, J., Vakil, E., Bardell, L., Boileau, R.A., & Colcombe, A. (1999). Ageing, fitness, and neurocognitive function. *Nature* 400: 418-419.

Luciana, M., & Nelson, C.A. (1998). The functional emergence of prefrontally-guided working memory systems in four- to eight-year-old children. *Neuropsychologia* 36: 273-293.

Luck, S.J. (2005). *An introduction to the event-related potential technique*. Cambridge, MA: MIT Press.

Luria, A.R. (1973). *The working brain: An introduction to neuropsychology.* New York: Basic Books.

MacDonald, A.W., Cohen, J.D., Stenger, V.A., & Carter, C.S. (2000). Dissociating the role of dorsolateral prefrontal and anterior cingulate cortex in cognitive control. *Science* 288: 1835-1838.

MacLeod, C.M. (1991). Half a century of research on the Stroop effect: An integrative review. *Psychological Bulletin* 109: 163-203.

MacRae, P.G., Spirduso, W.W., Cartee, G.D., Farrar, R.P., & Wilcox, R.E. (1987). Endurance training effects on striatal D_2 dopamine receptor binding and striatal dopamine metabolite levels. *Neuroscience Letters* 79: 138-144.

Mathewson, K.J., Dywan, J., & Segalowitz, S.J. (2005). Brain bases of error-related ERPs as influenced by age and task. *Biological Psychology* 70: 88-104.

McDowell, K., Kerick, S.E., Santa Maria, D.L., & Hatfield, B.D. (2003). Aging, physical activity, and cognitive processing: An examination of P300. *Neurobiology of Aging* 24: 597-606.

Meeusen, R, Smolders, I., Sarre, S., De Meirleir, K, Keizer, H., Serneels, M., Ebinger, G., & Michotte, Y. (1997). Endurance training effects on neurotransmitter release in rat striatum: An in vivo micro dialysis study. Acta Physiologica Scandinavica 159: 335-341.

Meyer, D.E., & Kieras, D.E. (1997). A computational theory of executive cognitive processes and multi-task performance: Part 1. Basic mechanisms. *Psychological Review* 104: 3-65.

Miltner, W.H.R, Lemke, U., Weiss, T., Holroyd, C., Scheffers, M.K., & Coles, M.G.H. (2003). Implementation of error-processing in the human anterior cingulated cortex: A source analysis of the magnetic equivalent of the error-related negativity. *Biological Psychology* 64: 157-166.

Miyake, A., Friedman, N.P., Emerson, M.J., Witzki, A.H., & Howerter, A. (2000). The unity and diversity of executive functions and their contributions to complex "frontal lobe" tasks: A latent variable analysis. *Cognitive Psychology* 41: 49-100.

Neeper, S.A., Gomez-Pinilla, F., Choi, J., & Cotman, C. (1995). Exercise and brain neurotrophins. *Nature* 373: 109.

Nieuwenhuis, S., Ridderinkhof, K.R, Blom, J., Band, G.P.H., & Kok, A. (2001). Error-related brain potentials are differentially related to awareness of response errors: Evidence from an antisaccade task. *Psychophysiology* 38: 752-760.

Norman, D.A., & Shallice, T. (1986). Attention to action: Willed and automatic control of behavior. In R.J. Davidson, G.E. Schwartz, & D. Shapiro (Eds.), *Consciousness and self-regulation: Vol. 4. Advances in research and theory* (pp. 1-18). New York: Plenum Press.

O'Donnell, B.F., Friedman, S., Swearer, J.M., & Drachman, D.A. (1992). Active and passive P3 latency and psychometric performance: Influence of age and individual differences. *International Journal of Psychophysiology* 12: 187-195.

Park, D.C., Lautenschlager, G., Hedden, T., Davidson, N.S., Smith, A.D., & Smith, P.K (2002). Models of visuospatial and verbal memory across the adult life span. *Psychology and Aging* 17: 299-320.

Parnpiansil, P., Jutapakdeegul, N., Chentanez, T., & Kotchabhakdi, N. (2003). Exercise during pregnancy increases hippocampal brain-derived neurotrophic factor mRNA expression and spatial learning in neonatal rat pup. *Neuroscience Letters* 352: 45-48.

Picton, T.W., Stuss, D.T., Champagne, S.C., & Nelson, R.F. (1984). The effects of age on human event-related potentials. *Psychophysiology* 21: 312-325.

Polich, J. (1997). EEG and ERP assessment of normal aging. *Electroencephalography and Clinical Neurophysiology* 104: 244-256.

Polich, J. (2004). Clinical applications of the P300 event-related brain potential. *Physical Medicine and Rehabilitation Clinics of North America* 15: 133-161.

Polich, J., & Heine, M.R.D. (1996). P3 topography and modality effects from a single-stimulus paradigm. *Psychophysiology* 33: 747-752.

Polich, J., & Lardon, M. (1997). P300 and long term physical exercise. *Electroencephalography and Clinical Neurophysiology* 103: 493-498.

Posner, M.I. (1992). Attention as a cognitive neural system. *Current Directions in Psychological Science* 1: 11-14.

Posner, M.I., & Petersen, S.E. (1990). The attention system of the human brain. *Annual Review of Neuroscience* 13: 25-42.

Rabbitt, P.M.A. (1966). Error correction time without external error signals. *Nature* 212: 438.

Rabbitt, P.M.A. (2002). Consciousness is slower than you think. *Quarterly Journal of Experimental Psychology* 55A: 1081-1092.

Rabbitt, P.M.A., Cumming, G., & Vyas, S.M. (1978). Some errors of perceptual analysis in visual search can be detected and corrected. *Quarterly Journal of Experimental Psychology* 30: 319-332.

Raz, N. (2000). Aging of the brain and its impact on cognitive performance: Integration of structural and functional findings. In F.I.M. Craik & T.A. Salthouse (Eds.), The handbook of aging and cognition (2nd ed., pp. 1-90). Mahwah, NJ: Erlbaum.

Rhyu, I.J., Boklewski, J., Ferguson, B., Lee, K., Lange, H., Bytheway, J., Lamb, J., McCormick, K., Williams, N., Cameron, J., & Greenough, W.T. (2003). Exercise training associated with increased cortical vascularization in adult female cynomologus monkeys. *Society for Neuroscience Abstracts* 920: 1.

Robbins, T.W., James, M., Owen, A.M., Shaakian, B.J., Lawrence, A.D., McInnes, L., & Rabbit, P.M.A. (1998). A study of performance from tests from the CANTAB battery sensitive to frontal lobe dysfunction in a large sample of normal volunteers: Implications for theories of executive functioning and cognitive aging. *Journal of the International Neuropsychological Society* 4: 474-490.

Rogers, R.D., & Monsell, S. (1995). Costs of a predictable switch between simple cognitive tasks. *Journal of Experimental Psychology: General* 124: 207-231.

Rueda, M.R, Fan, J., McCandliss, B.D., Halparin, J.D., Gruber, D.B., Lercari, L.P., & Posner, M.I. (2004). Development of attentional networks in childhood. *Neuropsychologia* 42: 1029-1040.

Salat, D.H., Buckner, R.L., Snyder, A.Z., Greve, D.N., Desikan, R.S., Busa, E., et al. (2004). Thinning of the cerebral cortex in aging. *Cerebral Cortex* 14: 721-730.

Scheffers, M.K., Coles, M.G.H., Bernstein, P., Gehring, W.J., &, Donchin, E. (1996). Event-related brain potentials and error-related processing: An analysis of incorrect responses to go and no-go stimuli. *Psychophysiology* 33: 42-53.

Schretlen, D., Pearlson, G.D., Anthony, J.C., Aylward, E.H., Augustine, A.M., Davis, A., & Barta, P. (2000). Elucidating the contributions of processing speed, executive ability, and frontal lobe volume to normal age-related differences in fluid intelligence. *Journal of the International Neuropsychological Society* 6: 52-61.

Sibley, B.A., & Etnier, J.L. (2003). The relationship between physical activity and cognition in children: A meta-analysis. *Pediatric Exercise Science*, 15, 243-256.

Siegler, R.S. (1998). *Children's thinking*. Upper Saddle River, NJ: Prentice Hall.

Spencer, K.M., & Coles, M.G.H. (1999). The lateralized readiness potential: Relationship between human data and response activation in a connectionist model. *Psychophysiology* 36: 364-370.

Spirduso, W.W., & Farrar, R.P. (1981). Effects of aerobic training on reactive capacity: An animal model. *Journal of Gerontology* 35: 654-662.

Squire, L.R., & Kandell, E.R. (1999). *Memory from mind to molecules*. New York: Scientific American Library.

Sutton, S., Braren, M., Zubin, J., & John, E.R. (1965). Evoked potential correlates of stimulus uncertainty. *Science* 150: 1187-1188.

Swain, R.A., Harris, A.B., Wiener, E.C., Dutka, M.V., Morris, H.D., Theien, B.E., Konda, S., Engberg, K., Lauterbur, P.C., & Greenough, W.T. (2003). Prolonged exercise induces angiogenesis and increases cerebral blood volume in primary motor cortex of the rat. *Neuroscience* 117: 1037-1046.

Tekok-Kilic, A., Shucard; J.L., & Shucard, D.W. (2001). Stimulus modality and Go/NoGo effects on P3 during parallel visual and auditory continuous performance tasks. *Psychophysiology* 38: 578-589.

Themanson, J.R, & Hillman, C.H. (2006). Cardiorespiratory fitness and acute aerobic exercise effects on neuroelectric and behavioral measures of action monitoring. *Neuroscience* 141: 757-767.

Themanson, J.R, Hillman, C.H., & Curtin, J.J. (2006). Age and physical activity influences on neuroelectric indices of action monitoring during task switching. *Neurobiology of Aging* 27: 1335-1345.

Van Loon, G.R, Schwartz, L., & Sole, M.J. (1979). Plasma dopamine response to standing and exercise in man. *Life Sciences* 24: 2273-2278.

van Veen, V., & Carter, C.S. (2002). The timing of action-monitoring processes in the anterior cingulated cortex. *Journal of Cognitive Neuroscience*, 14, 593-602.

Wang, G.J., Volkow, N.D., Fowler, J.S., Franceschi, D., Logan, J., Pappas, N.R., Wong, C.T., & Netusil, N. (2000). PET studies of the effects of aerobic exercise on human striatal dopamine release. *Journal of Nuclear Medicine*, 41, 1352-1356.

Welk, G.J., Morrow, J.R.J., & Falls, H.B. (2002). *Fitnessgram reference guide*. Dallas: Cooper Institute.

West, R. L. (1996). An application of prefrontal cortex function theory to cognitive aging. *Psychological Bulletin* 120: 272-292.

Yeung, N., Cohen, J.D., & Botvinick, M.M. (2004). The neural basis of error detection: Conflict monitoring and the error-related negativity. *Psychological Review* 111: 931-959.

Young, D.R., Jee, S.H., & Appel, L.J. (2001). A comparison of the Yale Physical Activity Survey with other physical activity measures. *Medicine and Science in Sports and Exercise* 33: 955-961.

Zacks, R.T., & Hasher, L. (2006). Aging and long-term memory: Deficits are not inevitable. In E. Bialystok & F.I.M. Craik (Eds.), *Lifespan cognition: Mechanisms of change* (pp. 162-177). New York: Oxford University Press.

Zeef, E.J., Sonke, C.J., Kok, A., Buiten, M.M., & Kenemans, J.L. (1996). Perceptual factors affecting age-related differences in focused attention: Performance and psychophysiological analyses. *Psychophysiology* 33: 555-565.

Zelazo, P.D., Craik, F.I.M., & Booth, L. (2004). Executive function across the life span. *Acta Psychologica* 115: 167-183.

7장

Biacabe, B., Chevallier, J.M., Avan, P., & Bonfils, P. (2001). Functional anatomy of auditory brainstem nuclei: application to the anatomical basis of brainstem auditory evoked potentials. Auris, Nasus. *Larynx* 28: 85-94.

Bokura, H., Yamaguchi, S., & Kobayashi, S. (2001). Electrophysiological correlates for response inhibition in a Go/NoGo task. *Clinical Neurophysiology* 112: 2224-2232.

Bruin, K.J., Wijers, A.A., & van Staveren, A.S. (2001). Response priming in a go/nogo task: do we have to explain the go/nogo N2 effect in terms of response activation instead of inhibition? *Clinical Neurophysiology* 112: 1660-1671.

Carter, C.S., Macdonald, A.M., Botvinick, M., Ross, L.L., Stenger, V.A., Noll, D., et al. (2000). Parsing executive processes: strategic vs. evaluative functions of the anterior cingulate cortex. *Proceedings of the National Academy of Sciences USA* 97: 1944-1948.

Chmura, J., Krysztofiak, H., Ziemba, A.W., Nazar, K., & Kaciuba-Uscilko, H. (1998). Psychomotor performance during prolonged exercise above and below the blood lactate threshold. *European Journal of Applied Physiology and Occupational Physiology* 77: 77-80.

Chmura, J., Nazar, K., & Kaciuba-Uscilko, H. (1994). Choice reaction time during graded exercise in relation to blood lactate and plasma catecholamine thresholds. *International Journal of Sports Medicine* 15: 172-176.

Chodzko-Zajko, W.J. (1991). Physical fitness, cognitive performance, and aging. *Medicine and Science in Sports and Exercise* 23: 868-872.

Chwilla, D.J., & Brunia, C.H. (1991). Event-related potentials to different feedback stimuli. *Psychophysiology* 28: 123-132.

Collardeau, M., Brisswalter, J., Vercruyssen, F, Audiffren, M., & Goubault, C. (2001). Single and choice reaction time during prolonged exercise in trained subjects: influence of carbohydrate availability. *European Journal of Applied Physiology and Occupational Physiology* 86: 150-156.

Crowley, K.E., & Colrain, I.M. (2004). A review of the evidence for P2 being an independent component process: age, sleep and modality. *Clinical Neurophysiology* 115: 732-744.

Davies, P.L., Segalowitz, S.J., Dywan, J., & Pailing, P.E. (2001). Error-negativity and positivity as they relate to other ERP indices of attentional control and stimulus processing. *Biological Psychology* 56: 191-206.

Donchin, E., & Coles, M.G.H. (1988). Is the P300 component a manifestation of context updating? *Behavioral and Brain Sciences* 11: 357-427.

Duzova, H., Ozisik, H.I., Polat, A., Emre, M.H., & Gullu, E. (2005). Correlations between event-related potential components and nitric oxide in maximal anaerobic exercise among sportsmen trained at various levels. *International Journal of Neuroscience* 115: 1353-1373.

Emery, C.F., Honn, V.J., Frid, D.J., Lebowitz, K.R., & Diaz, P.T. (2001). Acute effects of exercise on cognition in patients with chronic obstructive pulmonary disease. *American Journal of Respiratory and Critical Care Medicine* 164: 1624-1627.

Eriksen, C.W., & Eriksen, B.A. (1974). Effects of noise letters upon the identification letter in a non-search task. *Perception and Psychophysics* 16: 143-149.

Eriksen, C.W., & Schultz, D.W. (1979). Information processing in visual search: a continuous flow conception and experimental results. *Perception and Psychophysics* 25: 249-263.

Falkenstein, M., Hoormann, J., Christ, S., & Hohnsbein, J. (2000). ERP components on reaction errors and their functional significance: a tutorial. *Biological Psychology* 51: 87-107.

Falkenstein, M., Hoormann, J., & Hohnsbein, J. (1999). ERP components in Go/Nogo tasks and their relation to inhibition. *Acta Psychologica* 101: 267-291.

Fallgatter, A.J., & Strik, W.K. (1999). The NoGo-anteriorization as a neurophysiological standard-index for cognitive response control. *International Journal of Psychophysiology* 32: 233-238.

Funahashi, S. (2001). Neuronal mechanisms of executive control by the prefrontal cortex. *Neuroscience Research* 39: 147-165.

Geisler, M.W., & Polich, J. (1990). P300 and time of day: circadian rhythms, food intake, and body temperature. *Biological Psychology* 31: 117-136.

Grego, F., Vallier, J.M., Collardeau, M., Bermon, S., Ferrari, P., Candito, M., et al. (2004). Effects of long duration exercise on cognitive function, blood glucose, and counterregulatory hormones in male cyclists. *Neuroscience Letters* 364: 76-80.

Gutin, B., & DiGennaro, J. (1968a). Effect of a treadmill run to exhaustion on performance of long addition. *Research Quarterly* 39: 958-964.

Gutin, B., & DiGennaro, J. (1968b). Effect of one-minute and five-minute step-ups on performance of simple addition. *Research Quarterly* 39: 81-85.

Hatta, A., Nishihira, Y., Kim, S.R., Kaneda, T., Kida, T., Kamijo, K., et al. (2005). Effects of habitual moderate exercise on response processing and cognitive processing in older adults. *Japanese Journal of Physiology* 55: 29-36.

Higuchi, S., Watanuki, S., & Yasukouchi, A. (1997). Effects of reduction in arousal level caused by long-lasting task on CNV. *Applied Human Science* 16: 29-34.

Higuchi, S., Watanuki, S., Yasukouchi, A., & Sato, M. (1997). Effects of changes in arousal level by continuous light stimulus on contingent negative variation (CNV). *Applied Human Science* 16: 55-60.

Hillman, C.H., Belopolsky, A.V., Snook, E.M., Kramer, A.F., & McAuley, E. (2004). Physical activity and executive control: implications for increased cognitive health during older adulthood. *Research Quarterly for Exercise and Sport* 75: 176-185.

Hillman, C.H., Kramer, A.F., Belopolsky, A.V., & Smith, D.P. (2006). A cross-sectional examination of age and physical activity on performance and eventrelated brain potentials in a task switching paradigm. *International Journal of Psychophysiology* 59: 30-39.

Hillman, C.H., Snook, E.M., & Jerome, G.J. (2003). Acute cardiovascular exercise and executive control function. *International Journal of Psychophysiology* 48: 307-314.

Hillman, C.H., Weiss, E.P., Hagberg, J.M., & Hatfield, B.D. (2002). The relationship of age and cardiovascular fitness to cognitive and motor processes. *Psychophysiology* 39: 303-312.

Holroyd, C.B., & Coles, M.G. (2002). The neural basis of human error processing: reinforcement learning, dopamine, and the error-related negativity. *Psychological Review* 109: 679-709.

Hruby, T., & Marsalek, P. (2003). Event-related potentials — the P3 wave. *Acta Neurobiologiae Experimentalis* 63: 55-63.

Irwin, D.A., Knott, J.R., McAdam, D.W., & Rebert, C.S. (1966). Motivational determinants of the "contingent negative variation." *Electroencephalography and Clinical Neurophysiology* 21: 538-543.

Kamijo, K., Nishihira, Y., Hatta, A., Kaneda, T., Kida, T., Higashiura, T., et al. (2004a). Changes in arousal level by differential exercise intensity. *Clinical Neurophysiology* 115: 2693-2698.

Kamijo, K., Nishihira, Y., Hatta, A., Kaneda, T., Wasaka, T., Kida, T., et al. (2004b). Differential influences of exercise intensity on information processing in the central nervous system. *European Journal of Applied Physiology and Occupational Physiology* 92: 305-311.

Kida, T., Nishihira, Y., Hatta, A., Wasaka, T., Tazoe, T., Sakajiri, Y., et al. (2004). Resource allocation and somatosensory P300 amplitude during dual task: effects of tracking speed and predictability of tracking direction. *Clinical Neurophysiology* 115: 2616-2628.

Kjaer, M. (1989). Epinephrine and some other hormonal responses to exercise in man: with special reference to physical training. *International Journal of Sports Medicine* 10: 2-15.

Kjaer, M., Farrell, P.A., Christensen, N.J., & Galbo, H. (1986). Increased epinephrine response and inaccurate glucoregulation in exercising athletes. *Journal of Applied Physiology* 61: 1693-1700.

Kopp, B., Rist, F., & Mattler, U. (1996). N200 in the flanker task as a neurobehavioral tool for investigating executive control. *Psychophysiology* 33: 282-294.

Kramer, A.F., & Hillman, C.H. (2006). Aging, physical activity, and neurocognitive function. In E. Acevedo & P. Ekkekakis (Eds.), *Psychobiology of Physical Activity* (pp. 45-59). Champaign, IL: Human Kinetics.

Kramer, A.F., Humphrey, D.G., Larish, J.F., Logan, G.D., & Strayer, D.L. (1994). Aging and inhibition: beyond a unitary view of inhibitory processing in attention. *Psychology and Aging* 9: 491-512.

Kramer, A.F., & Jacobson, A. (1991). Perceptual organization and focused attention: the role of objects and proximity in visual processing. *Perception and Psychophysics* 50: 267-284.

Kutas, M., & Federmeier, K.D. (2000). Electrophysiology reveals semantic memory use in language comprehension. *Trends in Cognitive Sciences* 4: 463-470.

Lew, G.S., & Polich, J. (1993). P300, habituation, and response mode. *Physiology and Behavior* 53: 111-117.

Loveless, N.E., & Sanford, A.J. (1974). Slow potential correlates of preparatory set. *Biological Psychology* 1: 303-314.

Magnié, M. N., Bermon, S., Martin, F., Madany-Lounis, M., Gastaud, M., & Dolisi, C. (1998). Visual and brainstem auditory evoked potentials and maximal aerobic exercise: does the influence of exercise persist after body temperature recovery? *International Journal of Sports Medicine* 19: 255-259.

Magnié, M.N., Bermon, S., Martin, F., Madany-Lounis, M., Suisse, G., Muhammad, W., et al. (2000). P300, N400, aerobic fitness, and maximal aerobic exercise. *Psychophysiology* 37: 369-377.

Mathewson, K.J., Dywan, J., & Segalowitz, S.J. (2005). Brain bases of error related ERPs as influenced by age and task. *Biological Psychology* 70: 88-104.

McCallum, W.C., Papakostopoulos, D., Gombi, R., Winter, A.L., Cooper, R, & Griffith, H.B. (1973). Event related slow potential changes in human brain stem. *Nature* 242: 465-467.

McCarthy, G., & Donchin, E. (1981). A metric for thought: a comparison of P300 latency and reaction time. *Science* 211: 77-80.

McMorris, T., & Graydon, J. (2000). The effect of incremental exercise on cognitive performance. *International Journal of Sport Psychology* 31: 66-81.

Meyer, D.E., & Kieras, D.E. (1997). A computational theory of executive cognitive processes and multiple-task performance: part 1. Basic mechanisms. *Psychological Review* 104: 3-65.

Molloy, D.W., Beerschoten, D.A., Borrie, M. J., Crilly, R.G., & Cape, R.D. (1988). Acute effects of exercise on neuropsychological function in elderly subjects. *Journal of the American Geriatrics Society* 36: 29-33.

Näätänen, R. (1990). The role of attention in auditory information processing as revealed by event-related potentials and other brain measures of cognitive function. *Behavioral Brain Sciences* 13: 201-288.

Nakamura, Y., Nishimoto, K., Akamatu, M., Takahashi, M., & Maruyama, A. (1999). The effect of jogging on P300 event related potentials. *Electromyography and Clinical Neurophysiology* 39: 71-74.

Nielsen, B., Hyldig, T., Bidstrup, F., Gonzalez-Alonso, J., & Christoffersen, G.R. (2001). Brain activity and fatigue during prolonged exercise in the heat. *Pflugers Archive European Journal of Physiology* 442: 41-48.

Norman, D.A., & Shallice, T. (1986). Attention to action: willed and automatic control of behavior. In R.J. Davidson, G.E. Schwartz, & D. Shapiro (Eds.), *Consciousness and self-regulation* (pp. 1-18). New York: Plenum Press.

Ozmerdivenli, R., Bulut, S., Bayar, H., Karacabey, K., Ciloglu, F., Peker, I., et al. (2005).

Effects of exercise on visual evoked potentials. *International Journal of Neuroscience* 115: 1043-1050.

Perner, J., & Lang, B. (1999). Development of theory of mind and executive control. *Trends in Cognitive Sciences* 3: 337-344.

Pfefferbaum, A., Ford, J., Johnson, R., Jr., Wenegrat, B., & Kopell, B.S. (1983). Manipulation of P3 latency: speed vs. accuracy instructions. *Electroencephalography and Clinical Neurophysiology* 55: 188-197.

Picton, T.W., Bentin, S., Berg, P., Donchin, E., Hillyard, S.A., Johnson, R., Jr., et al. (2000). Guidelines for using human event-related potentials to study cognition: recording standards and publication criteria. *Psychophysiology* 37: 127-152.

Picton, T.W., & Low, M.D. (1971). The CNV and semantic content of stimuli in the experimental paradigm: effects of feedback. *Electroencephalography and Clinical Neurophysiology* 31: 451-456.

Polich, J., & Kok, A. (1995). Cognitive and biological determinants of P300: an integrative review. *Biological Psychology* 41: 103-146.

Pontifex, M.B., & Hillman, C.H. (2007). Neuroelectric and behavioral indices of interference control during acute cycling. *Clinical Neurophysiology* 118: 570-580.

Ravden, D., & Polich, J. (1998). Habituation of P300 from visual stimuli. *International Journal of Psychophysiology* 30: 359-365.

Schubert, M., Johannes, S., Koch, M., Wieringa, B.M., Dengler, R, & Munte, T.F. (1998). Differential effects of two motor tasks on ERPs in an auditory classification task: evidence of shared cognitive resources. *Neuroscience Research* 30: 125-134.

Sjoberg, H. (1980). Physical fitness and mental performance during and after work. *Ergonomics* 23: 977-985.

Stones, M.J., & Dawe, D. (1993). Acute exercise facilitates semantically cued memory in nursing home residents. *Journal of the American Geriatrics Society* 41: 531-534.

Tecce, J.J. (1972). Contingent negative variation (CNV) and psychological processes in man. *Psychological Bulletin* 77: 73-108.

Tecce, J.J., Savignano-Bowman, J., & Meinbresse, D. (1976). Contingent negative variation and the distraction-arousal hypothesis. *Electroencephalography and Clinical Neurophysiology* 41: 277-286.

Themanson, J.R., & Hillman, C.H. (2006). Cardiorespiratory fitness and acute aerobic exercise effects on neuroelectric and behavioral measures of action monitoring. *Neuroscience* 141: 757-767.

Thomas, C.J., Jones, J.D., Scott, P.D., & Rosenberg, M.E. (1991). The influence of exercise-induced temperature elevations on the auditory brain-stem response (ABR). *Clinical Otolaryngology and Allied Sciences* 16: 138-141.

Tomporowski, P.D. (2003). Effects of acute bouts of exercise on cognition. *Acta Psychologica* 112: 297-324.

Tomporowski, P.D., & Ellis, N.R. (1986). Effects of exercise on cognitive processes: a review. *Psychological Bulletin* 99: 338-346.

Tomporowski, P.D., Ellis, N.R., & Stephens, R. (1987). The immediate effects of strenuous exercise on free-recall memory. *Ergonomics* 30: 121-129.

Travlos, A.K., & Marisi, D.Q. (1995). Information processing and concentration as a function of fitness level and exercise-induced activation to exhaustion. *Perceptual and Motor Skills* 80: 15-26.

Van Boxtel, G.J., & Brunia, C. H. (1994). Motor and non-motor aspects of slow brain potentials. *Biological Psychology* 38: 37-51.

Van Boxtel, G.J., Geraats, L.H., Van den Berg-Lenssen, M.M., & Brunia, C.H. (1993).

Detection of EMG onset in ERP research. *Psychophysiology* 30: 405-412.

Van Petten, C., & Luka, B.J. (2006). Neural localization of semantic context effects in electromagnetic and hemodynamic studies. *Brain and Language* 97: 279-293.

Van Veen, V., & Carter, C.S. (2002). The timing of action-monitoring processes in the anterior cingulate cortex. *Journal of Cognitive Neuroscience* 14: 593-602.

Vogel, E.K., & Luck, S.J. (2000). The visual N1 component as an index of a discrimination process. *Psychophysiology* 37: 190-203.

Walsh, P., Kane, N., & Butler, S. (2005). The clinical role of evoked potentials. *Journal of Neurology, Neurosurgery, and Psychiatry* 76: 16-22.

Walter, W.G., Cooper, R., Aldridge, V.J., McCallum, W.C., & Winter, A.L. (1964). Contingent negative variation: an electric sign of sensorimotor association and expectancy in the human brain. *Nature* 203: 380-384.

Weerts, T.C., & Lang, P.J. (1973). The effects of eye fixation and stimulus and response location on the contingent negative variation (CNV). *Biological Psychology* 1: 1-19.

Yagi, Y., Coburn, K.L., Estes, K.M., & Arruda, J.E. (1999). Effects of aerobic exercise and gender on visual and auditory P300, reaction time, and accuracy. *European Journal of Applied Physiology and Occupational Physiology* 80: 402-408.

Yeung, N., Cohen, J.D., & Botvinick, M.M. (2004). The neural basis of error detection: conflict monitoring and the error-related negativity. *Psychological Review* 111: 931-959.

8장

Archer, J.S., Love-Geffen, T.E., Herbst-Damm, K.L., Swinney, D.A., Chang, J.R. (2006). Effect of estradiol versus estradiol and testosterone on brain-activation patterns in postmenopausal women. *Menopause* 13(3): 528-537.

Bartenstein, P., Minoshima, S., Hirsch, C., Buch, K., Willoch, F., Mosch, D., Schad, D., Schwaiger, M., Kurz, A. (1997). QuantitatIve assessment of cerebral blood flow in patients with Alzheimer's disease by SPECT. *J Nucl Med* 38(7): 1095-1101.

Bentourkia, M., Bol, A., Ivanoiu, A., Labar, D., Sibomana, M., Coppens, A., Michel, C., Cosnard, G., De Volder, A.G. (2000). Comparison of regional blood flow and glucose metabolism in the normal brain: effect of aging. *J Neurol Sci* 181(1-2): 19-28.

Berchtold, N.C., Kesslak, J.P., Pike, C.J., Adlard, P.A., Cotman, C.W. (2001). Estrogen and exercise interact to regulate brain -derived neurotrophic factor mRNA and protein expression in the hippocampus. *Eur J Neurosci* 14(12): 1992-2002.

Biver, F., Lotstra, F., Monclus, M., Dethy, S., Damhaut, P., Wikler, D., Luxen, A., Goldman, S. (1997). In vivo binding of [18F] altanserin to rat brain 5HT2 receptors: a film and electronic autoradiographic study. *Nucl Med Biol* 24(4): 357-360.

Boccardi, M., Ghidoni, R, Govoni, S., Testa, C., Benussi, L., Bonetti, M., Binetti, G., Frisoni, G.B. (2006). Effects of hormone therapy on brain morphology of healthy postmenopausal women: a voxel-based morphometry study. *Menopause* 13(4): 584-591.

Bonte, F.J., Ross, E.D., Chehabi, H.H., Devous, M.D. (1986). SPECT study of regional cerebral blood flow in Alzheimer disease. *J Comput Assist Tomogr* 10(4): 579-583.

Brand, A., Richter-Landsberg, C., Leibfritz, D. (1993). Multinuclear NMR studies on the energy metabolism of glial and neuronal cells. *Dev Neurosci* 15: 289-298.

Brooks, J.C., Roberts, N., Kemp, G.J., Gosney, M.A., Lye, M., Whitehouse, G.H. (2001). A proton magnetic resonance spectroscopy study of age-related changes in frontal lobe metabolite concentrations. *Cereb Cortex* 11 (7): 598-605.

Buckner, R.L., Snyder, A.Z., Shannon, B.J., LaRossa, G., Sachs, R., Fotenos, A.F., Sheline, Y.I., Klunk, W.E., Mathis, C.A., Morris, J.C., Mintun, M.A. (2005). Molecular, structural, and functional characterization of Alzheimer's disease: evidence for a relationship between default activity, amyloid, and memory. *J Neurosci* 25(34): 7709-7717.

Calvaresi, E., & Bryan, J. (2001). B vitamins, cognition, and aging: a review. *J Gerontol B Psychol Sci Soc Sci* 56(6): 327-339.

Chang, L., Ernst, T., Poland, R.E., Jenden, D.J. (1996). In vivo proton magnetic resonance spectroscopy of the normal aging human brain. *Life Sci* 58: 2049-2056.

Chantal, S., Braun, C.M., Bouchard, R.W., Labelle, M., Boulanger, Y. (2004). Similar 1H magnetic resonance spectroscopic metabolic pattern in the medial temporal lobes of patients with mild cognitive impairment and Alzheimer's disease. *Brain Res* 1003(1-2): 26-35.

Colcombe, S.J., & Kramer, A.F. (2003). Fitness effects on the cognitive function of older adults: a meta-analytic study. *Psychol Science* 14: 125-130.

Colcombe, S.J., Kramer, A.F., Erickson, K.I., Scalf, P. (2005). The implications of cortical recruitment and brain morphology for individual differences in inhibitory function in aging humans. *Psychol Aging* 20(3): 363-375.

Colcombe, S.J., Kramer, A.F., Erickson, K.I., Scalf, P., McAuley, E., Cohen, N.J., Webb, A., Jerome, G.J., Marquez, D.X., Elavsky, S. (2004). Cardiovascular fitness, cortical plasticity, and aging. *Proc Natl Acad Sci USA* 101 (9): 3316-3321.

Cook, I.A., Morgan, M.L., Dunkin, J.J., David, S., Witte, E., Lufkin, R, Abrams, M., Rosenberg, S., Leuchter, A.F. (2002). Estrogen replacement therapy is associated with less progression of subclinical structural brain disease in normal elderly women: a pilot study. *Int J Geriat Psychiatry* 17(7): 610-618.

Cyr, M., Bosse, R., Di Paolo, T. (1998). Gonadal hormones modulate 5-hydroxytryptamine 2A receptors: emphasis on the rat frontal cortex. *Neuroscience* 83(3): 829-836.

Duka, T., Tasker, R., McGowan, J.F. (2000). The effects of 3-weekestrogenhormone replacement on cognition in elderly healthy females. *Psychopharmacology* (Berl.) 149(2): 129-139.

Eberling, J.L., Jagust, W.J., Reed, B.R, Baker, M.G. (1992). Reduced temporal lobe blood flow in Alzheimer's disease. *Neurobiol Aging* 13(4): 483-491.

Eberling, J.L., Reed, B.R., Baker, M.G., Jagust, W.J. (1993). Cognitive correlates of regional cerebral blood flow in Alzheimer's disease. *Arch Neurol* 50(7): 761-766.

Eberling, J.L., Reed, B.R., Coleman, J.E., Jagust, W.J. (2000). Effect of estrogen on cerebral glucose metabolism in postmenopausal women. *Neurology* 55(6): 875-877.

Eberling, J.L., Wu, C., Haan, M.N., Mungas, D., Buonocore, M., Jagust, W.J. (2003). Preliminary evidence that estrogen protects against age-related hippocampal atrophy. *Neurobiol Aging* 24(5): 725-732.

Eberling, J.L., Wu, C., Tong-Turnbeaugh, R., Jagust, W.J. (2004). Estrogen- and tamoxifen-associated effects on brain structure and function. *NeuroImage* 21(1): 364-371.

Erickson, K. I., Colcombe, S. J., Elavsky, S., McAuley, E., Korol, D. L., Scalf, P. E., Kramer, A. F. (2007a). Interactive effects of fitness and hormone treatment on brain health in postmenopausal women. *Neurobiol Aging* 28(2): 179-185.

Erickson, K.I., Colcombe, S.J., Raz, N., Korol, D.L., Scalf, P., Webb, A., Cohen, N.J., McAuley, E., Kramer, A.F. (2005). Selective sparing of brain tissue in postmenopausal women receiving hormone replacement therapy. *Neurobiol Aging* 26(8): 1205-1213.

Erickson, K.I., Colcombe, S.J., Wadhwa, R., Bherer, L., Peterson, M.S., Scalf, P.E., Kim, J.S., Alvarado, M., Kramer, A.F. (2007b). Training-induced plasticity in older adults: effects of training on hemispheric activity. *Neurobiol Aging* 28(2): 272-283.

Erickson, K.I., Pruis, T.A., Debrey, S.M., Bohacek, J., Korol, D.L. (2006). Estrogen and exercise interact to up-regulate BDNF levels in the hippocampus but not striatum of middle-aged Brown-Norway rats. Program No. 266.17. *Soc Neurosci Abstr.*

Ernst, T., Chang, L., Cooray, D., Salvador, C., Jovicich, J., Walot, I., Boone, K., Chlebowski, R. (2002). The effects of tamoxifen and estrogen on brain metabolism in elderly women. *J Natl Cancer Inst* 94(8): 592-597.

Friedland, R.P., Budinger, T.F., Ganz, E., Yano, Y., Mathis, C.A., Koss, B., Ober, B.A., Huesman, R.H., Derenzo, S.E. (1983). Regional cerebral metabolic alterations in dementia of the Alzheimer type: positron emission tomography with [18F] fluorodeoxyglucose. *J Compu Assist Tomogr* 7(4): 590-598.

Fukui, K., Omoi, N.O., Hayasaka, T., Shinnkai, T., Suzuki, S., Abe, K., Vrano, S. (2002). Cognitive impairment of rats caused by oxidative stress and aging, and its prevention by vitamin E. *Ann NY Acad Sci* 959: 275-284.

Funk, J., Mortel, K., Meyer, J. (1991). Effects of estrogen replacement therapy on cerebral perfusion and cognition among postmenopausal women. *Dementia* 2: 268-272.

Gibbs, R.B., & Gabor, R. (2003). Estrogen and cognition: applying preclinical findings to clinical perspectives. *J Neurosci Res* 74(5): 637-643.

Gibbs, R.B., Hashash, A., Johnson, D.A. (1997). Effects of estrogen on potassium-stimulated acetylcholine release in the hippocampus and overlying cortex of adult rats. *Brain Res* 749(1): 143-146.

Goekoop, R., Rombouts, S.A., Jonker, C., Hibbel, A., Knol, D. L., Truyen, L., Barkhof, F., Scheltens, P. (2004). Challenging the cholinergic system in mild cognitive impairment: a pharmacological fMRI study. *Neuro Image* 23(4): 1450-1459.

Gould, E., Woolley, C.S., Frankfurt, M., McEwen, B.S. (1990). Gonadal steroids regulate dendritic spine density in hippocampal pyramidal cells in adulthood. *J Neurosci* 10(4): 1286-1291.

Greenberg, D.L., Payne, M.E., MacFall, J.R., Provenzale, J.M., Steffens, D.C., Krishnan, R.R. (2006). Differences in brain volumes among males and female hormone-therapy users and nonusers. *Psychiatry Res* 147(2-3): 127-134.

Greene, R.A. (2000). Estrogen and cerebral blood flow: a mechanism to explain the impact of estrogen on the incidence and treatment of Alzheimer's disease. *Int J Fertil Women's Med* 45(4): 253-257.

Ha, D.M., Xu, J., Janowsky, J.S. (2007). Preliminary evidence that long-term estrogen use reduces white matter loss in aging. *Neurobiol Aging.* 28: 1936-1940.

Henderson, V.W. (2006). Estrogen-containing hormone therapy and Alzheimer's disease risk: understanding discrepant inferences from observational and experimental research. *Neuroscience* 138(3): 1031-1039.

Hogervorst, E., Williams, J., Budge, M., Riedel, W., Jolles, J. (2000). The nature of the effect of female gonadal hormone replacement therapy on cognitive function in post-menopausal women: a meta-analysis. *Neuroscience* 101 (3): 485-512.

Hogh, P., Knudsen, G. M., Kjaer, K.H., Jorgensen, O.S., Paulson, O.B., Waldemar, G. (2001). Single photon emission computed tomography and apolipoprotein E in Alzheimer's disease: impact of the epsilon4 allele on regional cerebral blood flow. *J Geriatr Psychiatry N eurol* 14(1): 42-51.

Hu, L., Yue, Y., Zuo, P.P., Jin, Z.Y., Feng, F., You, H., Li, M.L., Ge, Q.S. (2006). Evaluation of neuroprotective effects of long-term low dose hormone replacement therapy on postmenopausal women brain hippocampus using magnetic resonance scanner. *Chin Med Sci J* 21(4): 214-218.

Joffe, H., Hall, J.E., Gruber, S., Sarmiento, I.A., Cohen, L.S., Yurgelun-Todd, D., Martin, K.A. (2006). Estrogen therapy selectively enhances prefrontal cognitive processes: a randomized, double-blind, placebo-controlled study with functional magnetic resonance imaging in perimenopausal and recently postmenopausal women. *Menopause* 13(3): 411-422.

Kantarci, K., Smith, G.E., Ivnik, R.J., Peterson, R.C., Boeve, B.F., Knopman, D.S., Tangalos, E.G., Jack, C.R. (2002). 1H magnetic resonance spectroscopy, cognitive function, and apolipoprotein E genotype in normal aging, mild cognitive impairment and Alzheimer's disease. *J Int Neuropsychol Soc* 8(7): 934-942.

Korol, D.L. (2004). Role of estrogen in balancing contributions from multiple memory systems. *Neurobiol Learn Mem* 82(3): 309-323.

Korol, D.L., & Pruis, T.A. (2004). Estrogen and exercise modulate learning strategy in middle-aged female rats. Program No. 770.7. *Soc Neurosci Abstr.*

Kramer, A.F., & Erickson, K.I. (in press). Capitalizing on cortical plasticity: influence of physical activity on cognition and brain function. *Trends Cogn Sci.* E-pub ahead of print.

Krause, D.N., Duckles, S.P., Pelligrino, D.A. (2006). Influence of sex steroid hormones on cerebrovascular function. *J Appl Physiol* 101(4): 1252-1261.

Kugaya, A., Epperson, C.N., Zoghbi, S., van Dyck, C.H., Hou, Y., Fugita, M., Staley, J.K., Garg, P.K, Seibyl, J. P., Innis, RB. (2003). Increase in prefrontal cortex serotonin 2A receptors following estrogen treatment in postmenopausal women. *Am J Psychiatry* 160(8): 1522-1524.

Kuhl, D. E., Minoshima, S., Fessler, J. A., Frey, K. A., Foster, N. L., Ficaro, E. P., Wieland, D.M., Koeppe, R. A. (1996). In vivo mapping of cholinergic terminals in normal aging, Alzheimer's disease, and Parkinson's disease. *Ann Neurol* 40(3): 399-410.

Lemaire, C., Cantineau, R, Guillaume, M., Plenevaux, A., Christiaens, L. (1991). Fluorine-18-altanserin: a radioligand for the study of serotonin receptors with PET: radiolabeling and in vivo biologic behavior in rats. J Nucl Med 32(12): 2266-2272.

Lord, C., Buss, C., Lupien, S.J., Pruessner, J.C. (2006). Hippocampal volumes are larger in postmenopausal women using estrogen therapy compared to past users, never users and men: a possible window of opportunity effect. *Neurobiol Aging.* E-pub ahead of print.

Low, L.F., Anstey, K.J., Maller, J., Kumar, R, Wen, W., Lux, O., Salonikas, C., Naidoo, D., Sachdev, P. (2006). Hormone replacement therapy, brain volumes and white matter in postmenopausal women aged 60-64 years. *Neuroreport* 17(1): 101-104.

Lu, B., Pang, P.T., Woo, N.H. (2005). The yin and yang of neurotrophin action. *Nature Neuroscience* 6: 603-614.

Luine, V., Park, D., Joh, T., Reis, D., McEwen, B. (1980). Immunochemical demonstration of increased choline acetyltransferase concentration in rat preoptic area after estradiol administration. *Brain Res* 191 (1): 273-277.

Luoto, R., Manolio, T., Meilahn, E., Bhadelia, R., Furberg, C., Cooper, L., Kraut, M. (2000). Estrogen replacement therapy and MRI-demonstrated cerebral infarcts, white matter changes, and brain atrophy in older women: the Cardiovascular Health Study. *J Am Geriatr Soc* 48(5): 467-472.

Maki, P.M. (2006). Hormone therapy and cognitive function: is there a critical period for benefit? *Neuroscience* 138(3): 1027-1030.

Maki, P.M., & Resnick, S. M. (2000). Longitudinal effects of estrogen replacement therapy on PET cerebral blood flow and cognition. *Neurobiol Aging* 21: 373-383.

Martin, A.J., Friston, K.J., Colebatch, J.G., Frackowiak, R.S. (1991). Decreases in regional cerebral blood flow with normal aging. *J Cereb Blood Flow Metab* 11 (4): 684-689.

Maki, P.M., Zonderman, A.B., Resnick, S.M. (2001). Enhanced verbal memory in nondemented elderly women receiving hormone-replacement therapy. *Am J Psychiatry* 158(2): 227-233.

Marriott, L.K, Hauss-Wegrzyniak, B., Benton, R S., Vraniak, P., Wenk, G.L. (2002). Long term estrogen therapy worsens the behavioral and neuropathological consequences of chronic brain in flammation. *Behavioral Neuroscience* 116: 902-911.

Marriott, L.K, & Korol, D.L. (2003). Short-term estrogen treatment in ovariectomized rats augments hippocampal acetylcholine release during place learning. *Neurobiol Learn Mem* 80: 315-322.

Mega, M. ., Cummings, J.L., O'Conner, S.M., Dinov, I.D., Reback, E., Felix, J., Masterman, D.L., Phelps, M.E., Small, G.W., Toga, A.W. (2001). Cognitive and metabolic responses to metrifonate therapy in Alzheimer disease. *Neuropsychiatry Neuropsychol Behav Neurol* 14(1): 63-68.

Melamed, E., Lavy, S., Bentin, S., Cooper, G., Rinot, Y. (1980). Reduction in regional cerebral blood flow during normal aging in man. *Stroke* 11 (1): 31-35.

Meltzer, C.C., Smith, G., Price, J.C., Reynolds, C.F., Mathis, C.A., Greer, P., Lopresti, B., Mintun, M.A., Pollock, B.G., Ben-Eliezer, D., Cantwell, M.N., Kaye, W., DeKosky, S.T. (1998). Reduced binding of [l8F] altanserin to serotonin type 2A receptors in aging: persistence of effect after partial volume correction. *Brain Res* 813(1): 167-171.

Miller, M.M., Monjan, A.A., Buckholtz, N.S. (2001). Estrogen replacement therapy for the potential treatment or prevention of Alzheimer's disease. *Ann NY Acad Sci* 949: 223-234.

Mintun, M.A., Sheline, Y.I., Moerlein, S.M., Vlassenko, A.G., Huang, Y., Snyder, A.Z. (2004). Decreased hippocampal 5-HT2A receptor binding in major depressive disorder: in vivo measurement with [l8F] altanserin positron emission tomography. *Biol Psychiatry* 55(3): 217-224.

Montaldi, D., Brooks, D.N., McColl, J.H., Wyper, D., Patterson, J., Barron, E., McCulloch, J. (1990). Measurements of regional cerebral blood flow and cognitive performance in Alzheimer's disease. *J Neurol Neurosurg Psychiatry* 53(1): 33-38.

Moses, E.L., Drevets, W.C., Smith, G., Mathis, C.A., Kalro, B.N., Butters, M.A., Leondires, M.P., Greer, P.J., Lopresti, B., Loucks, T.L., Berga, S.L. (2000). Effects of estradiol and progesterone administration on human serotonin 2A receptor binding: a PET study. *Biol Psychiatry* 48(8): 854-860.

Moses-Kolko, E.L., Berga, S.L., Greer, P.J., Smith, G., Meltzer, C.C., Drevets, W.C. (2003). Widespread increases of cortical serotonin type 2A receptor availability after hormone therapy in euthymic postmenopausal women. *Fertil Steril* 80(3): 554-559.

Nobili, F., Copello, F., Buffoni, F., Vitali, P., Girtler, N., Bordoni, C., Safaie-Semnani, E., Mariani, G., Rodriguez, G. (2001). Regional cerebral blood flow and prognostic evaluation in Alzheimer's disease. *Dement Geriatr Cogn Disord* 12(2): 89-97.

Nobili, F., Vitali, P., Canfora, M., Girtler, N., De Leo, C., Mariani, G., Pupi, A., Rodriguez, G. (2002). Effects of long-term Donepezil therapy on rCBF of Alzheimer's patients. *Clin Neurophysiol* 113(8): 1241-1248.

Nordberg, A., Lilja, A., Lundqvist, H., Hartvig, P., Amberla, K., Viitanen, M., Warpman, U., Johansson, M., Hellstrom-Lindahl, E., Bjurling, P., et al. (1992). Tacrine restores cholinergic nicotinic receptors and glucose metabolism in Alzheimer patients as visualized by positron emission tomography. *Neurobiol Aging* 13(6): 747-758.

Ohkura, T., Isse, K., Akazawa, K., Hamamoto, M., Yaoi, Y., Hagino, N. (1994). Evaluation of estrogen treatment in female patients with dementia of the Alzheimer type. *Endocr J* 41 (4): 361-371.

Ohkura, T., Teshima, Y., Isse, K., Matsuda, H., Inoue, T., Sakai, Y., Iwasaki, N., Yaoi, Y. (1995). Estrogen increases cerebral and cerebellar blood flows in postmenopausal women. *Menopause* 2: 13-18.

Potkin, S.G., Anand, R., Fleming, K., Alva, G., Keator, D., Carreon, D., Messina, J., Wu, J.C., Hartman, R., Fallon, J.H. (2001). Brain metabolic and clinical effects of rivastigmine in Alzheimer's disease. *Int J Neuropsychopharmacol* 4(3): 223-230.

Prohovnik, L., Mayeux, R, Sackeim, H.A., Smith, G., Stern, Y., Alderson, P.O. (1988). Cerebral perfusion as a diagnostic marker of early Alzheimer's disease. *Neurology* 38(6): 931-937.

Rapp, S., Espeland, M., Shumaker, S., Henderson, V., Brunner, R, Manson, J., Gass, M., Stefanick, M., Lane, D., Hays, J., Johnson, K., Coker, L., Dailey, M., Bowen, D. (2003). Effect of estrogen plus progestin on global cognitive function in postmenopausal women: the Women's Health Initiative Memory Study: a randomized controlled trial. *JAMA* 289: 2663-2672.

Rasgon, N. L., Silverman, D., Siddarth, P., Miller, K., Ercoli, L. M., Elman, S., Lavretsky, H., Huang, S.C., Phelps, M. E., Small, G. W. (2005). Estrogen use and brain metabolic change in postmenopausal women. *Neurobiol Aging* 26(2): 229-235.

Rasgon, N.L., Small, G.W., Siddarth, P., Miller, K, Ercoli, L.M., Bookheimer, S.Y., Lavretsky, H., Huang, S.C., Barrio, J.R., Phelps, M.E. (2001). Estrogen use and brain metabolic change in older adults. A preliminary report. Psychiatry Res 107(1): 11-18.

Raz, N., Gunning-Dixon, F., Head, D., Rodrigue, K.M., Williamson, A., Acker, J.D. (2004a). Aging, sexual dimorphism, and hemispheric asymmetry of the cerebral cortex: replicability of regional differences in volume. *Neurobiol Aging* 25(3): 377-396.

Raz, N., & Rodrigue, K.M. (2006). Differential aging of the brain: patterns, cognitive correlates and modifiers. *Neurosci Biobehav Rev* 30(6): 730-748.

Raz, N., Rodrigue, K.M., Kennedy, K.M., Acker, J. D. (2004b). Hormone replacement therapy and age-related brain shrinkage: regional effects. *Neuroreport* 15(16): 2531-2534.

Resnick, S.M., Coker, L.H., Maki, P.M., Rapp, S.R., Espeland, M.A., Shumaker, S.A. (2006a). The Women's Health Initiative Study of Cognitive Aging (WHISCA): a randomized clinical trial of the effects of hormone therapy on age-related cognitive decline. *Clin Trials* 1: 440-450.

Resnick, S.M., Maki, P.M., Golski, S., Kraut, M. A., Zonderman, A.B. (1998). Estrogen effects on PET cerebral blood flow and neuropsychological performance. *Horm Behav* 34: 171-184.

Resnick, S.M., Maki, P.M., Rapp, S.R., Espeland, M.A., Brunner, R, Coker, L.H., Granek, I.A., Hogan, P., Ockene, J.K., Shumaker, S.A. (2006b). Effects of combination estrogen plus progestin hormone treatment on cognition and affect. *J Clin Endocrinol Metab* 91: 1802-1810.

Robertson, D.M., van Amelsvoort, T., Daly, E., Simmons, A., Whitehead, M., Morris, R.G., Murphy, K.C., Murphy, D.G. (2001). Effects of estrogen replacement therapy on human brain aging: an in vivo 1H MRS study. *Neurology* 57(11): 2114-2117.

Rossouw, J.E., Prentice, R.L., Manson, J.E., Wu, L., Barad, D., Barnabei, V.M., Ko, M., LaCroix, A.Z., Margolis, K.L., Stefanick, M.L. (2007). Postmenopausal hormone therapy and risk of cardiovascular disease by age and years since menopause. *JAMA* 297(13): 1465-77.

Sakamoto, S., Matsuda, H., Asada, T., Ohnishi, T., Nakano, S., Kanetaka, H., Takasaki, M. (2003). Apoliprotein E genotype and early Alzheimer's disease: a longitudinal SPECT study. *J Neuroimaging* 13(2): 113-123.

Schmidt, R., Fazekas, F., Reinhart, B., Kapeller, P., Fazekas, G., Offenbacher, H., Eber, B., Schumacher, M., Freidl, W. (1996). Estrogen replacement therapy in older women: a neuropsychological and brain MRI study. *J Am Geriat Soc* 44(11): 1307-1313.

Schooler, C., & Mulatu, M.S. (2001). The reciprocal effects of leisure time activities and intellectual functioning in older people: a longitudinal analysis. *Psychol Aging* 16(3): 466-482.

Shaywitz, S.E., Shaywitz, B.A., Pugh, K.R, Fulbright, R.K., et.al. (1999). Effect of estrogen on brain activation patterns in postmenopausal women during working memory tasks. *JAMA* 281 (13): 1197-1202.

Sherwin, B. B. (2003). Estrogen and cognitive functioning in women. *Endocr Rev* 24(2): 133-151.

Sherwin, B. B. (2006). Estrogen and cognitive aging in women. *Neuroscience* 138(3): 1021-1026.

Shumaker, S.A., Legault, C., Kuller, L., Rapp, S., Thal, L., Lane, D., Fillit, H., Stefanick, M., Hendrix, S., Lewis, C.B., Masaki, K., Coker, L. (2004). Conjugated equine estrogens and incidence of probable dementia and mild cognitive impairment in postmenopausal women. *JAMA* 291: 2947-2958.

Shumaker, S.A., Legault, C., Thal, L., Wallace, R., Ockene, J., Hendrix, S., Jones, III, B., Assaf, A., Jackson, R, Kotchen, J.M., Wassertheil-Smoller, S., Wactawski-Wende, J. (2003). Estrogen plus progestin and the incidence of dementia and mild cognitive impairment in postmenopausal women: the Women's Health Initiative Memory Study: a randomized controlled trial. *JAMA* 289: 2651-2662.

Slopien, R., Junik, R., Meczekalski, B., Halerz-Nowakowska, B., Maciejewska, M., Warenik-Szymankiewicz, A., Sowinski, J. (2003). Influence of hormonal replacement therapy on the regional cerebral blood flow in postmenopausal women. *Maturitas* 46(4): 255-262.

Small, G.W., Ercoli, L.M., Silverman, D.H., Huang, S.C., Komo, S., Bookheimer, S.Y., Lavretsky, H., Miller, K., et al. (2000). Cerebral metabolic and cognitive decline in persons at genetic risk for Alzheimer's disease. *Proc Natl Acad Sci USA* 97(11): 6037-6042.

Small, G. W., Mazziotta, J. C., Collins, M. T., Baxter, L. R, Phelps, M. E., Mandelkern, M. A., Kaplan, A., La Rue, A., Adamson, C. E, Chang, L., et al. (1995). Apolipoprotein E type 4 allele and cerebral glucose metabolism in relatives at risk for familial Alzheimer disease. *JAMA* 273 (12): 942-947.

Smith, G.S., Price, J.C., Lopresti, B.J., Huang, Y., Simpson, N., Holt, D., Mason, N.S., Meltzer, C.C., Sweet, R.A., Nichols, T., Sashin, D., Mathis, C.A. (1998). Test-retest variability of serotonin 5-HT2A receptor binding measured with positron emission tomography and [18F] altanserin in the human brain. *Synapse* 30(4): 380-392.

Smith, Y.R., Love, T., Persad, C.C., Tkaczyk, A., Nichols, T.E., Zubieta, J.K. (2006). Impact of combined estradiol and norethindrone therapy on visuospatial working memory assessed by functional magnetic resonance imaging. *J Clin Endocrinol Metab* 91(11): 4476-4481.

Smith, Y.R., Minoshima, S., Kuhl, D.E., Zubieta, J.K. (2001). Effects of longterm hormone therapy on cholinergic synaptic concentrations in healthy postmenopausal women. *J Clin Endocrinol Metab* 86(2): 679-684.

Staff, R.T., Gemmell, H.G., Shanks, M.F., Murray, A.D., Venneri, A. (2000). Changes in the rCBF images of patients with Alzheimer's disease receiving Donepezil therapy. *Nucl Med Commun* 21(1): 37-41.

Stevens, M.C., Clark, V.P., Prestwood, K.M. (2005). Low-dose estradiol alters brain activity. *Psychiatry Res* 139(3): 199-217.

Sullivan, E.V., Marsh, L., Pfefferbaum, A. (2005). Preservation of hippocampal volume throughout adulthood in healthy men and women. *Neurobiol Aging* 26(7): 1093-1098.

Sumner, B.E., & Fink, G. (1997). The density of 5-hydroxytryptamine 2A receptors in forebrain is increased at pro-oestrus in intact female rats. *Neuroscience Letters* 234(1): 7-10.

Tanaka, S., Kawamata, J., Shimohama, S., Akahi, H., Akiguchi, I., Kimura, J., Ueda, K. (1998). Inferior temporal lobe atrophy and APOE genotypes in Alzheimer's disease. X-ray computed tomography, magnetic resonance imaging and Xe-133 SPECT studies. *Dement Geriatr Cogn Disord* 9(2): 90-98.

Tanapat, P., Hastings, N. B., Reeves, A. J., Gould, E. (1999). Estrogen stimulates a transient increase in the number of new neurons in the dentate gyrus of the adult female rat. *J Neurosci* 19(14): 5792-5801.

Wang, P.N., Liao, S.Q., Liu, R.S., Liu, C.Y., Chao, H.T., Lu, S.R., Yu, H.Y., Wang, S.J., Liu, H.C. (2000). Effects of estrogen on cognition, mood, and cerebral blood flow in AD: a controlled study. *Neurology* 54: 2061-2066.

Wilson, R.S., Mendes de Leon, C.F., Barnes, L.L., Schneider, J.A., Bienias, J.L., Evans, D.A., et al. (2002). Participation in cognitive stimulating activities and risk of incident Alzheimer's disease. *JAMA* 287: 742-748.

Zec, R.F., & Trivedi, M.A. (2002). The effects of estrogen replacement therapy on neuropsychological functioning in postmenopausal women with and without dementia: a critical and theoretical review. *Neuropsychol Rev* 12(2): 65-109.

9장

Abbott, R.D., White, L.R., Ross, G.W., Masaki, K.H., Curb, J.D., & Petrovitch, H. (2004). Walking and dementia in physically capable elderly men. *Journal of the American Medical Association*, 292(12): 1447-1453.

Albert, M.S., Jones, K., Savage, C.R., Berkman, L., Seeman, T., Blazer, D., et al. (1995). Predictors of cognitive change in older persons: MacArthur Studies of Successful Aging. *Psychology and Aging*, 10(4): 578-589.

Barnes, D.E., Yaffe, K., Satariano, W.A., & Tager, I.B. (2003). A longitudinal study of cardiorespiratory fitness and cognitive function in healthy older adults. *Journal of the American Geriatrics Society*, 51(4): 459-465.

Blaney, J., Sothmann, M., Raff, H., Hart, B., & Horn, T. (1990). Impact of exercise training on plasma adrenocorticotropin response to a well-learned vigilance task. *Psychoneuroendocrinology*, 15(5-6): 453-462.

Blomquist, K.B., & Danner, F. (1987). Effects of physical conditioning on information-processing efficiency. *Perceptual and Motor Skills* 65: 175-186.

Blumenthal, J.A., & Madden, D.J. (1988). Effects of aerobic exercise training, age, and physical-fitness on memory-search performance. *Psychology and Aging*, 3(3): 280-285.

Colcombe, S., & Kramer, A.F. (2003). Fitness effects on the cognitive function of older adults: a meta-analytic study. *Psychological Science*, 14(2): 125-130.

Colcombe, S J., Kramer, A.F., Erickson, K.I., Scalf, P., McAuley, E., Cohen, N.J., et al. (2004). Cardiovascular fitness, cortical plasticity, and aging. *Proceedings of the National Academy of Sciences USA*, 101(9): 3316-3321.

Dik, M.G., Deeg, D.J.H., Visser, M., & Jonker, C. (2003). Early life physical activity and cognition at old age. *Journal of Clinical and Experimental Neuropsychology*, 25(5): 643-653.

Dustman, R.E., Ruhling, R.O., Russell, E.M., Shearer, D.E., Bonekat, H.W., Shigeoka, J.W., et al. (1984). Aerobic exercise training and improved neuropsychological function of older individuals. *Neurobiology of Aging*, 5(1): 35-42.

EI-Naggar, A.M. (1986). Physical training effect on relationship of physical, mental, and emotional fitness in adult men. *Journal of Human Ergology* 15: 79-84.

Emery, C.F., Schein, R.L., Hauck, E.R., & MacIntyre, N.R. (1998). Psychological and cognitive outcomes of a randomized trial of exercise among patients with chronic obstructive pulmonary disease. *Health Psychology* 17(3): 232-240.

Emery, C.F., Shermer, R.L., Hauck, E.R., Hsiao, E.T., & MacIntyre, N.R. (2003). Cognitive and psychological outcomes of exercise in a 1-year follow-up study of patients with chronic obstructive pulmonary disease. *Health Psychology* 22(6): 598-604.

Etnier, J.L. (2008). Mediators of the exercise and cognition relationship. In: W.W. Spirduso, W. Chodzko-Zajko, & L.W. Poon. (Eds), *Aging, exercise, and cognition series: Vol. 2. Exercise and its mediating effects on cognition* (pp. 13-32). Champaign, IL: Human Kinetics.

Etnier, J.L., & Berry, M. (2001). Fluid intelligence in an older COPD sample after short - or long-term exercise. *Medicine and Science in Sports and Exercise* 33 (10): 1620-1628.

Etnier, J.L., Salazar, W., Landers, D.M., Petruzzello, S.J., Han, M., & Nowell, P. (1997). The influence of physical fitness and exercise upon cognitive functioning: a meta-analysis. *Journal of Sport and Exercise Psychology* 19: 249-277.

Harma, M.I., Ilmarinen, J., Knauth, P., Rutenfranz, J., & Hanninen, O. (1988). Physical-training intervention in female shift workers. 2. The effects of intervention on the circadian-rhythms of alertness, short-term-memory, and body-temperature. *Ergonomics* 31(1): 51-63.

Hascelik, Z., Basgoze, O., Turker, K., Narman, S., & Ozker, R. (1989). The effects of physical training on physical fitness tests and auditory and visual reaction times of volleyball players. *Journal of Sports Medicine and Physical Fitness* 29: 234-239.

Hassmen, P., Ceci, R., & Backman, L. (1992). Exercise for older women: a training method and its influences on physical and cognitive performance. *European Journal of Applied Physiology and Occupational Physiology* 64(5): 460-466.

Heyn, P., Abreu, B.C., & Ottenbacher, K.J. (2004). The effects of exercise training on elderly persons with cognitive impairment and dementia: a meta-analysis. *Archives of Physical and Medical Rehabilitation* 85(10): 1694-1704.

Hill, R.D., Storandt, M., & Malley, M. (1993). The impact of long-term exercise training on psychological function in older adults. *Journal of Gerontology* 48(1): P12-P17.

Ismail, A.H., & El-Naggar, A.M. (1981). Effect of exercise on cognitive processing in adult men. *Journal of Human Ergology* 10: 83-9l.

Khatri, P., Blumenthal, J.A., Babyak, M.A., Craighhead, W.E., Herman, S., Baldewicz, T., et al. (2001). Effects of exercise training on cognitive functioning among depressed older men and women. *Journal of Aging and Physical Activity* 9: 43-57.

Kramer, A.F., Hahn, S., McAuley, E., Cohen, N.J., Banich, M.T., Harrison, C., et al. (2002). Exercise, aging, and cognition: healthy body, healthy mind? In W. A. Rogers & A.D. Fisk (Eds.), *Human factors interventions for the health care of older adults* (pp. 91-120). Mahwah, NJ: Erlbaum.

Laurin, D., Verreault, R., Lindsay, J., MacPherson, K., & Rockwood, K. (2001). Physical activity and risk of cognitive impairment and dementia in elderly persons. *Archives of Neurology* 58(3): 498-504.

Madden, D.J., Allen, P.A., Blumenthal, J.A., & Emery, C.F. (1989). Improving aerobic capacity in healthy older adults does not necessarily lead to improved cognitive performance. *Psychology and Aging* 4(3): 307-320.

Moul, J.L., Goldman, B., & Warren, B. (1995). Physical activity and cognitive performance in the older population. *Journal of Aging and Physical Activity* 3: 135-145.

Panton, L.B., Graves, J.E., Pollock, M.L., Hagberg, J.M., & Chen, W. (1990). Effect of aerobic and resistance training on fractionated reaction time and speed of movement. *Journal of Gerontology* 45(1): M26-M3l.

Pierce, T.W., Madden, D.J., Siegel, W.C., & Blumenthal, J.A. (1993). Effects of aerobic exercise on cognitive and psychosocial functioning in patients with mild hypertension. *Health Psychology* 12(4): 286-29l.

Podewils, L.J., Guallar, E., Kuller, L.H., Fried, L.P., Lopez, O.L., Carlson, M., et al. (2005). Physical activity, APOE genotype, and dementia risk: findings from the Cardiovascular Health Cognition Study. American *Journal of Epidemiology* 161(7): 639-651.

Sibley, B.A., & Etnier, J.L. (2003). The relationship between physical activity and cognition in children: a meta-analysis. *Pediatric Exercise Science* 15(3): 243-256.

van Gelder, B.M., Tijhuis, M.A., Kalmijn, S., Giampaoli, S., Nissinen, A., & Kromhout, D. (2004). Physical activity in relation to cognitive decline in elderly men: the FINE Study. *Neurology* 63(12): 2316-2321.

Verghese, J., Lipton, R.B., Katz, M.J., Hall, C.B., Derby, C.A., Kuslansky, G., et al. (2003). Leisure activities and the risk of dementia in the elderly. *New England Journal of Medicine* 348(25): 2508-2516.

Weuve, J., Kang, J.H., Manson, J.E., Breteler, M.M., Ware, J.H., & Grodstein, F. (2004). Physical activity, including walking, and cognitive function in older women. *Journal of the American Medical Association* 292(12): 1454-1461.

Whitehurst, M. (1991). Reaction time unchanged in older women following aerobic training. *Perceptual and Motor Skills* 72: 251-256.

Wilson, R.S., Bennett, D.A., Bienias, J.L., Aggarwal, N.T., Mendes De Leon, C.F., Morris, M.C., et al. (2002). Cognitive activity and incident AD in a population-based sample of older persons. *Neurology* 59(12): 1910-1914.

Yaffe, K., Barnes, D., Nevitt, M., Lui, L.Y., & Covinsky, K. (2001). A prospective study of physical activity and cognitive decline in elderly women who walk. *Archives of Internal Medicine* 161(14): 1703-1708.

Zervas, Y., Danis, A., & Klissouras, V. (1991). Influence of physical exertion on mental performance with reference to training. *Perceptual and Motor Skills* 72(3): 1215-1221.

찾아보기

엮은이

보이테크 호츠코-자이코Wojtek Chodzko-Zajko, PhD

일리노이 대학교 어바나-샴페인 캠퍼스(University of Illinois at Urbana-Champaign)에서 운동생리학 및 커뮤니티 건강학과의 학과장 겸 교수로 재직하고 있다. 그는 노인을 위한 신체 활동 가이드라인을 발표한 세계보건 기구 과학자문위원회의 일원으로 활동했다. 그는 또한 미국 스포츠 의학 대학, 국립 노화 연구소, 질병통 제예방센터, 미국 노인학회, 국립 노년위원회, 미국 은퇴자협회, 로버트 우드 존슨 재단이 연계된 국가 연 합인 활동적 노화 파트너십의 의장을 맡고 있다. 2002년부터 그는 50세 이상 인구의 독립적이고 활동적 인 노화를 공동 목표로 하는 50개 이상의 국가 기구들의 연합인 국가 블루프린트 프로젝트의 책임 연구 원으로 활동하고 있다. 그는《노화와 신체 활동에 관한 저널(Journal of Aging and Physical Activity)》의 창립 편집 자이자 국제 노화 및 신체활동 학회의 회장을 역임했다. 그는 국내외 회의에서 건강한 노화에 대해 자주 초청 강연을 하며, NBC 투데이 쇼, 국립 공영 라디오, CNN을 포함한 여러 텔레비전 및 라디오 프로그램 에도 자주 출연하였다.

아서 F. 크레이머Arthur F. Kramer, PhD

일리노이 대학교의 스완룬드 종신 교수(Swanlund endowed chair)이다. 그는 미국 심리학협회 및 미국 심리학 회의 펠로이며 국제 주의력 및 수행학회(International Attention and Performance Society)의 집행위원회 멤버이 다. 그는 또한 일리노이 대학교 벡맨 연구소(Beckman Institute)의 심리학 및 신경과학 교수이며, 생물의학 영 상센터의 디렉터, NIH 로열 마음 건강 센터(NIH Royal Center for Healthy Minds)의 공동 디렉터로 활동하고 있 다. 그의 연구실에서는 인간의 삶 전반에 걸쳐 일어나는 인지 및 신경 가소성의 이해와 향상에 중점을 두 고 연구하고 있다. 그는《지각과 심리물리학(Perception and Psychophysics)》의 부편집장을 역임했으며, 현재 일 곱 개의 편집위원회의 멤버로 활동하고 있다. 그는 최근 NIH로부터 10년 MERIT 상(NIH Ten-Year MERIT Award)을 수상하였으며, 그의 연구는 뉴욕 타임스, 월스트리트 저널, 워싱턴 포스트, 시카고 트리뷴, CBS 이브닝 뉴스, 투데이 쇼, NPR, 토요일 나이트 라이브 등 다양한 인쇄, 라디오 및 전자 매체에서 소개되 었다.

레너드 W. 푼Leonard W. Poon, PhD

애슨스에 있는 조지아 대학교(University of Georgia at Athens)의 공중 보건학과 심리학 교수이고, 노화학 교수 진의 의장이며, 그리고 노화학 센터의 디렉터이다. 그는 1972년 덴버 대학교(University of Denver)에서 실 험 심리학으로 박사 학위를 받았으며, 30년 이상 노화와 인지에 관해 연구해 왔으며, 특히 노인들의 인지 기능을 향상시키는 환경 및 생활방식의 영향에 중점을 두고 연구하였다. 미국 심리학협회, 미국 심리학 회, 고등교육 노화학협회(Association of Gerontology in Higher Education, and the Gerontology Society of America), 그리 고 미국 노화학회(Gerontology Society of America)의 펠로인 그는 스웨덴에서 풀브라이트 연구 학자였고, 일본 에서 선임 연구 과학자였다. 2000년에는 스웨덴 룬드 대학교(Lund University in Sweden)로부터 명예 철학 박 사 학위를 받았다. 그는 NIA 특별 연구상(NIA Special Research Award), VA 의료 연구 서비스 성과 상(VA Medical Research Service Achievement Award), 북미 정신의학 분야의 리더(North American Leader in Psychiatrics), 그리고 남부 노화학회 학술 노화학자상(Southern Gerontological Society Academic Gerontologist Award) 등을 수상하였다. 그의 주 요 연구 분야는 노화 과정에서의 정상적 및 병리적 기억 변화, 기억의 임상 평가(알츠하이머 유형 치매의 초 기 단계 평가 포함), 그리고 100세 이상 노인들의 생존 특성과 적응이다. 현재 그는 노화의 유전적 기초, 알 츠하이머 병에서의 뇌와 행동 간의 관계, 그리고 최고령자의 일상 기능 능력에 대해 연구하는 9개 대학의 NIA 자금 지원 프로그램을 지휘하고 있다. 현재 그는 조지아주 애슨스에 거주하고 있으며 여가 시간에는 사이클링, 사진 촬영, 여행을 즐긴다.

인지 기능의 향상과 뇌 가소성

초판 발행 1쇄   2024년 1월 30일

엮은이   보이테크 호츠코-자이코·
            아서 F. 크레이머·레너드 W. 푼
옮긴이   남기춘·박향숙
펴낸곳   고려대학교출판문화원
            www.kupress.com
            kupress@korea.ac.kr
            (02841) 서울특별시 성북구 안암로 145
            Tel   02-3290-4230, 4232
            Fax 02-923-6311
찍은곳   (주)동화인쇄

ISBN   979-11-6956-057-3 93510

값 24,000원
※ 잘못 만들어진 책은 바꿔 드립니다.